Steven Saylor

# DU SANG SUR ROME

*Traduit de l'américain*
*par Juliette Hoffenberg et André Dommergues*

Éditions Ramsay

Collection « Les Mystères de Rome »

*L'Étreinte de Némésis*

© 1991 by Steven Saylor
Titre original : *Roman Blood*
© Traduction française : Éditions Ramsay, 1997

À Rick Solomon
*auspicium melioris ævi*

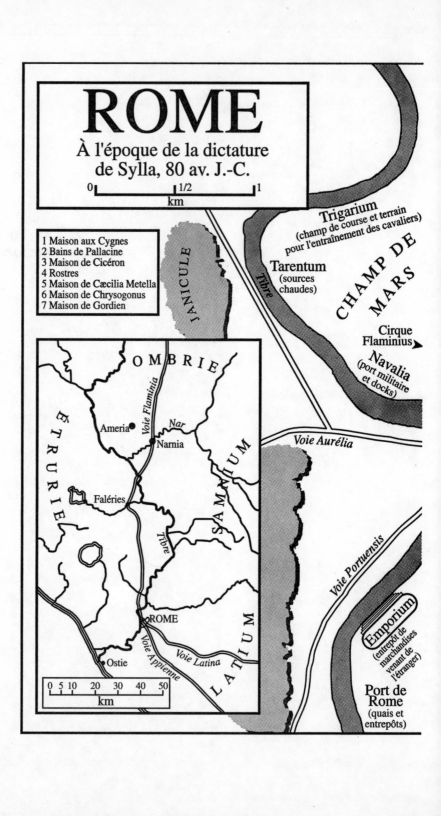

# ROME

### À l'époque de la dictature de Sylla, 80 av. J.-C.

0     1/2     1
km

1 Maison aux Cygnes
2 Bains de Pallacine
3 Maison de Cicéron
4 Rostres
5 Maison de Cæcilia Metella
6 Maison de Chrysogonus
7 Maison de Gordien

JANICULE

Trigarium
(champ de course et terrain
pour l'entraînement des cavaliers)

Tarentum
(sources
chaudes)

CHAMP DE MARS

Tibre

Cirque
Flaminius

Navalia
(port militaire
et docks)

Voie Aurélia

OMBRIE

Voie Flaminia

Ameria

Nar

Narnia

ÉTRURIE

SAMNIUM

Faléries

Tibre

Voie Portuensis

LATIUM

ROME

Ostie

Voie Appienne

Voie Latina

Emporium
(entrepôt de
marchandises
venant de
l'étranger)

Port de
Rome
(quais et
entrepôts)

0 5 10   20   30   40   50
km

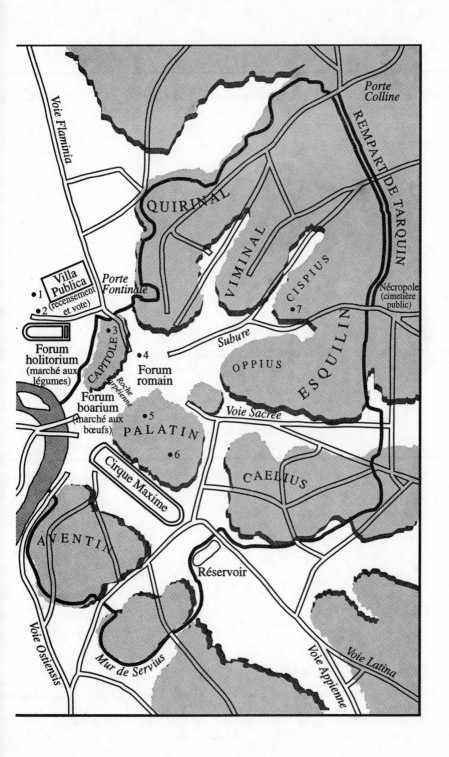

Voie Flaminia

Porte
Colline

QUIRINAL

REMPART DE TARQUIN

VIMINAL

CISPIUS

Nécropole
(cimetière
public)

Villa
Publica
(recensement
et vote)

Porte
Fontinale

•1

•2

•7

Subure

•3

CAPITOLE

Roche
Tarpéienne

•4

Forum
holitorium
(marché aux
légumes)

Forum
romain

OPPIUS

ESQUILIN

Forum
boarium
(marché aux
bœufs)

•5

PALATIN

Voie Sacrée

CAELIUS

•6

Cirque Maxime

AVENTIN

Réservoir

Voie Ostiensis

Mur de Servius

Voie Appienne

Voie Latina

# Première partie

*Enquête*

# 1

L'esclave qui était venu me trouver, en ce matin de printemps où il faisait particulièrement chaud, était un jeune homme d'à peine vingt ans.

Habituellement, lorsqu'un client me fait demander, le messager est un esclave de la plus basse extraction – un rustaud, un estropié, un garçon d'écurie stupide qui pue le crottin et qui éternue à cause des brins de paille fichés dans ses cheveux. C'est une sorte d'usage : quand on a recours aux services de Gordien, on garde une certaine distance, et de la réserve. C'est un peu comme si j'étais un lépreux, ou le prêtre de quelque culte oriental louche. J'en ai pris l'habitude. Je ne m'en offense pas – pourvu que mes notes de frais soient réglées ponctuellement et intégralement.

Mais l'esclave qui se tenait à ma porte, ce matin-là, était très propre et soigneusement coiffé. Son allure était calme et respectueuse, sans obséquiosité cependant – la politesse que l'on attend de tout jeune homme s'adressant à un homme de dix ans son aîné. Son latin était impeccable (meilleur que le mien) et la voix qui l'articulait avait les modulations suaves d'une flûte. Rien d'un goujat d'écurie, donc, mais, manifestement, le serviteur bien élevé et choyé d'un maître affectueux. L'esclave s'appelait Tiron.

– De la maison du très honoré Marcus Tullius Cicéron,

précisa-t-il en inclinant la tête pour voir si je connaissais le nom.

Ce n'était pas le cas.

— Je viens quérir tes services, ajouta-t-il, sur la recommandation de...

Je lui pris le bras, posai l'index sur ses lèvres et l'introduisis dans la demeure. Un printemps étouffant avait remplacé la rudesse de l'hiver ; malgré l'heure matinale, il faisait déjà bien trop chaud pour rester debout sur le pas d'une porte. Il était également bien trop tôt pour écouter le bavardage d'un jeune esclave, si mélodieuse que fût sa voix. Mes tempes bourdonnaient.

— Dis-moi, demandai-je, connais-tu un remède à la gueule de bois ?

Le jeune Tiron me dévisagea obliquement, intrigué par le changement de sujet et surpris de ma soudaine familiarité.

— Non, je n'en connais pas.

Je hochai la tête.

— Peut-être n'as-tu jamais fait cette expérience ?

Il rougit légèrement.

— Non.

— Ton maître ne te permet pas le vin ?

— Mais si, naturellement. Seulement, comme mon maître le dit toujours, de la modération en toutes choses...

Je fis un signe de tête en grimaçant. Le plus petit mouvement exigeait des efforts considérables.

— De la modération en toutes choses, bien sûr, marmonnai-je, sauf pour l'heure à laquelle il envoie un esclave frapper à ma porte.

— Oh, pardonne-moi ! Peut-être devrais-je revenir un peu plus tard ?

— Cela te ferait perdre autant de temps qu'à moi. Sans compter celui de ton maître. Non, tu vas rester, mais interdiction de parler affaires avant que je ne t'y invite, et tu vas prendre le petit déjeuner avec moi, dans le jardin, où il fait bon.

Je lui fis traverser l'atrium, descendre un vestibule ombreux, et l'amenai dans le péristyle, au centre de la demeure. Il fronçait les sourcils, mais je ne savais pas bien si c'était en raison de l'étendue de la maison ou de l'état dans lequel elle se trouvait. J'avais l'habitude de mon jardin, naturellement, mais, pour un étranger, il devait sembler quelque peu abandonné : les saules avaient poussé comme des fous et leurs rameaux venaient caresser les mauvaises herbes ; la fontaine, au centre, ne coulait plus depuis longtemps et la petite statue de Pan était toute piquetée : le bassin étroit étirait à travers le jardin ses méandres bourbeux, encombrés de joncs d'Égypte qui foisonnaient sans contrainte. Le jardin était retourné en friche longtemps avant que je n'hérite de mon père la propriété, et je n'avais rien fait pour le remettre en état. Je le préférais comme il était, un lieu de verdure sauvage. De toute façon, je n'aurais jamais pu payer les travaux et les fournitures nécessaires pour remettre le jardin dans son état d'origine.

— Je suppose que tout cela doit être assez différent de la demeure de ton maître.

Je m'assis sur une chaise, précautionneusement, pour ne pas aggraver mon mal de tête, et je fis signe à Tiron d'en prendre une autre. Je frappai des mains – et regrettai aussitôt le bruit que j'avais ainsi produit. Je dominai ma souffrance et criai :

— Bethesda ! Où est cette fille ? Elle va nous apporter à manger dans un instant. Elle est à l'office – c'est pourquoi je suis allé ouvrir la porte moi-même. Bethesda !

Tiron s'éclaircit la voix.

— En fait, elle est plutôt plus grande que celle de mon maître.

Je le regardai, les yeux vides, les grondements de mon estomac rivalisaient avec les bourdonnements de mes tempes.

— Quoi ?

— La maison. Plus grande que celle de mon maître.

11

– Cela t'étonne ?

Il baissa les yeux, craignant de m'avoir offensé.

– Sais-tu ce que je fais dans la vie, jeune homme ?

– Pas exactement.

– Tu sais pourtant que c'est quelque chose qui n'est pas très respectable – si tant est qu'il y ait quelque chose de respectable à Rome actuellement. Mais ce n'est pas illégal – si tant est que la légalité signifie encore quelque chose dans une ville gouvernée par un dictateur. Ainsi, tu es surpris de me trouver dans une demeure aussi spacieuse et délabrée. Tu as parfaitement raison. J'en suis moi-même surpris, parfois. Ah, te voilà, Bethesda ! Pose donc la corbeille ici, entre moi et mon jeune invité inattendu, mais tout à fait bienvenu.

Bethesda obéit, non sans un regard oblique accompagné d'un petit grognement de dédain. Esclave elle-même, Bethesda n'approuvait pas ma façon d'accueillir familièrement les esclaves, encore moins de les faire bénéficier de ma cuisine. Lorsqu'elle eut fini de vider la corbeille, elle se tint debout devant nous, comme si elle attendait d'autres instructions. C'était pure affectation. Il était évident pour moi, sinon pour Tiron, qu'elle désirait surtout examiner de plus près mon hôte.

Bethesda fixait le jeune homme, qui semblait incapable de croiser son regard. Sa lèvre supérieure se retroussa. Elle fit la moue.

Chez la plupart des femmes, une moue signifie un mouvement de dégoût, de rejet ; mais avec Bethesda, on ne peut jamais être certain. Une moue ne diminue en rien son air de volupté sombre ; elle le renforce même, parfois. Dans le vocabulaire physique limité mais imaginatif dont Bethesda dispose, une moue peut vouloir tout dire, de la menace voilée à l'invitation brûlante. Dans le cas présent, je soupçonne qu'il s'agissait d'une réponse muette au regard pudique de Tiron, d'une réaction à sa modestie timide – la moue gourmande d'un renard rusé quand il aperçoit le lapin qu'il

désire croquer. J'aurais pensé, pourtant, que tous ses appétits avaient été rassasiés la nuit précédente. Les miens, en
tout cas, l'avaient été.

– Mon maître a-t-il besoin d'autre chose ?

Elle était debout, les mains sur les hanches, les seins
provocants, les épaules en arrière. Ses paupières tombaient,
encore lourdes du fard de la nuit précédente. Sa voix avait
la sensualité et l'accent légèrement zézayant de l'Orient.
Bethesda s'était fait son opinion : le jeune Tiron, esclave
ou non, était intéressant.

– Rien d'autre, Bethesda. Va-t'en !

Elle courba la tête, fit demi-tour et retraversa le jardin
vers la maison. Son corps sinueux se déhanchait entre les
rameaux des saules. Une fois qu'elle eut tourné le dos, la
timidité de Tiron disparut. Son regard suivait le mouvement
gracieux des hanches de Bethesda. Je lui enviais sa réserve
et sa modestie, sa beauté, sa jeunesse.

– Ton maître ne te permet pas de boire, du moins pas de
façon immodérée, dis-je. Mais te permet-il de jouir d'une
femme, de temps en temps ?

Je ne m'attendais pas à le voir rougir aussi profondément
et aussi violemment. Seul un jeune homme à la peau si
douce peut rougir ainsi. Même Bethesda était trop vieille
pour réagir de cette façon, à supposer qu'elle en fût encore
capable.

– Ça ne fait rien, dis-je. Je n'ai pas le droit de te poser
cette question. Tiens, prends un peu de pain. Bethesda le
fait elle-même et il est meilleur que l'on ne pense. Une
recette donnée par sa mère, à Alexandrie. C'est elle, du
moins, qui le dit – car je soupçonne que Bethesda n'a
jamais eu de mère. Bien que je l'aie achetée là-bas, son
nom n'est ni grec ni égyptien. Le lait et les prunes doivent
être frais, mais je ne garantis pas le fromage.

Nous mangeâmes en silence. Le jardin était encore dans
l'ombre, mais je pouvais sentir le soleil, presque menaçant,
rôder sur le bord festonné du toit de tuiles. À midi, le jardin

tout entier serait inondé de lumière, vibrant d'une chaleur insupportable, mais pour l'heure il était plus frais que l'intérieur, qui gardait encore la tiédeur de la veille. Soudain, les paons braillèrent dans leur coin ; le plus grand des mâles poussa un cri aigu et fit la roue. Tiron regarda l'oiseau et sursauta, car il ne s'attendait pas à ce spectacle. Je mastiquais en silence et tressaillais à chaque élancement qui irradiait de mes mâchoires à mes tempes. J'épiais Tiron, dont le regard avait quitté le paon pour se fixer sur la porte vide par où Bethesda était sortie.

— Est-ce là le remède à la gueule de bois ?

— Quoi donc, Tiron ?

Il se retourna pour me faire face. L'innocence absolue de son visage était plus éclatante que le soleil, qui apparut soudain au-dessus du toit. Son nom était peut-être grec, mais, à l'exception de ses yeux, tous ses traits étaient classiquement romains : le modelé lisse du front, des joues et du menton ; le renflement léger des lèvres et du nez. Ses yeux me frappèrent, avec leur nuance lavande pâle que je n'avais jamais vue auparavant, certainement pas originaire de Rome — contribution d'une mère ou d'un père esclave venant d'on ne sait où. Ces yeux étaient bien trop innocents et confiants pour appartenir à un Romain.

— Est-ce là le remède à la gueule de bois ? redemanda Tiron. Posséder une femme, le matin ?

J'éclatai de rire.

— Certainement pas. Cela fait plus souvent partie de la maladie. À moins que ce ne soit une incitation à guérir, pour la prochaine fois.

Il regarda la nourriture, devant lui, et prit de petits morceaux de fromage, poliment, mais sans enthousiasme. Manifestement, il avait l'habitude de mets plus raffinés, même en tant qu'esclave.

— Le pain et le fromage, alors ?

— La nourriture aide, si l'on sait se restreindre. Mais le véritable remède à la gueule de bois m'a été enseigné par un sage médecin d'Alexandrie, voici presque dix ans – quand j'avais à peu près ton âge, je crois, et que je connaissais le vin. Il m'a bien servi, depuis. Selon lui, vois-tu, lorsque l'on a trop bu, certaines humeurs du vin, au lieu de se dissoudre dans l'estomac, montent comme des vapeurs fétides jusqu'à la tête, épaississant le flegme sécrété par le cerveau et provoquant son gonflement et son inflammation. Ces humeurs finissent par se disperser et le flegme se ramollit. C'est pourquoi l'on ne meurt pas d'une gueule de bois, si cruelle qu'ait été la souffrance.

– Le temps serait donc l'unique remède ?

– À l'exception d'un autre, plus rapide : la pensée. L'exercice concentré de la réflexion. Tu vois, la pensée, selon mon ami médecin, prend naissance dans le cerveau, lubrifié par la sécrétion du flegme. Lorsque ce flegme se corrompt et durcit, il en résulte une migraine. Mais l'activité de la pensée produit du flegme frais qui dissipe le vieux ; plus l'on pense intensément, plus la production de flegme est grande. Ainsi, la concentration intense accélérera la guérison naturelle de la gueule de bois, en nettoyant les humeurs du tissu enflammé et en rétablissant la lubrification des membranes.

– Je vois.

Tiron avait l'air dubitatif, mais impressionné.

– Tout cela paraît logique. Naturellement, il faut accepter le point de départ, qui ne peut pas être prouvé.

Je me carrai dans ma chaise et croisai les bras, tout en grignotant une croûte de fromage.

– La preuve réside dans le remède. Je me sens déjà mieux, vois-tu, d'avoir été obligé d'expliquer comment cela fonctionne. Et je pense que je serai entièrement guéri dans quelques minutes, une fois que je t'aurai expliqué la raison de ta venue.

Tiron sourit prudemment.

– Je crois bien que le remède est inefficace.

– Ah ?

15

— Tu t'es trompé de pronom. C'est *moi* qui vais t'expliquer pourquoi *je* suis venu chez *toi*.

— Mais non ! Il est vrai, comme tu as pu le constater sur mon visage, que je n'ai jamais entendu parler de ton maître – quel nom m'as-tu dit ? – Marcus quelque chose Cicéron ? Un parfait inconnu. Néanmoins, je puis te dire deux ou trois choses à son sujet.

Je fis une pause, assez longue pour être sûr de mobiliser toute l'attention du jeune homme.

— Il vient d'une famille très orgueilleuse, trait de caractère dont il a hérité. Il vit ici, à Rome, mais sa famille est originaire d'ailleurs, du Sud peut-être ; ils ne sont dans la ville que depuis une génération, tout au plus. Ils sont un peu mieux qu'à leur aise, mais rien de fabuleux. J'ai raison, jusque-là ?

Tiron me regarda avec suspicion.

— Jusque-là, oui.

— Ce Cicéron est un jeune homme, comme toi ; un peu plus vieux, je pense. Il étudie passionnément l'art oratoire et la rhétorique, et c'est – dans une certaine mesure – un sectateur des philosophes grecs. Pas un épicurien, j'imagine, mais peut-être un stoïcien, sans être de stricte observance. Exact ?

— Oui.

Tiron commençait à paraître vraiment mal à l'aise.

— Pour ce qui est de la raison de ta venue, tu viens chercher mes services pour un procès que Cicéron va plaider à la tribune des Rostres. Cicéron est un avocat, qui débute dans la carrière. Néanmoins, c'est un procès important et difficile. Quant à celui qui a recommandé mes services, ce serait le plus grand des avocats romains. Hortensius, naturellement.

— Mais... oui.

Tiron murmura ces mots d'une voix à peine perceptible.

— Mais comment peux-tu...

16

– Et l'affaire proprement dite ? Une affaire de meurtre, je pense...

Tiron me regarda obliquement, l'air franchement étonné.

– Et pas un simple meurtre. Non, pire que ça. Quelque chose de bien pire...

– Tu as un truc, murmura Tiron.

Il détourna le regard, en secouant la tête avec effort, comme s'il était hypnotisé.

– Tu procèdes en me regardant au fond des yeux. C'est de la divination...

Je massai mes tempes de la pointe des doigts, les coudes relevés, pour soulager la violence des battements de mon sang et prendre une pose théâtrale.

– Un crime impie, murmurai-je. Infâme. Innommable. Le meurtre d'un père par son propre fils. Un parricide !

Je relâchai la pression et me calai confortablement, fixant mon interlocuteur droit dans les yeux.

– Toi, Tiron, de la maison de Marcus Tullius Cicéron, tu viens quérir mes services pour assister ton maître dans la défense d'un certain Sextus Roscius d'Ameria, accusé d'avoir tué le père dont il porte le nom. Et voilà, ma gueule de bois a complètement disparu.

Tiron écarquilla les yeux. Il s'adossa et se concentra, l'index sur la lèvre supérieure, les sourcils froncés.

– Tu as certainement un truc.

– Pourquoi donc ? fis-je d'un air innocent. Ne me crois-tu pas capable de lire dans tes pensées ?

– Cicéron ne croit pas au don de seconde vue ni aux prédictions. Cicéron pense que les devins, oracles et autres augures ne sont que des charlatans au pire, des comédiens au mieux, qui abusent de la crédulité du peuple.

– Et toi ? Crois-tu tout ce que dit ton maître Cicéron ?

Tiron rougit. Je l'arrêtai de la main.

– Ne réponds pas. Je m'en voudrais de t'encourager à médire de ton maître. Voyons plutôt une chose : a-t-il jamais visité l'oracle de Delphes ? Ou le sanctuaire d'Arté-

17

mis à Éphèse ? A-t-il goûté le lait qui s'écoule de ses mamelles de marbre ? Escaladé les grandes pyramides au cœur de la nuit, quand le vent souffle parmi les ruines ?

— Je suppose que non, concéda-t-il en baissant les yeux. Cicéron n'a jamais quitté l'Italie.

— Moi si, jeune homme.

Je restai perdu un moment, emporté par les images, les senteurs et les rumeurs du passé. Je regardai autour de moi et pris la mesure exacte de la médiocrité de mon jardin. Je vis la nourriture pour ce qu'elle était : du pain sec, un fromage avancé. J'avisai Tiron et me rappelai sa condition. J'étais bien bête de dépenser tant d'énergie à impressionner un esclave !

— J'ai vu toutes ces choses. Et pourtant, je suis en proie au doute, encore plus que ton sceptique de maître. Oui, j'ai un truc. Un simple jeu de logique.

— Mais comment la seule logique te permet-elle de faire apparaître des éléments dont tu n'as pas connaissance ? Tu affirmes n'avoir jamais entendu parler de Cicéron. Je ne t'ai rien dit de lui, et voilà que tu me donnes les raisons exactes de ma venue : c'est de la magie. Comment créer de la fumée sans feu ? Comment découvrir la vérité sans disposer d'aucun indice ?

— Tu n'y es pas, Tiron. Ce n'est pas ta faute. Je suis sûr que tu es capable de réfléchir aussi bien que quiconque. C'est plutôt l'enseignement de nos rhéteurs qui est en cause. S'exercer sur de sempiternelles plaidoiries, rejouer les mêmes vieilles batailles, apprendre par cœur la grammaire et le Code civil, et ce pour aboutir à tourner la loi au profit du client, sans respect pour le bien ni le mal, le tort ni le droit ! En tout cas, sans aucun souci de la vérité. L'intelligence fait fi de la sagesse. La victoire justifie tout. Même les Grecs ont perdu l'art de penser.

— Si c'est un truc, dis-moi comment ça marche.

Je souris et mordis dans mon fromage.

18

– Si je te l'explique, tu seras moins impressionné que si je laisse planer le mystère.

Tiron se renfrogna.

– Je crois que tu devrais. En effet, comment parviendrais-je à me soigner, si d'aventure on me donnait la chance d'attraper une gueule de bois ?

Un sourire perçait sous sa moue. Tiron savait prendre la pose aussi bien que Bethesda. Ou moi-même.

– Très bien.

Je me levai et m'étirai, tout surpris de sentir la brûlure du soleil sur mes mains, aussi tangible que si je les avais plongées dans de l'eau bouillante. La moitié du jardin s'était emplie de lumière.

– Faisons quelques pas tant que la température est clémente. Bethesda ! Je vais te soumettre mes déductions, Bethesda va débarrasser les reliefs de notre collation – Bethesda ! – et tout rentrera dans l'ordre.

Nous déambulâmes lentement autour de la mare. De l'autre côté, la chatte Bast harcelait les libellules, sa fourrure noire étincelant au soleil.

– Bien. Comment sais-je ce que je sais à propos de Marcus Tullius Cicéron ? J'ai dit que sa famille avait de l'orgueil. C'est une évidence, étant donné son nom. Pas son nom de famille, Tullius, assez courant, mais son surnom, *Cicero*. Chez nous, citoyens romains, ce troisième nom sert généralement à identifier une branche de la famille – dans le cas présent, la branche Cicéron des Tullius. Sinon, il désigne un individu, le plus souvent par l'une de ses caractéristiques physiques. Naso, pour un homme au nez fort, ou Sylla, notre vénéré dictateur, pour sa complexion sanguine. Cicéron est un nom singulier. En effet, s'appeler vulgairement « pois chiche » ne saurait être flatteur. Comment se fait-il que ton maître porte un nom pareil ?

– C'est un nom ancien, qui lui viendrait d'un ancêtre affligé d'un nez en pied de marmite, fendu sur toute sa longueur, un peu comme un pois chiche. Tu as raison, ce patronyme sonne étrangement. Mais je n'y prends plus garde, tant j'y suis habitué. Des amis lui ont suggéré d'en changer puisqu'il se destine à une carrière publique, mais il ne veut rien entendre. Mon maître a l'intention de faire connaître et respecter le nom de Cicéron dans tout Rome.

— Orgueilleux, c'est bien ce que je disais. Tu noteras cependant que l'on peut en dire autant de tout citoyen romain, et notamment des avocats. Qu'il vive à Rome me paraît acquis. Qu'il ait ses racines plus au sud, je le déduis du nom de Tullius. J'en ai rencontré plus d'une fois sur la route de Pompéi – peut-être du côté d'Aquinum, d'Interamna, d'Arpinum...

— Exactement, opina Tiron. Cicéron a de la famille dans toute cette région. Lui-même est né à Arpinum.

— Mais il n'y a pas vécu au-delà de, oh, neuf ou dix ans.

— Oui. Il avait huit ans quand ses parents se sont installés à Rome. Mais comment le sais-tu ?

Bast, renonçant aux libellules, était venue se frotter à mes chevilles.

— Réfléchis, Tiron. C'est à dix ans que commence l'éducation d'un citoyen, et je suppose, étant donné sa connaissance de la philosophie et ta propre érudition, que ton maître n'a pas grandi dans un petit village assoupi en bord de route. Que la famille ne soit pas romaine depuis plus d'une génération, je le déduis précisément de ce que j'ignorais son surnom. Je m'en serais souvenu, du pois chiche ! Quant à l'âge de Cicéron, sa fortune et son intérêt pour l'art oratoire et la philosophie, il suffit de te regarder, Tiron.

— Moi ?

— Un esclave est le miroir de son maître. Ton ignorance des dangers de la boisson, ta pudeur devant Bethesda, tout indique que tu sers dans une maison très rigoureuse sur les principes. Or, c'est le maître qui donne le ton. Cicéron doit être un homme d'une grande rectitude. Il ne cultive pas seulement la vertu romaine, car ta remarque sur la modération en toutes choses signale son inclination pour les penseurs grecs. Enfin, il travaille énormément la rhétorique, la grammaire et l'éloquence. Je me doute que tu n'as pas pris une seule leçon en ce domaine, mais l'esclave peut absorber beaucoup au contact régulier des arts. Cela se sent à ton discours, à tes manières, aux inflexions de ta voix. Il est clair que Cicéron a consacré beaucoup de temps et de peine aux sciences du langage.

« Je conclus de ce qui précède que Cicéron souhaite être avocat et plaider devant les Rostres. Le seul fait que tu sois là me le laisse à penser. La plupart de mes clients – du moins ceux qui sont respectables – sont ou politiciens, ou avocats, ou les deux à la fois. »

Tiron hocha la tête.

– Mais comment as-tu deviné que Cicéron était jeune et débutait dans la carrière ?

– Si sa réputation d'avocat était établie, j'en aurais entendu parler, n'est-ce pas ? Combien de cas a-t-il traités ?

– Un seul, reconnut Tiron. Et rien de spectaculaire : un simple règlement de compte entre associés.

– Ce qui confirme son inexpérience. Comme le fait qu'il t'ait envoyé en éclaireur. Est-il juste de dire que tu es l'esclave de confiance de Cicéron ? Son serviteur préféré ?

– Son secrétaire particulier. Depuis toujours.

– Tu lui portais ses livres en classe, tu lui faisais répéter sa grammaire, tu as préparé ses notes pour sa première plaidoirie au tribunal ?

– En effet.

– Eh bien, tu n'es pas le genre d'esclaves qu'on envoie d'habitude chez Gordien. Seul un novice, cruellement ignorant des usages, commettrait la bourde de déléguer son bras droit jusqu'à ma porte. Tu m'en vois flatté, même si cette flatterie ne m'était pas destinée. En guise de reconnaissance, je te promets de ne pas ébruiter dans tout Rome que Marcus Tullius Cicéron s'est ridiculisé en dépêchant son meilleur esclave au misérable Gordien, fouilleur de merde et agitateur de profession ! On en rirait encore plus que de son nom.

Ma sandale buta contre une racine de saule. Je me cognai le doigt de pied et réprimai un juron.

– C'est vrai, reprit doucement Tiron. Il est tout jeune, comme moi. Il ne connaît pas encore les ficelles du métier, les gesticulations vaines et les formules creuses. Mais au moins, il sait à quoi il croit – ce qu'on ne peut pas dire des autres avocats.

Je regardais mon doigt de pied, qui par miracle ne saignait pas. Mon petit jardin est peuplé de divinités, rustiques et mal élevées comme lui. J'étais puni pour avoir taquiné un innocent. Je le méritais.

– La loyauté te sied bien, Tiron. Quel âge a ton maître, au juste ?

– Cicéron a vingt-six ans.

– Et toi ?

– Vingt-trois.

– Un poil plus vieux que je ne l'aurais cru, l'un et l'autre. Je n'ai donc que sept ans de plus que lui. Mais cela fait toute la différence, dis-je, songeant à la fougue des jeunes gens prêts à changer le monde.

Une vague de nostalgie me traversa, aussi légèrement que la brise dans les branches du saule. Je baissai les yeux et vis notre reflet dans une flaque d'eau claire. J'étais plus grand que Tiron, plus large d'épaules, plus lourd à la ceinture. J'avais la mâchoire saillante, le nez busqué, les yeux bêtement marron et non pas lavande. Nous n'avions en commun que nos boucles noires et indisciplinées ; les miennes commençaient à se teinter de gris.

– Tu as mentionné Quintus Hortensius. Comment sais-tu que c'est lui qui t'a recommandé à Cicéron ?

– Je ne le savais pas. Ce n'était qu'une supposition – mais c'était la bonne. L'air de stupéfaction sur ton visage m'a vite donné raison. Une fois le lien avec Hortensius établi, tout était clair.

« Que je t'explique. L'un de ses sbires est venu me voir il y a une dizaine de jours pour me sonder sur une affaire. Celui qui vient à chaque fois qu'Hortensius est en peine. La seule pensée de cette créature me donne le frisson. Où trouve-t-on des recrues aussi abominables ? Et qu'est-ce qu'ils font tous à Rome, à s'étriper les uns les autres ? Évidemment, ton maître ne soupçonne pas cet aspect de la profession. Enfin, pas encore.

« Quoi qu'il en soit, l'émissaire d'Hortensius frappe à ma porte. Me pose un tas de questions oiseuses, ne me dit rien, tourne autour du pot, bref, le genre de simagrées qu'on emploie pour déceler si la partie adverse vous a déjà approché ou non. Ils s'imaginent toujours que l'ennemi est arrivé le premier, que vous allez de toute façon accepter le dossier et faire semblant de les aider, pour les poignarder dans le dos ensuite. Je suppose que c'est ce qu'ils feraient à ma place.

« Il finit par s'en aller, non sans laisser une odeur que Bethesda ne peut éradiquer malgré trois jours passés à frotter, et seulement deux indices sur le motif de sa visite : le nom de Roscius, et la ville d'Ameria – connaissais-je celui-ci ? Avais-je visité celle-là ? Comme chacun sait, il y a un célèbre acteur de ce nom, mais il ne s'agit pas de lui. Quant à Ameria, c'est une petite bourgade dans les collines de l'Ombrie, à une soixantaine de milles. Pas de quoi faire le détour, sauf à se reconvertir dans l'agriculture. Ma réponse est donc non, et non.

« Passent un ou deux jours, l'homme ne revient pas. Je suis intrigué. Je me renseigne par-ci par-là, ce n'est pas sorcier de découvrir ce dont il retourne : c'est l'affaire du parricide, qui arrive devant les Rostres. Sextus Roscius d'Ameria est accusé d'avoir fomenté le meurtre de son propre père, ici même à Rome. Curieux. Personne n'est vraiment au courant des faits, mais chacun me conseille de ne pas m'en mêler ! Un crime affreux, dit-on, qui promet un procès affreux. Je m'attendais à des nouvelles d'Hortensius, mais la créature ne réapparaît pas. Il y a deux jours, j'ai appris qu'Hortensius avait abandonné la défense de son client. »

J'observai Tiron du coin de l'œil. Il marchait les yeux rivés au sol, sans me voir, mais je devinai l'intensité de son regard. En voilà un qui savait écouter. Quel excellent élève il aurait fait, n'était sa condition d'esclave ! Et peut-être, dans une autre vie, serait-il devenu un excellent pédagogue pour notre jeunesse !

— Hortensius, repris-je, sa créature, son mystérieux procès : tout cela m'était sorti de la tête. Et te voilà qui m'annonce que je suis « recommandé ». Par qui ? J'imagine par lui, qui préfère refiler l'affaire à quelqu'un d'autre... À un jeune avocat, mettons, moins expérimenté que lui. À un débutant, qu'excite un procès qui peut aboutir à un châtiment atroce. À un avocat qui ne cherchera pas plus loin, qui n'a pas les moyens de savoir ce qu'Hortensius a dû apprendre.

Une fois sa recommandation confirmée, il était facile de procéder jusqu'à la conclusion, guidé que j'étais par les réactions de ton visage qui, soit dit en passant, est aussi clair et lisible que la prose de Caton. Une part de logique, une part d'intuition. J'ai appris à me servir des deux dans mon métier.

Nous continuâmes en silence. Tiron se mit à rire.

— Tu sais donc pourquoi je suis venu. Ce n'est même pas la peine que je te l'expose. Tu me facilites grandement la tâche !

J'écartai les paumes en un geste typiquement romain de fausse modestie. Tiron fronça les sourcils.

— Si seulement je pouvais lire dans tes pensées à *toi*. Ou est-ce que ton bon accueil signifie que tu es d'accord ? Que tu aideras Cicéron en cas de besoin ? Il connaît par Hortensius ta méthode de travail et tes tarifs. Alors, acceptes-tu ?

— Accepter quoi ? Je regrette, mes facultés de divination s'arrêtent là. Sois plus précis.

– Viendras-tu ?

– Où ça ?

– Chez Cicéron.

Voyant ma perplexité, Tiron précisa :

– Pour le rencontrer. Pour discuter de l'affaire.

Je m'arrêtai si brusquement que mes sandales soulevèrent un petit nuage de poussière.

– Ma parole, ton maître ignore vraiment tout de l'étiquette ! Il me convie chez lui. Moi, le pauvre Gordien ! Il m'invite à son domicile. Au fond, oui, j'aimerais bien le rencontrer, ce Marcus Tullius Cicéron. Le ciel m'est témoin qu'il a besoin d'aide ! Ce doit être un original. Oui, bien sûr que je viens. Laisse-moi seulement passer une tenue plus appropriée. Ma toge, par exemple. Et des chaussures. J'en ai pour une minute. Bethesda ! Bethesda !

## 2

Depuis ma maison sur la colline de l'Esquilin à celle de Cicéron, du côté du Capitole, il faut compter une bonne heure de marche. Tiron avait réduit ce temps de moitié en cheminant dès l'aube. Mais nous repartions en pleine agitation matinale, quand les rues de Rome s'emplissent d'une humanité aiguillonnée par les éternels mobiles : la faim, l'obéissance et l'appât du gain.

C'est l'heure où l'on voit le plus d'esclaves. Chargés de paquets, ils sillonnent la ville pour effectuer une multitude de courses, délivrent des messages, font leur marché de place en place. Ils véhiculent l'odeur pénétrante du pain frais, cuit dans un millier de fours d'où montent chaque jour, comme une offrande propitiatoire, des tortillons de fumée. Ils transportent les effluves de poisson, avec les variétés d'eau douce venues du Tibre tout proche, ou les espèces plus exotiques arrivées pendant la nuit du port d'Ostie – coquillages enrobés de boue, beaux poissons de mer, poulpes et calamars luisants. L'odeur du sang aussi, qui suinte de la viande fraîchement débitée : gigot, poitrine, abats, le tout jeté sur l'épaule dans un baluchon, à destination de la table du maître à la panse rebondie.

Je ne connais pas de cité qui puisse rivaliser de vitalité avec Rome. Rome se réveille le poumon dilaté, le pouls alerte, elle s'étire et soupire d'aise. Car, chaque nuit, Rome fait de beaux rêves d'empire. D'autres villes s'enlisent dans le sommeil – Alexandrie et Athènes réfugiées dans leur grandeur passée, Pergame et Antioche parées de splendeur orientale, tandis que Pompéi ou Herculanum s'offrent la grasse matinée jusqu'à midi. Mais Rome est heureuse au saut du lit, Rome a du travail. Rome se lève tôt.

C'est une ville multiple, qui offre ses différentes facettes au voyageur qui la traverse. Celui qui est attentif aux hommes y verra d'abord une communauté d'esclaves, bien supérieure en nombre aux citoyens et aux affranchis. Ils sont partout, aussi essentiels à la vie que les eaux du Tibre ou la lumière du soleil.

On en voit de toutes races et de toutes conditions. Certains sont issus des mêmes ancêtres que leurs maîtres. Ils se promènent, plus élégants que beaucoup d'hommes libres. Ils n'ont pas la toge du citoyen, mais le tissu de leur tunique est aussi fin. D'autres sont misérables au dernier degré. Une main-d'œuvre vérolée, débile, nue, sauf pour un haillon qui dissimule le sexe, serpente en files dans les rues. Ils sont enchaînés aux chevilles, courbés sous de lourds fardeaux, tourmentés par un nuage de mouches qui les suit partout. Le fouet les presse vers les mines, les galères ou le chantier d'une riche villa en construction. Ils ne font pas de vieux os.

Pour ceux qui privilégient la pierre, Rome est par excellence le lieu du culte. Ma ville a toujours été pieuse, sacrifiant abondamment (sinon sincèrement) à n'importe quel demi-dieu ou héros susceptible d'aider à la conquête. Rome vénère ses dieux et adore ses morts. Temples, autels et sanctuaires abondent. On brûle de l'encens à tous les coins de rue. Descendez ce raidillon que vous croyez connaître depuis l'enfance : vous aurez la surprise de découvrir telle statuette grossière, dissimulée dans sa niche envahie par un buisson de fenouil. Seuls les enfants qui jouent à la marelle et les voisins immédiats adressent leur prière au petit dieu étrusque oublié. Ou bien vous tombez sur un temple, si ancien qu'il n'est pas fait de briques et de marbre, mais de bois mangé aux vers. L'intérieur a été dépouillé de longue date des attributs de la divinité qui y résidait, mais on le considère toujours comme sacré, pour des raisons que nul ne se rappelle.

Chaque quartier a sa physionomie. Prenez le mien, où se mêlent étrangement la vie et le trépas. Les travailleurs de la morgue sont rassemblés au sommet de l'Esquilin : parfumeurs, embaumeurs, incinérateurs. Jour et nuit s'élève la colonne de fumée la plus noire et la plus épaisse de cette ville de cheminées. Comme sur les champs de bataille, on y respire l'odeur entêtante de la chair brûlée. Au pied de la colline, c'est le fameux quartier de Subure, la plus grande concentration de tavernes, maisons de jeu et lupanars à l'ouest d'Alexandrie. Ces voisins disparates, fournisseurs de mort et de plaisir, créent d'étonnants contrastes.

Je descendis avec Tiron le sentier pavé qui dessert ma porte et longe les murs des voisins.

— Attention ! fis-je en désignant un tas d'excréments, que Tiron évita de justesse en fronçant le nez.

— Ce n'était pas là tout à l'heure.

— Non, c'est tout frais. La maîtresse de maison derrière le mur de gauche vient d'un trou perdu du Samnium. Je lui ai expliqué trente-six mille fois notre système de collecte des ordures, à quoi elle répond toujours : « C'était comme ça à Trou-Pluton », enfin, le nom de son village puant. Ça ne reste jamais bien longtemps, car l'homme qui habite à droite les fait ramasser par un esclave. Je ne sais pas pourquoi ; je suis le seul à emprunter ce passage. Peut-être que l'odeur l'incommode, ou qu'il s'en sert comme engrais. Mais c'est la routine : la dame de Trou-Pluton balance la merde familiale chaque matin, l'homme d'en face s'en empare avant la nuit. (Je fis un sourire d'excuses.) Je préviens quiconque est susceptible de me rendre visite entre le lever et le coucher du soleil. Je ne voudrais pas te faire gâcher une paire de chaussures pour moi !

Le sentier s'élargit. Les maisons, plus petites, se rapprochaient. Nous débouchâmes dans Subure. Un groupe de gladiateurs, la tête rasée ornée d'une houppe barbare, sortait en titubant du Repaire de Vénus. Le Repaire est connu pour arnaquer ses clients, les touristes comme les locaux, ce qui explique pourquoi je ne le fréquente pas, en dépit de sa proximité. Arnaqués ou non, les gladiateurs semblaient satisfaits. Ils se tenaient par l'épaule pour garder l'équilibre et beuglaient une chanson qui comptait autant d'airs que d'interprètes. Visiblement, ils n'avaient pas dessoûlé de la nuit.

Un groupe de joueurs de trigon s'écarta et se reforma après leur passage, chacun posté à une pointe du triangle tracé dans la poussière. Ils se renvoyaient la balle de cuir à grands rires. Ce n'étaient guère plus que des enfants, mais je les avais vus emprunter la porte de service du Repaire assez souvent pour savoir qu'ils y étaient employés. C'était un hommage à la vigueur de la jeunesse que cette partie matinale, après une longue nuit de coucheries.

Nous prîmes à droite vers l'ouest, derrière les gladiateurs ivres. Une autre route venue des pentes de l'Esquilin débouchait sur un large carrefour. C'est la règle à Rome : plus il y a d'espace, plus il est bondé et infranchissable. Tiron et moi avancions l'un derrière l'autre dans un chaos de charrettes et d'animaux. Je hâtai le pas et lui criai de me suivre. Nous rejoignîmes les gladiateurs. La foule s'écartait devant eux comme la bruine sous une rafale de vent. Nous profitâmes de leur sillage.

— Place ! clama une voix forte. Place aux morts !

Une cohorte d'embaumeurs drapés de blanc arrivait sur le flanc droit. Ils poussaient une longue civière où reposait un corps enveloppé de gaze et de fragrances – essence de rose, onguent de clous de girofle, épices d'Orient. Comme toujours, ils étaient imprégnés de l'odeur âcre issue du grand crématorium sur la colline.

— Place ! cria le chef du convoi, en brandissant une

mince baguette, comme celles qu'on utilise pour dresser en douceur le chien ou l'esclave.

Il ne frappait que du vent, mais les gladiateurs en prirent ombrage. L'un d'eux lui arracha sa baguette, qui virevolta et faillit m'arriver en pleine figure. Je me baissai – une exclamation de douloureuse surprise s'éleva derrière moi. Toujours courbé, je saisis Tiron par la manche.

La presse était telle qu'on ne pouvait plus reculer. Au lieu de se disperser, comme les circonstances l'exigeaient, les gens s'agglutinaient à la perspective d'une bagarre. Ils ne seraient pas déçus.

L'embaumeur était court sur pattes, avec un gros ventre et une calvitie naissante. Il se dressa sur ses ergots, pressant son visage tordu de rage contre celui du gladiateur. Il grimaça sous l'haleine fétide – même de là où j'étais, je sentais un relent d'ail et de vinasse – et siffla comme un serpent. C'était un spectacle grotesque et pathétique. L'énorme gladiateur répliqua d'un rot sonore et d'une gifle, qui envoya l'autre dans les brancards. On entendit un craquement, de bois ou d'os, ou les deux ; l'embaumeur et le convoi s'écroulèrent.

– Par ici, fis-je en indiquant un passage inespéré dans la foule.

Le temps d'y arriver, la brèche s'était remplie de nouveaux spectateurs.

Tiron poussa un drôle de cri. Je me retournai. Son expression était plus drôle encore. Il regardait au sol. Je reçus un coup dans les chevilles. La civière s'était renversée : le cadavre avait roulé jusqu'à mes pieds et me faisait face, son linceul déployé derrière lui.

C'était une jeune fille blonde, et pâle comme tous les corps vidés de leur sang. Malgré son teint cireux, elle présentait les signes de ce qui avait été une grande beauté. Sa robe déchirée dans la chute dévoilait un unique sein blanc, dur comme de l'albâtre, et un téton couleur de rose fanée.

Je vis Tiron ouvrir la bouche sous l'effet d'un désir

inconscient, les commissures tirées vers le bas par une répulsion non moins spontanée. J'aperçus un autre passage dans la foule et le tirai par le bras. Mais il restait cloué sur place. J'insistai. Il allait y avoir du grabuge.

À l'instant même, j'entendis le chuintement caractéristique du poignard qu'on dégaine et vis un éclair d'acier. Ce n'était pas l'un des gladiateurs. La silhouette était de l'autre côté de la civière, parmi les embaumeurs. Un garde du corps ? Un parent de la défunte ? En une fraction de seconde, si vite qu'on ne pouvait parler de déplacement, l'éclair réapparut devant le convoi. Il y eut un bruit de déchirure, discret, mais étrangement définitif. Le gros gladiateur se plia en deux, agrippant ses tripes. Ses gémissements furent vite recouverts par la clameur de la foule.

En fait, je n'avais rien vu de l'agresseur ni du crime. J'étais trop occupé à me frayer un chemin parmi les passants, qui, à la première goutte de sang, se dispersèrent comme des grains d'un sac troué.

— Viens ! hurlai-je en traînant Tiron derrière moi.

Il continuait à regarder la morte par-dessus son épaule, ignorant semble-t-il ce qui s'était passé. Mais une fois à l'écart, loin de l'agitation qui continuait autour du convoi renversé, il me dit à voix basse :

— Il faut y retourner. Nous sommes témoins.

— Témoins de quoi ?

— D'un meurtre !

— Je n'ai rien vu. Ni toi non plus. Tu n'avais d'yeux que pour la fille.

— Non, j'ai tout vu. (Il avala sa salive.) J'ai vu un meurtre.

— Tu n'en sais rien. Le gladiateur peut s'en remettre. Et puis, ce n'est sans doute qu'un esclave.

Je tressaillis devant la lueur de douleur dans ses yeux.

— Il faut y retourner de toute façon, répliqua-t-il sèchement. Ce n'était qu'un début. La moitié de la place doit se battre à l'heure qu'il est.

Il fronça les sourcils, frappé par une idée.

— Peut-être qu'ils auront besoin d'un bon avocat !

J'ouvris des yeux émerveillés.

— Maître Cicéron en a de la chance ! Tu as l'esprit prati-que, Tiron. On trucide un homme sous tes yeux, et que vois-tu ? De bons procès en perspective !

Tiron était piqué.

— Mais beaucoup d'avocats se font une pratique de cette manière. Cicéron dit qu'Hortensius n'emploie pas moins de trois serviteurs pour circuler dans les rues à la recherche de tels incidents.

Je redoublai de rire.

— Je doute que ton Cicéron veuille de ce gladiateur pour client, ni de son maître. Ni surtout qu'eux-mêmes soient disposés à traiter avec lui, ou aucun autre avocat. Les adver-saires se rendront justice de la manière habituelle : œil pour œil, dent pour dent. S'ils ne veulent pas régler l'affaire eux-même – encore que les amis de la victime n'aient pas l'air de mauviettes – ils feront comme tout le monde : ils paie-ront les services d'un gang. Le gang retrouvera l'agresseur, ou son frère, et le passera par l'épée ; la famille de la nou-velle victime engagera un gang rival pour se venger, et ainsi de suite. Telle est, Tiron, la justice romaine.

J'esquissai un sourire, pour permettre à Tiron de prendre la chose à la légère. Mais il se rembrunit.

— La justice romaine, continuai-je sombrement, c'est la justice de ceux qui ne peuvent pas se payer d'avocat, qui ne savent même pas ce que c'est. Ou qui s'en méfient, et trouvent les tribunaux pourris. La scène que nous avons vue peut aussi bien être un épisode d'une querelle de sang, non pas le début. L'homme au poignard n'a pas forcément de lien avec l'embaumeur, ni avec la fille. Peut-être est-ce quelqu'un qui attendait juste le bon moment pour frapper, et qui sait à quoi ou à quand remonte ce conflit ? Mieux vaut ne pas s'en mêler. Nul ne pourra y mettre fin.

C'était la stricte vérité, et un sujet d'étonnement pour les étrangers : Rome n'a pas de police. Aucune force armée pour maintenir l'ordre au sein de ses murailles. Régulièrement, un sénateur lassé de la violence propose la création d'une telle force et s'attire immédiatement l'objection : « À qui appartiendra-t-elle ? » Et il y a de quoi. Dans une monarchie, la loyauté de la police va en droite ligne au roi. Or, Rome est une République (une dictature au moment où j'écris, certes, mais provisoirement, et en accord avec la Constitution). Ici, quiconque serait nommé chef d'une telle milice n'agirait que pour son avancement personnel, tandis que ses subordonnés n'auraient qu'une idée en tête : se vendre au plus offrant et le poignarder dans le dos. La police ne serait que l'instrument de factions rivales. Elle deviendrait un gang de plus, dont le public aurait à se défendre. Rome a choisi de s'en passer.

Nous laissâmes la place derrière nous et quittâmes la voie Subure. J'entraînai Tiron dans un raccourci de ma connaissance. Comme la plupart des rues de Rome, il ne porte pas de nom. Je l'appelle le Goulet. C'est un passage étroit qui sent le renfermé, à peine une fente entre deux murs. Le pavage est moisi par l'humidité. Il y règne une odeur de suint presque animale, qui n'est pas désagréable. Jamais le soleil, la chaleur ou la lumière ne pénètrent ici. Humide au plus fort de l'été, verglacé en hiver, il ressemble aux centaines de venelles que l'on trouve à Rome, autant de microcosmes séparés du vaste monde.

On ne pouvait marcher côte à côte, et Tiron suivait sur mes talons. À la direction de sa voix, à son timbre, je savais qu'il regardait nerveusement derrière lui.

— Y a-t-il beaucoup d'agressions dans ce quartier ?

— Dans Subure ? Constamment. C'est la quatrième à ma connaissance ce mois-ci, mais la première à laquelle j'assiste. C'est la chaleur qui veut ça. Cela dit, ce n'est pas pire qu'ailleurs. Tu peux te faire trancher la gorge sur le Palatin, ou au milieu du Forum aussi bien !

— Cicéron pense que c'est la faute de Sylla.

La phrase lancée avec assurance s'étouffa sur la fin. Je

sentis que Tiron rougissait. Paroles téméraires, que cette critique d'un citoyen à l'encontre de notre bien-aimé dictateur. Plus téméraire encore pour un esclave de les répéter au premier venu. Je n'aurais pas dû relever, mais ma curiosité fut la plus forte.

— Ton maître n'est-il donc pas un admirateur de Sylla ? fis-je d'un air dégagé.

Tiron ne répondit pas.

— Cicéron se trompe, sais-tu, s'il pense que tous les désordres de Rome sont imputables à Sylla. L'effusion de sang ne date pas d'hier, même si son règne y a contribué.

Là, je me compromettais moi-même. Tiron gardait le silence. Il pouvait faire semblant de ne pas entendre, soustrait qu'il était à mon regard. Les esclaves apprennent très tôt à feindre la surdité ou la distraction quand cela les arrange. Je ne voulais pas pour autant lâcher le morceau. Quelque chose dans le nom de Sylla enflamme tout bon Romain, qu'il soit ami ou ennemi, complice ou victime.

— La plupart des gens attribuent à Sylla le retour de l'ordre. À un prix élevé, certes, dans un bain de sang. Mais l'ordre c'est l'ordre, et c'est la valeur la plus estimée de tout bon Romain. Je crois comprendre que Cicéron voit les choses autrement ?

Silence. La ruelle serpentait de droite et de gauche, de sorte qu'on ne voyait pas à dix pieds. Parfois, on passait une porte ou une fenêtre dans un renfoncement, toujours fermée. On n'aurait pas pu être plus seuls.

— D'accord, Sylla est un *dictateur*, repris-je. Chose difficilement acceptable pour les Romains. Car nous sommes des hommes libres ; enfin, pour ceux d'entre nous qui ne sont pas esclaves. Cela dit, la dictature est un régime légal, tant qu'elle est cautionnée par le Sénat. On y a recours seulement en cas d'urgence, bien sûr. Et avec modération. Si Sylla se maintient au pouvoir depuis bientôt trois ans, au lieu des douze mois réglementaires... eh bien, cela fait désordre. C'est peut-être ce qui déplaît à ton maître ?

— Je t'en prie, chuchota Tiron. Tu ne devrais pas insister. On ne sait jamais qui peut écouter.

— Ah, les murs ont des oreilles. Autre sage maxime de maître Pois Chiche ?

Ceci eut le don de le faire réagir.

— Non ! Cicéron ne craint pas de dire ce qu'il pense ; il n'est pas plus timoré que toi. Et il connaît mieux le monde politique que tu ne sembles le croire. Mais il est prudent. À moins de connaître la rhétorique, les mots qu'on prononce sur la place publique ont vite fait d'échapper à votre contrôle, comme les feuilles qui volent au vent. Une vérité innocente peut se transformer en mensonge fatal. C'est pourquoi mon maître me défend de parler politique hors de la maison. Ou avec des inconnus !

Voilà qui me remettait à ma place. Le silence et la colère de Tiron étaient justifiés. Je les avais provoqués. Je me gardai de présenter des excuses, sur le mode paternaliste qu'on utilise envers les esclaves. Tout ce qui pouvait me renseigner sur Cicéron avant notre rencontre valait la peine d'être tenté. Et puis, il faut sacrément bien connaître un esclave avant de lui laisser entendre que son insolence vous plaît.

Le Goulet s'élargit, juste assez pour nous laisser marcher de front. Tiron se rapprocha, mais garda ses distances, légèrement sur ma gauche. Nous retrouvâmes la voie Subure près du Forum. Tiron préconisait de le traverser plutôt que d'en faire le tour. C'est le cœur de la cité : la Rome officielle, avec ses édifices et ses fontaines magnifiques, ses temples et ses places, le siège des lois et des dieux.

Nous passâmes devant les Rostres, à la façade ornée des éperons des navires capturés. Là, plaident les plus grands orateurs et avocats. Il ne fut plus fait mention de Sylla, mais je ne pouvais m'empêcher de penser que Tiron, comme moi, se souvenait du spectacle de l'année précédente ici même : les têtes des ennemis du dictateur, alignées au bout des piques, par centaines chaque jour. Le sang des victimes se voyait encore sur la pierre. On aurait dit des taches de rouille.

## 3

Comme m'avait prévenu Tiron, la maison de Cicéron était en effet plus petite que la mienne. De l'extérieur, elle était même résolument discrète : un rez-de-chaussée sans le moindre ornement, une façade aveugle sur la rue, rien qu'un mur couleur safran, percé d'une étroite porte en bois.

Cette modestie apparente ne signifiait rien. Nous étions dans l'un des quartiers les plus huppés de Rome, où la richesse ne se mesure pas à la superficie. Une petite maison ici peut valoir tout un pâté d'immeubles dans Subure. De plus, les classes supérieures ont toujours méprisé l'ostentation. Soi-disant au nom du bon goût. En réalité, elles craignent qu'un étalage de richesses n'attise la convoitise du peuple.

Cet idéal d'austérité remonte à la fondation de Rome. Cependant, j'ai pu observer dans le cours de ma vie la tendance récente à faire étalage de son opulence. C'est particulièrement vrai pour la jeune génération, dont la fortune date de la guerre civile et du triomphe de Sylla. On surélève d'un étage ; on ajoute une galerie sur le toit ; on importe sa statuaire de Grèce.

Rien de tel dans ce coin, resté très comme il faut. Les maisons nous tournaient le dos, n'offrant aucune prise aux passants, réservant le secret de leur intimité à ceux dignes d'y pénétrer.

La rue de Cicéron était une rue courte et large. Pas de marché à un bout ni à l'autre, pas de vendeurs ambulants, qui savent apparemment à quoi s'en tenir. Calme plat. Un pavage gris sous nos pieds, un ciel bleu pâle sur nos têtes, un crépi passé et fendillé par la chaleur – surtout pas de verdure dans cet ensemble monochrome. Point d'herbe folle dépassant des pavés ou d'une courette, encore moins d'arbre ni de fleur. L'air sec et inodore respirait la pure stérilité de la vertu romaine.

Même dans ce contexte, la maison de Cicéron paraissait austère. Ironiquement, sa simplicité même attirait l'attention – *voilà*, aurait-on pu dire, voilà la demeure idéale de l'homme de bien. Une matrone aujourd'hui veuve, qui aurait diminué son train de vie, aurait pu y habiter. Ou un riche fermier l'utiliser comme pied-à-terre lors de ses voyages d'affaires – mais jamais pour les vacances ou les mondanités. Ou encore (et c'était le cas), ce pourrait être l'adresse d'un jeune homme de bonne famille, qui a les moyens et le respect des valeurs d'antan. Un fils de province venu accomplir sa destinée dans les meilleurs cercles de Rome. Un jeune célibataire au moral d'acier, si sûr de lui que ni l'ambition ni la jeunesse ne l'égareront dans les vulgarités de la mode.

Tiron frappa à la porte.

Un esclave grisonnant vint nous ouvrir. Il était affligé d'un tremblement continuel ; sa tête dodelinait constamment de haut en bas et de droite à gauche. Il mit du temps à reconnaître Tiron, clignant des yeux et tendant le cou comme une vieille tortue. Il finit par sourire et ouvrir grand la porte.

Le vestibule s'arrondissait en demi-cercle. Le mur courbe en face de nous comportait trois entrées flanquées de minces colonnes et coiffées d'un fronton. Elles étaient masquées par des tentures d'un rouge profond, brodées d'une frise de feuilles d'acanthe. Des flambeaux grecs de part et d'autre et une mosaïque sans grande distinction au sol (Diane pourchassant un sanglier) complétaient la décoration. Je ne m'attendais pas à autre chose : de la mesure pour ne pas contredire la sévérité de la façade, mais un certain luxe dans l'aménagement pour démentir toute impression de pauvreté.

Le vieux portier nous fit signe d'attendre et se retira sous la tenture de gauche. Sa tête chenue flottait comme un bouchon sur ses maigres épaules.

– Un souvenir de famille ? demandai-je en baissant la voix.

Le vieil homme devait avoir l'ouïe meilleure que la vue, puisqu'il répondait à la porte ; il aurait été grossier de parler de lui en sa présence, comme on fait d'un esclave, puisqu'il ne l'était pas. J'avais remarqué l'anneau de manumission à son doigt, qui marquait sa condition d'homme libre.

– C'est mon grand-père, répondit Tiron, non sans fierté. Marcus Tullius Tiron.

Il tourna le regard vers la portière, comme s'il pouvait surveiller la progression pas à pas du vieil homme à travers l'étoffe. L'ourlet ondulait légèrement, comme sous l'effet d'un courant d'air. J'en conclus qu'un couloir menait à une pièce à ciel ouvert, probablement l'atrium au cœur de la maison, où maître Cicéron prenait le frais.

– Ta lignée sert donc dans cette famille depuis au moins trois générations ?

– Oui. Sauf que mon père est mort quand j'étais petit. Je ne l'ai pas connu. Pareil pour ma mère. Le vieux Tiron est le seul parent qu'il me reste.

– Il y a longtemps que ton maître l'a affranchi ? questionnai-je, car le vieillard portait les nom et prénom de Cicéron, selon la coutume qui veut qu'on identifie l'ancien esclave par celui qui l'a émancipé.

– Cela va faire cinq ans. Il appartenait au grand-père de Cicéron, à Arpinum. Comme moi, bien que j'aie toujours été attaché à Cicéron, étant du même âge que lui. Notre vieux maître nous a légués en cadeau, au moment de son installation à Rome, à la fin de ses études. C'est alors que Cicéron l'a affranchi. Le grand-père Tullius ne se serait jamais donné cette peine. Il ne croit pas à la manumission, quels que soient l'âge d'un esclave, le nombre d'années ou la qualité de ses services. Les Tullius ont beau être originaires d'Arpinum, ils sont romains jusqu'à la moelle. C'est une famille très traditionnelle.

– Et toi ?

– Moi ?

– Tu penses que Cicéron t'affranchira un jour ?

– Tu poses de drôles de questions, fit Tiron en rosissant.

– Je n'y peux rien, c'est ma nature. Mon métier, aussi. Tu as dû te demander la même chose, plus d'une fois.

– N'est-ce pas le lot des esclaves ?

Il n'y avait aucune amertume dans sa voix, seulement une note de mélancolie, que j'avais déjà rencontrée maintes fois. Le jeune Tiron était l'un de ces esclaves, naturellement intelligents et éduqués dans la bonne société, qui connaissent la malédiction de la Fortune, laquelle asservit un être humain toute sa vie et fait de l'autre un roi.

– Un de ces jours, peut-être, continua-t-il doucement, quand mon maître sera plus âgé. De toute façon, à quoi sert d'être libre à moins de vouloir fonder un foyer ? C'est le seul intérêt que j'y voie, et je n'y pense pas encore. Pas souvent en tout cas.

Tiron se détourna, fixant l'endroit où son grand-père avait disparu. Il revint vers moi et son visage se recomposa.

– D'ailleurs, dit-il avec un sourire indéfinissable, mieux vaut attendre la mort de mon grand-père. Sans quoi, il y aurait deux Marcus Tullius Tiron, et comment ferait-on pour nous distinguer ?

– Comment fait-on actuellement ?

– Tiron et le vieux Tiron, naturellement. Grand-père ne te répondra jamais si tu l'appelles Marcus. Il est trop vieux pour s'habituer à ce nouveau prénom, même s'il en est fier. De toute façon, pas la peine de l'appeler. Ces jours-ci, il répond à la porte et c'est à peu près tout. Cela peut prendre un certain temps. Je crois que mon maître apprécie. Il trouve de bon ton de faire patienter les visiteurs, le temps d'être annoncé.

Je jetai un coup d'œil circulaire : pas une banquette où s'asseoir. Très romain, en effet.

Au bout d'un long moment, le vieux Tiron revint, écartant la portière pour laisser passer son maître. Comment décrire Marcus Tullius Cicéron ? Les gens qui sont beaux se ressemblent tous, mais quand on est laid, on ne ressemble à personne d'autre. Cicéron avait un large front, un nez charnu, des cheveux clairsemés. De taille moyenne, il avait la poitrine et les épaules creuses, et un long cou d'où saillait la pomme d'Adam. Il faisait considérablement plus que ses vingt-six ans.

— Voici Gordien, dit Tiron.

J'inclinai la tête. Cicéron eut un sourire chaleureux. Il y avait dans ses yeux une étincelle, un questionnement perpétuel. Je fus impressionné d'emblée, sans trop savoir pourquoi. Et stupéfait l'instant d'après où il ouvrit la bouche. Il avait la voix éraillée et haut perchée d'un bateleur ou d'un acteur comique, une voix aussi cocasse que son surnom. Avec ses modulations cadencées, Tiron faisait meilleur effet.

— Par ici, fit Cicéron en repassant sous la portière.

Sur la droite, un rideau de gaze jaune pâle voilait l'atrium, qu'on devinait petit mais impeccablement tenu. C'était comme un puits, un réservoir de chaleur et de lumière. Une petite fontaine jaillissait en son centre. La gaze s'enflait et ondulait doucement.

En face de l'atrium se trouvait une pièce spacieuse et aérée, éclairée par d'étroites fenêtres en hauteur. Sur les murs en plâtre blanc, le mobilier en bois sombre ressortait, embelli de ferrures ouvragées, de griffes d'argent, d'incrustations de nacre, de cornaline et de lapis.

La pièce croulait sous les rouleaux et les manuscrits.

Nous étions dans le bureau bibliothèque de Cicéron. Ce genre d'endroit en dit plus sur son propriétaire que les salles de réception ou les chambres à coucher, domaine réservé des femmes et des esclaves. C'était un espace privé, mais ouvert au public, comme en témoignaient les chaises disséminées, dont certaines étaient regroupées comme si d'autres visiteurs venaient de les quitter.

Cicéron nous désigna trois sièges, prit place et nous fit signe de nous asseoir. Quel genre d'homme vous reçoit dans sa bibliothèque, plutôt que dans sa salle à manger ou sa véranda ? Un érudit, pensai-je. Un amoureux des sciences et des arts. Avec des prétentions grecques. Un homme qui entame la conversation avec un parfait inconnu par ce genre de question :

— Dis-moi une chose, Gordien, as-tu jamais songé à tuer ton père ?

# 4

Quelle fut ma réaction ? Interloqué, j'ai dû tiquer, le regarder de travers. Cicéron n'en perdit pas une miette et eut ce sourire modeste de l'orateur qui sait manipuler son audience. Les acteurs (et j'en connais beaucoup) ressentent cette même satisfaction, ce même pouvoir. Le pâtre vient dire son fait à Œdipe, et d'un mot provoque un concert d'exclamations horrifiées dans l'assistance. Derrière son masque, il se contente de sourire et fait sa sortie.

Je fis semblant de m'abstraire dans la contemplation des manuscrits à portée de main. Cicéron guettait la moindre de mes réactions ; je m'efforçai d'avoir l'air impassible.

— Mon père..., commençai-je en me raclant la gorge, maudissant cette interruption qui pouvait passer pour un signe de faiblesse. Mon père est mort depuis bien des années, honorable Cicéron.

L'étincelle de malice disparut. Il fronça les sourcils.

— Mes excuses, fit-il en inclinant la tête. Je ne pensais pas à mal.

Après un intervalle poli, l'étincelle se ralluma.

— Alors, tu ne m'en voudras pas de te reposer la même question – pure hypothèse de travail, bien sûr. Imagine que tu veuilles te débarrasser de ton père. Comment t'y prends-tu ?

Je haussai les épaules.

43

– Quel âge a-t-il ?

– Dans les soixante, soixante-cinq ans.

– Et moi-même, dans ton hypothèse ?

– La quarantaine.

– Le Temps, répondis-je. Quel que soit le problème, le Temps y pourvoira.

– Il suffit d'attendre, crois-tu. Laisser la nature suivre son cours, tranquillement. Oui, cela semble le plus facile. Et sans doute le plus sûr. C'est ce qui se fait, quand on est confronté à une personne insupportable. Surtout si cette personne est âgée, surtout s'il s'agit d'un parent. Patiente ! Après tout, nul n'est éternel, et les jeunes générations survivent à leurs aînés.

Cicéron marqua une pause. Le voile de gaze s'enfla et retomba, comme si toute la maison respirait. Une bouffée de chaleur envahit la pièce.

– Mais le Temps est un luxe. Certes, si on laisse s'écouler suffisamment d'années, un homme de soixante-cinq ans finira par s'éteindre de sa belle mort. Mais cela peut prendre vingt ans.

Il se leva et se mit à arpenter la pièce. Ce n'était pas le genre à discourir immobile. Plus tard, j'apprendrais à percevoir son corps comme une espèce de machine – le pas rythmé, les bras en mouvement, les grands gestes de la main, la tête sur son axe, le jeu facial.

– Imagine, dit-il (la tête de côté, un moulinet de la main), un veuf de soixante-cinq ans, qui vit seul à Rome. Mais qui n'a rien d'un reclus. Au contraire, il apprécie les sorties, les dîners, les fêtes. Il fréquente les jeux du cirque, le théâtre. Les bains. On le voit même à son âge – c'est la vérité – dans les lupanars. Il ne vit plus que pour le plaisir. Il s'est retiré de la vie active. Pas de problèmes d'argent : des propriétés à la campagne, des vignobles, des fermes – il ne s'en soucie guère. Voilà longtemps qu'il a passé la main à son successeur.

– C'est-à-dire à moi.

44

Comme tout orateur, Cicéron détestait être interrompu. Mais cela prouvait au moins que je suivais.

— Oui. À toi, son fils. À présent, le vieux se consacre à la poursuite du plaisir. On le voit errer dans les rues à toute heure du jour et de la nuit, avec ses esclaves pour toute compagnie.

— Pas de gardes du corps ?

— Pas vraiment. Deux esclaves l'accompagnent, plutôt par souci de commodité que de protection.

— Armés ?

— Même pas.

— Mon père putatif cherche la bagarre.

Cicéron acquiesça.

— En effet. Il ne fait pas bon traîner à Rome en pleine nuit. Surtout si on a l'air d'avoir de l'argent. L'imprudent ! Se jouer du danger, jour après jour. Ce vieil imbécile, tôt ou tard, il lui arrivera malheur. Du moins c'est ce que tu crois. Or, ce train de vie scandaleux se prolonge d'une année à l'autre, et rien ne se passe. C'est à croire qu'un démon veille sur lui ! Jamais on ne l'a agressé, volé, ni même menacé. Le pire qui puisse lui arriver, c'est d'être accosté par un ivrogne ou par une prostituée, dont il peut se défaire d'une pièce ou d'un mot à ses esclaves. Non, le Temps ne se montre guère coopératif. Laissé à lui-même, notre vieillard peut tenir jusqu'à cent ans.

— Est-ce un grand mal ? Il commence à m'être sympathique.

Cicéron leva un sourcil.

— Pas du tout. Tu le hais. Peu importe la raison, pour le moment, tu veux sa mort. À tout prix.

— Je m'en remets quand même au Temps. Il est en bonne santé ?

— Excellente. Meilleure que la tienne. Et comment en serait-il autrement ? Chacun sait que tu es surmené. Tu te tues à la tâche : les fermes, la famille... Alors que le vieux n'a aucun souci. Il ne fait que ce qui l'amuse. Le matin, il

45

se repose. L'après-midi, il prépare sa soirée. Le soir, il se bourre de nourritures exquises, boit à l'excès et ripaille avec des hommes deux fois plus jeunes que lui. Le lendemain, il fait peau neuve aux bains, et c'est reparti. Son état de santé ? Je te dis, il va encore au lupanar.

— La bonne chère et l'alcool auront raison de lui, suppo-sai-je. Et l'on dit que bien des filles sont venues à bout du cœur d'un vieillard.

Cicéron secoua la tête.

— Non. Cela ne mène à rien, c'est trop incertain. Tu ne le supportes plus, comprends-tu ? Peut-être même as-tu peur de lui. Il faut en finir.

— La politique, alors ?

Cicéron s'arrêta, sourit et reprit les cent pas.

— La politique, répéta-t-il. Oui, ces jours-ci à Rome, une carrière politique achève plus vite son homme qu'une vie licencieuse. (Il écarta les mains en signe de résignation.) Hélas, le bonhomme est une de ces rares créatures qui ont réussi à mener leur vie sans jamais se mêler de politique. Vois-le comme un animal inoffensif. Un lapin. Ne se met-tant jamais en avant ; jamais un mot plus haut que l'autre. Ne valant pas la peine d'être chassé, tant qu'il y a du gibier dans les bois. Cerné par les intrigues de tous côtés, mais capable de se faufiler sans une égratignure.

— Il a l'air intelligent. Il me plaît de plus en plus.

— Cela n'a rien à voir avec l'intelligence. Le vieux n'a qu'une ambition : se laisser glisser à travers la vie sans accrocs. Il a de la veine, c'est tout. Rien ne l'atteint. Les alliés italiens se rebellent-ils contre Rome ? Il vient d'Ame-ria, une bourgade qui attend le dernier moment pour voler au secours de la victoire, et récolter les fruits de la réconci-liation. C'est ainsi qu'il obtient le droit de cité. La guerre civile fait-elle rage entre Marius et Sylla, puis entre Sylla et Cinna ? Le vieux hésite entre deux camps – c'est un réaliste et un opportuniste, comme la plupart de nos conci-toyens. Il s'en tire comme la demoiselle qui traverse le torrent en sautant d'une pierre à l'autre, sans mouiller sa robe. Ceux qui sont sans opinion sont les seuls à être en sécurité. Un lapin, je te dis. Si tu comptes sur la politique pour le mettre en danger, c'est raté.

— Il ne peut être aussi inepte que tu le décris. Aujourd'hui, il suffit d'être en vie pour prendre des risques. C'est un propriétaire terrien, avec des intérêts à Rome. Il ne peut qu'être client d'une famille influente. Qui sont ses patrons ?

Cicéron rit de bon cœur.

— Il s'est débrouillé pour s'allier à la famille la plus neutre, la plus débonnaire de la ville — les Metellus. La belle-famille de Sylla, enfin, avant qu'il ne divorce de sa quatrième épouse. Et pas n'importe lesquels des Metellus : le rameau le plus ancien, le plus inerte de ses nombreuses branches. D'une manière ou d'une autre, il est entré dans les bonnes grâces de Cæcilia Metella. Tu la connais ?

Je fis non de la tête.

— Ça ne saurait tarder, fit-il mystérieusement. Non, la politique n'en viendra pas à bout. Sylla peut tapisser le Forum de têtes coupées, le Champ de Mars peut devenir une piscine de sang, notre chaud lapin continue à gambader de tripot en tripot.

Cicéron s'assit brusquement. La machine était fatiguée, mais la voix reprit :

— La destinée ne t'aidera pas à te débarrasser de l'odieux vieillard. Et puis, tu as peut-être une urgence ; il ne s'agit pas de rancune ou de haine accumulée, mais d'une situation de crise. Il faut passer à l'action.

— Tu veux dire que j'assassine mon père.

— Exactement.

— Impossible.

— Tu ne peux pas faire autrement.

— La tradition romaine s'y oppose.

— C'est la Fatalité qui te pousse.

— En ce cas... le poison ?

Cicéron haussa les épaules.

– Pourquoi pas ? Mais vous n'êtes pas un père et un fils ordinaires, libres de vos allées et venues chez l'un et chez l'autre. Le conflit n'est pas récent. Juge donc : le vieux possède un appartement à Rome. Tu habites la maison de famille à la campagne. Lors de tes passages en ville, tu ne descends pas chez lui. Tu restes chez un ami, ou même à l'auberge, tant la querelle est ancienne. Tu n'as donc pas accès à sa nourriture. Soudoyer un serviteur ? Peu probable. Dans une famille désunie, les esclaves choisissent le côté du manche. C'est à lui qu'ils seront fidèles. Non, l'empoisonnement est impraticable.

Un courant d'air imprégné de jasmin vint me caresser les pieds. La matinée touchait à sa fin. La grande chaleur allait commencer. Je fus pris de torpeur. Tiron aussi, qui réprimait un bâillement. Peut-être s'ennuyait-il ? Ce n'était pas la première fois, sans doute, qu'il entendait son maître répéter ses arguments, affiner sa logique, polir chacune de ses phrases avec soin.

Je m'éclaircis la gorge.

– Il ne reste qu'une solution, honorable Cicéron. Si le père est assassiné à l'instigation du fils – crime abominable –, il faut choisir le moment où le vieillard est le plus vulnérable. Dehors, par une nuit sans lune, quand il rentre d'une fête. Pas de témoin, ou du moins personne qui veuille témoigner à cette heure. Des bandes circulent dans la ville. On rejettera la faute sur des voyous qui passaient par là.

Cicéron se pencha en avant. La machine se remettait en branle.

– Tu ne le tues pas toi-même, de tes propres mains ?

– Certainement pas ! J'évite même d'être à Rome cette nuit-là. Je me tiens là-bas, dans ma maison d'Ameria. À faire des cauchemars, je suppose.

– Tu engages des assassins pour commettre le meurtre à ta place.

– C'est évident.

– Des gens de confiance, que tu connais bien ?

— Comment connaîtrais-je de telles gens, moi, un honnête laboureur ? Non, j'irais chercher un chef de bande, rencontré dans une taverne de Subure. Un personnage sans nom, recommandé par un tiers, lui-même une relation d'un ami quelconque...

— C'est donc ainsi qu'on procède ? questionna Cicéron, réellement curieux.

Ce n'était plus au parricide hypothétique qu'il s'adressait, mais à Gordien.

— Il paraît que tu as de l'expérience dans ce domaine. Si tu veux entrer en contact avec quelqu'un qui ne craint pas de se salir les mains, commence par Gordien. C'est ce qu'on m'a dit.

— *On* ? Qui veux-tu dire ? Qui t'a raconté que je mangeais à la même table que les tueurs ?

Cicéron se mordit la lèvre, peu désireux de livrer ses sources. Je répondis pour lui.

— Il s'agit d'Hortensius, n'est-ce pas ? Puisque c'est lui qui m'a recommandé.

Il fusilla du regard Tiron, qui se redressa.

— Non, maître. Je ne lui ai rien dit. Il a deviné tout seul.

Pour la première fois de la journée, Tiron me faisait l'effet d'être un esclave.

— *Deviné* ? Qu'est-ce que cela signifie ?

— *Déduit* serait plus approprié. Tiron te dit la vérité. Je sais plus ou moins pourquoi tu m'as fait venir. Une affaire de meurtre, entre un père et un fils, tous deux du nom de Sextus Roscius.

— Mais comment ? Je ne me suis décidé qu'hier à prendre Roscius pour client.

Je soupirai. Le rideau se souleva. La chaleur m'enveloppa les mollets, comme une eau montante.

— Tiron te l'expliquera plus tard. Je trouve qu'il fait trop chaud pour recommencer. Tout ce que je sais, c'est qu'Hortensius était en charge du dossier, et que maintenant c'est

49

toi. Je présume que notre conversation jusqu'ici avait à voir avec ce meurtre ?

Cicéron avait l'air contrarié. Ainsi, j'étais au courant depuis le début !

— C'est vrai, dit-il, il fait chaud. Tiron, tu nous apporteras des rafraîchissements. Un peu de vin coupé d'eau. Des fruits. Tu aimes les fruits secs, Gordien ?

Tiron se leva.

— Je vais prévenir Athalena.

— Non. Vas-y toi-même. Prends ton temps.

L'ordre était destiné à humilier. Je le vis au regard blessé de Tiron, à la paupière hautaine et lourde de Cicéron. Tiron n'avait visiblement pas l'habitude des tâches subalternes. Et Cicéron ? C'était chose courante qu'un maître se défoule de ses frustrations sur son entourage. Si courante que le maître n'y pense même plus, que l'esclave encaisse sans rechigner ni se vexer, comme s'il s'agissait d'un fléau naturel.

Cicéron et Tiron n'en étaient pas là. Tandis que l'esclave sortait en boudant, Cicéron rectifia, autant qu'il était possible sans perdre la face.

— Et n'oublie pas de t'en garder une portion !

Un homme cruel aurait souri à ces mots ; un homme médiocre aurait baissé les yeux. Cicéron ne fit ni l'un ni l'autre. Je ressentis du respect pour lui.

Tiron se retira. Cicéron tripota un moment sa bague, avant de revenir au sujet.

— Tu vas m'expliquer comment on se débrouille pour préparer un meurtre dans cette ville. Pardonne l'outrecuidance de mon propos. Je ne veux pas dire que toi-même aies offensé les dieux en participant à de tels crimes. Mais on dit – Hortensius dit – que tu es un spécialiste. Qui, comment, et combien... ?

— Si l'on veut faire assassiner son prochain, ce n'est pas compliqué. Je te répète : un mot à la personne qu'il faut, un peu d'or qui passe de main en main, et tout est réglé.

— Mais où trouve-t-on la personne qu'il faut ?

J'avais oublié que Cicéron était jeune et inexpérimenté en dépit de son éducation et de son esprit.

— Il n'y a pas de problème. Depuis des années, des bandes contrôlent Rome, de nuit comme de jour.

— Mais ces bandes s'entre-tuent.

— Ils ne tuent que ceux qui les dérangent.

— Ce sont des crimes politiques. Ils sont alliés à telle ou telle faction.

— Ils n'ont pas de politique, sinon celle de leur employeur. Et aucune loyauté, sauf celle de l'argent. Réfléchis, Cicéron, d'où viennent les gangs ? Certains se multiplient sur place, comme des asticots dans un garde-manger. Ce sont les pauvres, les enfants des pauvres, leurs petits-enfants et arrière-petits-enfants. Des dynasties de criminels, des générations de canailles perpétuent le vice. Ils négocient entre eux comme de petites nations. Ils font des mariages comme dans la noblesse. Ils louent leurs services, comme des mercenaires, au général ou au politicien qui leur fait la meilleure offre.

Cicéron détourna les yeux, contemplant le rideau de gaze comme s'il pouvait y voir, par transparence, le rebut de l'humanité.

— D'où viennent-ils ? murmura-t-il.

— Ils naissent du pavé, comme la mauvaise herbe. Ou débarquent par vagues, comme les rescapés des campagnes militaires. Fais le calcul : Sylla, vainqueur des rebelles italiens, paie ses soldats en terres. Mais pour acquérir ces terres, il faut en déloger les vaincus. Que deviennent-ils, sinon des mendiants ou des esclaves à Rome ? Et tout ça pour quoi ? Le pays est dévasté par la guerre. Les soldats ne connaissent rien au travail de la ferme ; au bout d'un mois, d'une année, ils vendent et retrouvent le chemin de la ville. La province tombe aux mains des grands propriétaires fonciers. Les petits fermiers luttent contre la concurrence, se font gruger et exproprier. C'est de nouveau l'exode. Je le vois se creuser de plus en plus, le fossé entre les pauvres et les riches. Rome est comme une femme d'une beauté fabuleuse, drapée d'or et couverte de bijoux, grosse d'un fœtus nommé Empire. Elle est infestée de vermine de la tête aux pieds.

Cicéron fronça les sourcils.

– Hortensius m'avait prévenu que tu parlerais politique.

– L'air qu'on respire n'est pas fait d'autre chose. Il en va peut-être autrement à d'autres époques, en d'autres lieux, mais à Rome aujourd'hui, qui dit réalité dit politique. Les gangs existent pour de bonnes raisons. Nul ne nous en débarrassera. Chacun les craint. Un homme enclin au meurtre serait stupide de ne pas les utiliser. Il ne ferait en cela que suivre l'exemple d'un politicien en vogue.

– Tu veux dire...

– Personne en particulier. Ils ont tous recours aux gangs.

– C'est à Sylla que tu fais allusion.

Cicéron avait lâché le nom en premier. Cela ne laissait pas de m'inquiéter. À un moment donné, la conversation, échappant à tout contrôle, avait pris un tour séditieux.

– Oui, puisque tu insistes : Sylla.

Je considérais les replis mouvants de l'étoffe jaune pâle, comme si elle dessinait autant de fantômes.

– Étais-tu à Rome au moment des proscriptions ?

Cicéron hocha la tête.

– J'y étais. Je n'ai pas besoin de te faire un dessin. Chaque jour, une nouvelle liste de proscrits était affichée au Forum. Et qui les lisait ? Non pas ceux qui y étaient nommés, qui se terraient chez eux ou restaient prudemment barricadés à la campagne. Au premier rang étaient les chefs de bande – peu importait à Sylla qui détruisait ses ennemis réels ou supposés, du moment qu'ils étaient détruits. Présente-toi avec une tête décapitée sur l'épaule, signe là et repars avec un sac d'or. Ne recule devant rien ! Enfonce la porte du citoyen, bats ses enfants, viole sa femme – mais ne touche à rien, car une fois la tête séparée du corps, les biens du proscrit appartiennent à Sylla.

– Pas exactement.

– J'exagère, mais c'est tout comme. Ses biens sont confisqués et deviennent propriété de l'État. Autrement dit, on les met aux enchères, dans les meilleurs délais, à des prix imbattables, pour les amis de Sylla.

Cicéron pâlit à ces mots. Il jetait des coups d'œil furtifs à droite et à gauche, comme si des espions étaient entrés dans la pièce et se cachaient parmi les parchemins.

– Tu as des opinions arrêtées, Gordien. La chaleur te délie la langue. Mais quel est le rapport avec le sujet qui nous occupe ?

Je ne pus m'empêcher de rire.

– Je crois que j'ai oublié.

– Préparer un meurtre, coupa Cicéron du ton du maître qui rappelle l'élève indiscipliné à l'ordre. Pour des motifs purement personnels.

– Eh bien, j'essaie seulement de te montrer qu'il est facile de trouver un assassin. Pas seulement dans Subure. À tous les coins de rue. Je suis prêt à parier que je peux sortir d'ici – oui –, faire le tour du pâté de maisons, et revenir flanqué d'un nouvel ami, tout prêt à éliminer mon père hypothétique, ce sybarite déchaîné, ce fieffé fornicateur.

– Tu vas trop loin, Gordien. Si tu avais appris la rhétorique, tu connaîtrais les limites de l'hyperbole.

– C'est leur audace qui ne connaît pas de limites. La faute en incombe à Sylla, et à nul autre. Il en a fait des chasseurs de primes. Il les a lâchés comme une meute de loups. Jusqu'à la fin des proscriptions l'année dernière, les assassins avaient carte blanche. Et s'ils coupaient une tête innocente, quelle importance ? Tout le monde peut se tromper. On rajoutait un nom sur la liste. Avec effet rétroactif : le défunt devenait ennemi de l'État. Tant pis pour sa famille déshéritée, ses enfants ruinés. Ils feraient de nouvelles recrues pour les gangs. Et du moment qu'un ami de Sylla trouve à se loger en ville...

Cicéron semblait en proie à une rage de dents. Il leva la main pour m'intimer le silence. Je le contrai du même geste.

— Voilà où je veux en venir. Ce ne sont pas seulement les riches et les puissants qui ont souffert et continuent de souffrir. Une fois ouverte la boîte de Pandore, nul ne peut la refermer. Le crime devient la règle. L'impensable, un lieu commun. Tu ne t'en rends pas compte. C'est calme, par ici. Au pire, quelques-uns de tes voisins auront été tirés du lit au milieu de la nuit. Peut-être aperçois-tu le Forum depuis la terrasse ? Par beau temps, tu aurais pu compter les nouvelles têtes au bout des piques...

— Ma Rome est différente, Cicéron, cette Rome que Sylla lègue à la postérité. Il pense se retirer bientôt, dit-on, en nous laissant une nouvelle Constitution. Elle consolidera le pouvoir de la noblesse et remettra la plèbe à sa place. Et quelle est-elle, cette place qu'on nous octroie ? Une Rome pourrie à cœur, Cicéron. Ma Rome. Une ville qui se meut dans l'ombre, qui respire le vice. C'est bien pourquoi tu m'as appelé : pour t'introduire dans ce monde, ou pour que j'aille y pêcher moi-même ce qu'il te manque. Voilà ce que je peux t'offrir, si c'est la vérité que tu cherches.

C'est alors que Tiron réapparut, chargé d'un plateau d'argent où se trouvaient trois coupes, une miche de pain, des fruits secs et du fromage blanc. Sa présence me calma instantanément. Nous n'étions plus seuls, à discuter politique d'homme à homme. Nous étions deux citoyens et un esclave, ou deux adultes et un jeune homme, étant donné l'innocence de Tiron. Je n'aurais jamais été aussi imprudent s'il était resté là. J'eus peur d'en avoir trop dit.

## 5

Tiron déposa le plateau sur une table basse entre nous. Cicéron jeta un coup d'œil indifférent.

— Que de nourriture, Tiron !

— Il est bientôt midi, maître. Gordien doit avoir faim.

— Tu as raison. Faisons honneur à notre hôte.

Cicéron regardait le plateau d'un air absent, en se massant les tempes comme si je l'avais enivré de mes propos subversifs.

La marche m'avait ouvert l'appétit, la conversation asséché le gosier. J'étais mort de soif. Néanmoins, j'attendais poliment que Cicéron m'invite à me servir. J'ai beau être radical en politique, je respecte les bonnes manières. Je sursautai quand Tiron se jeta sur le plateau pour rompre du pain et se verser à boire.

C'est dans ces moments-là qu'on ressent la force des conventions. Malgré tout ce que la vie m'avait appris sur l'arbitraire de la destinée et les absurdités de l'esclavage, malgré tous mes efforts pour traiter Tiron en homme libre, je restai bouche bée en voyant un esclave commencer le premier.

Tous deux s'en aperçurent. Tiron me regarda, embarrassé. Cicéron gloussa de rire.

— Gordien est choqué. Il ne connaît pas nos habitudes, Tiron, ni tes manières. Ne t'inquiète pas, Gordien. Tiron sait que je ne déjeune jamais. Il peut commencer sans moi. Je t'en prie, je te recommande le fromage, qui vient droit de la laiterie d'Arpinum, un cadeau de ma grand-mère.

« Quant à moi, je me contenterai d'un peu de vin. Deux doigts ; avec cette chaleur, il risque de tourner dans mon estomac. Suis-je bien normal ? Je ne peux rien avaler en été ; je jeûne pendant des jours d'affilée. En attendant, quand tu seras occupé à mastiquer plutôt qu'à tenir des propos séditieux, j'aurai peut-être une chance de t'en dire plus sur les raisons de mon appel. »

Cicéron avala en grimaçant, comme si le vin s'était transformé en vinaigre au contact de ses lèvres.

— Nous nous sommes éloignés du sujet il y a un moment, je crois. Que dirait notre Diodotus, Tiron ? À quoi m'a servi de payer ce vieux Grec toutes ces années si je ne suis même pas en mesure de conduire un dialogue sensé sous mon toit ? Une conversation décousue n'est pas seulement inconvenante ; dans de mauvaises circonstances, elle peut être fatale.

— Je ne suis pas sûr d'avoir saisi, honorable Cicéron. Il me semble que nous complotions la mort du père de quelqu'un. Mon père, ou celui de Tiron ? Non, ils sont tous deux déjà morts. Le tien, peut-être ?

Cicéron ne trouvait pas ça drôle.

— Je t'ai soumis une hypothèse de travail, Gordien, pour avoir ton avis sur certains éléments — méthodologie, faisabilité, plausibilité —, concernant un crime bien réel, qui a déjà eu lieu. La tragique vérité, c'est qu'un fermier de la ville d'Ameria...

— Qui ressemble à notre vieillard ?

— Trait pour trait. Je continue : que ce fermier a été assassiné en pleine rue à Rome pendant les ides de septembre, la nuit de la pleine lune — il y a bientôt huit mois. Tu sembles le connaître de nom : Sextus Roscius. Bien. dans huit jours exactement, son fils passe en jugement. Il est accusé d'avoir commandité le meurtre de son père. C'est moi qui assure sa défense.

— Avec un tel avocat, il n'est pas besoin de procureur.

— Pardon ?

— Tout ton discours tend à prouver qu'il est coupable.

— Il n'en est rien ! Ai-je été si convaincant ? Je devrais le prendre comme un compliment : j'essayais seulement de présenter l'affaire comme ne manqueront pas de le faire ses détracteurs.

— Tu veux dire que Sextus Roscius est innocent ?

— J'en suis persuadé. Sinon, pourquoi le défendrai-je contre une accusation si monstrueuse ?

— Cicéron, je connais assez les avocats et les orateurs pour savoir qu'ils n'ont pas besoin de croire pour argumenter. Ni qu'un homme soit innocent pour le défendre.

Tiron me foudroya du regard.

— Tu n'as pas le droit ! Marcus Tullius Cicéron est un homme de principes, d'une intégrité à toute épreuve, qui dit ce qu'il pense et pense ce qu'il dit. Une exception à Rome, mais tout de même...

— Suffit ! interrompit Cicéron d'une voix forte mais sans colère. Il étendit la main dans un geste d'apaisement, incapable de refréner un sourire.

— Veuille excuser le jeune Tiron. C'est un serviteur loyal et je lui en suis reconnaissant. Ce n'est pas si courant de nos jours ! (Il le regarda avec une affection non déguisée.) Trop loyal, peut-être ? Voilà une bonne question pour le prochain cours de Diodotus : un esclave saurait-il être trop fidèle ? Trop prompt à prendre la défense de son maître ? Qu'en pensez-vous, tous les deux ?

Cicéron attrapa une demi-tranche de pomme et la considéra entre le pouce et l'index, comme s'il doutait que son estomac fragile puisse la digérer. Le silence s'installa, rompu seulement par les trilles d'un oiseau dans l'atrium. Dans le calme retrouvé, on aurait cru entendre la pièce respirer, chercher son souffle. Le rideau se creusait, puis se bombait, sans jamais lâcher l'air qui semblait prisonnier de son ourlet, comme une chose vivante et chaude. Cicéron fronça les sourcils et replaça le morceau de pomme sur le plateau.

Enfin, le rideau claqua ; le soupir longtemps contenu jaillit. Un souffle d'air chaud déferla sur le carrelage.

— Tu me demandes si je crois à l'innocence de Sextus Roscius ? (Il joignit les mains, doigts tendus.) La réponse est oui. Quand tu le verras, tu en seras convaincu comme moi.

Allait-on enfin se mettre à parler sérieusement ? Je commençais à en avoir assez de renvoyer la balle, assez des ondulations du rideau et de la chaleur étouffante.

— Comment l'a-t-on tué, le vieux, au juste ? À la matraque ? Au couteau ? À la pierre ? Combien y avait-il d'assaillants ? Y a-t-il des témoins ? Les a-t-on identifiés ? Où se trouvait son fils à l'heure du crime ? Qui d'autre avait intérêt à le tuer ? A-t-il laissé un testament ? Qui a porté plainte contre le fils, et pourquoi ? (Je me tus le temps d'avaler une bonne rasade.) Et dis-moi aussi...

— Gordien ! fit Cicéron en riant, si je savais tout cela, je pourrais me passer de tes services.

— Mais tu as bien une petite idée ?

— Pas si petite, mais pas suffisante. Je peux déjà répondre à ta dernière question : les chefs d'accusation sont portés par un procureur du nom de Gaïus Erucius. Je vois à ton expression que tu en as entendu parler. Ou est-ce le vin qui ne passe pas ?

— Il m'est même arrivé de travailler pour lui. Poussé par la nécessité. Erucius est né dans l'esclavage en Sicile ; il est aujourd'hui affranchi et dirige le cabinet le plus véreux de Rome. Il choisit ses dossiers uniquement en fonction de l'argent. Il défendrait un homme qui a violé sa mère s'il y avait de l'or à gagner, et se retournerait contre sa cliente pour calomnie, dans un second temps. Sais-tu qui l'a engagé ?

58

— Pas encore. Mais quand tu verras Sextus Roscius...

— Tu n'arrêtes pas de me prédire des rencontres. D'abord Cæcilia Metella, maintenant Sextus Roscius. Les attends-tu ici ?

— Mieux vaudrait leur rendre visite nous-mêmes.

— Et qui te fait croire que je vais t'accompagner ? Je suis venu dans l'idée que tu avais une proposition à me faire, mais tu ne m'as toujours pas expliqué en quoi elle consiste, sans parler de mes honoraires.

— Je les connais, si j'en crois Hortensius. (Je hochai vigoureusement la tête.) Quant à ta mission, la voici : je veux la preuve que Sextus Roscius est innocent du meurtre de son père. Je veux savoir qui sont les vrais coupables. Ce n'est pas tout : je veux savoir qui les a engagés, et pourquoi. Le tout en huit jours, avant les ides de mai.

— À t'entendre, on croirait que j'ai déjà accepté. Qui te dit que cela m'intéresse, Cicéron ?

Il contracta ses lèvres en un mince sourire.

— Tu n'es pas le seul à deviner la personnalité d'autrui. Je sais une ou deux choses de toi, Gordien. Trois, pour être précis. Chacune représente une bonne raison d'accepter ce travail. Primo, tu as besoin d'argent. Un homme de ton envergure, avec une grande maison sur l'Esquilin – tu n'as jamais assez d'argent ; je me trompe ?

Je haussai les épaules.

— Secundo, Hortensius dit que tu adores les mystères. Ou plutôt, que tu les détestes. Tu ne supportes pas l'inconnu. Tu tiens à faire la lumière, à démêler le faux du vrai. Qui a tué le vieux Roscius ? Tu es déjà ferré, Gordien, reconnais-le.

— C'est-à-dire que...

— Tertio, tu es un homme épris de justice.

— C'est Hortensius qui t'a raconté ça ? Il n'a pas la moindre idée de ce que c'est !

— Personne ne m'a rien dit. Je me suis fait mon opinion moi-même au cours de la conversation. Nul ne s'exprime

59

aussi franchement que toi s'il n'a l'étoffe d'un justicier. Je t'offre la possibilité de rétablir la vérité. (Il se pencha vers moi.) Supporterais-tu de voir un innocent condamné à mort ? Bon. Alors, tu acceptes, ou non ?

— J'accepte.

Cicéron frappa dans ses mains et se dressa d'un bond.

— Bien. Très bien. Allons de ce pas chez Cæcilia.

— Maintenant ? Par cette chaleur ? Mais il est midi passé !

— Il n'y a pas de temps à perdre. Si la chaleur t'incommode, je peux commander une litière — non, ce sera trop long. De toute façon, ce n'est pas loin. Tiron, tu vas nous chercher une paire de chapeaux à larges bords.

Tiron lui adressa un regard suppliant.

— D'accord, Tiron, prends-en trois.

## 6

— Qui vous dit qu'elle est réveillée, à cette heure ?

Le Forum était désert. Les pavés miroitaient en plein soleil. On ne voyait âme qui vive, sinon nous trois, qui nous hâtions comme des voleurs. J'accélérai le pas. Mes semelles étaient trop minces, le sol me brûlait les pieds.

— Cæcilia est totalement insomniaque. Que je sache, elle ne dort jamais, encore moins à l'heure de la sieste.

Nous arrivâmes au pied de la voie Sacrée. Mon cœur flancha à la vue de l'étroite montée qui menait aux imposantes villas du Palatin. Le monde était soleil et pierre, sans une ombre au tableau. L'air était si brûlant que le sommet de la colline paraissait flou, très haut, très loin.

Nous commençâmes l'ascension. Tiron menait la marche, insouciant de l'effort. C'était curieux, cette détermination à nous accompagner, au-delà de la simple curiosité ou du désir de suivre son maître. Mais j'avais trop chaud pour chercher à comprendre.

— Il y a une chose que je te demande, Gordien. (Cicéron montrait des signes de fatigue, mais n'en continuait pas moins à parler, en bon stoïcien.) J'ai apprécié la franchise de tes opinions, tout à l'heure dans mon bureau. Nul ne peut nier que tu sois un honnête homme. Mais tiens ta langue chez Cæcilia. Sa famille est alliée de longue date à celle de Sylla – sa défunte femme était une Metella.

– Tu veux dire la fille de Delmaticus ? Celle qu'il a abandonnée à l'agonie ?

– Exactement. Les Metellus n'ont guère apprécié le divorce, malgré toutes les excuses présentées par Sylla.

– Je me souviens : les augures lui avaient prédit que la maladie de sa femme souillerait sa maison.

– C'est ce qu'il prétendait. Cæcilia elle-même ne t'en voudrait pas de ton franc-parler. Mais l'on ne sait jamais. C'est une dame d'un certain âge, sans époux ni enfants. Elle a des lubies – comme il arrive aux femmes laissées trop longtemps à elles-mêmes, qui n'ont pas de famille pour vaquer aux saines occupations du foyer. Ces temps-ci, elle s'est entichée de cultes orientaux. Plus ils sont originaux et excentriques, mieux c'est. Elle n'est pas vraiment concernée par les problèmes de ce bas monde.

« Mais il risque d'y avoir quelqu'un d'autre, aux sens plus aiguisés. Je pense à mon jeune ami Marcus Messalla, qu'on appelle Rufus à cause de ses cheveux roux. C'est un habitué. Il connaît Cæcilia Metella depuis l'enfance ; elle est un peu comme une tante pour lui. Un brillant jeune homme – un jeune garçon plutôt, puisqu'il n'a que seize ans. Il assiste souvent à des réunions chez moi. Il commence à se débrouiller dans le monde des tribunaux et se dit prêt à donner un coup de main pour défendre Sextus Roscius... »

– Mais ?

– Mais ses relations le rendent dangereux. Figure-toi qu'Hortensius est son demi-frère – c'est Rufus qui est venu me chercher pour reprendre le dossier. Il y a plus : sa sœur aînée est cette même Valeria que Sylla vient de prendre pour cinquième femme. Ce pauvre Rufus a peu d'affinités avec son beau-frère, mais ce mariage le met dans une situation délicate. Je te suggère d'éviter de diffamer notre vénéré dictateur en sa présence.

– Je comprends.

Si je m'attendais, en quittant mon domicile ce matin, à

frayer avec la haute noblesse des Metellus et Messalla !
J'inspectai mes habits : une toge de citoyen ordinaire, par-
dessus ma tunique de tous les jours. La seule note de pourpre était une tache de vin près de l'ourlet. Bethesda prétendait avoir passé des heures à essayer de l'enlever, sans
succès.

Le temps d'atteindre le sommet, même Tiron haletait. Il
avait les cheveux collés au front par la sueur, le visage
rouge de fatigue – ou peut-être d'excitation ? Je me posai
de nouvelles questions sur son empressement à rejoindre
Cæcilia Metella.

– Nous y sommes, souffla Cicéron en s'arrêtant.

Entourée de chênes centenaires, la villa étalait devant
nous sa masse de stuc rose. De chaque côté de la porte
d'entrée se tenaient deux soldats en armes – casqués, le
glaive au côté, la lance à la main. Des vétérans de l'armée
de Sylla, me dis-je en frissonnant.

En montant les marches, Cicéron fit un geste évasif dans
leur direction.

– Ne fais pas attention. Ils doivent être en nage sous tout
ce cuir. Tiron ?

Tombé en arrêt devant le harnachement des soldats,
Tiron se précipita devant son maître pour frapper aux lourdes portes de chêne. Un bon moment passa. Nous en profitâmes pour reprendre notre respiration et ôter nos chapeaux
à l'ombre du portique.

Les battants s'ouvrirent silencieusement. Une bouffée
d'air frais chargé d'encens vint à notre rencontre. Tiron et
le portier échangèrent les formalités d'usage – « Mon maître vient rendre visite à ta maîtresse » –, puis nous attendîmes l'esclave du vestibule, qui nous fit entrer. Celui-ci nous
débarrassa de nos chapeaux et partit chercher l'annonceur.
J'eus loisir d'observer le portier, assis sur un tabouret. Il
avait le pied attaché au mur par une chaîne, juste assez
longue pour lui permettre d'ouvrir.

L'annonceur arriva, visiblement déçu de trouver Cicéron

au lieu d'un client obséquieux, à qui il aurait extorqué quelques deniers pour l'introduire dans la maison. À sa voix aiguë, à sa poitrine renflée, je compris que nous avions affaire à un eunuque. Certes, ces créatures font partie de la civilisation orientale, mais elles restent une rareté à Rome, et l'objet d'une profonde répugnance. Cæcilia avait beau être une adepte, entretenir un eunuque dans sa domesticité relevait d'une affectation qui me parut outrée.

Nous le suivîmes dans l'atrium central et en haut d'un escalier de marbre. Il écarta des tentures et nous fit pénétrer dans une salle qui n'aurait pas déparé un lupanar de luxe à Alexandrie.

On se serait cru dans une tente surchargée d'ornements, avec des tapis, des coussins, des pendeloques accrochées partout. Des lampes de bronze brûlaient aux quatre coins. J'avais du mal à respirer. On y consumait toutes sortes d'épices, sans tenir compte de leurs propriétés. Le mélange de myrrhe et de bois de santal vous donnait la nausée.

— Maîtresse, susurra l'eunuque, l'honorable Marcus Tullius Cicéron, avocat.

Il s'éclipsa.

Notre hôtesse était prosternée tout au bout de la pièce, face contre terre. Deux esclaves étaient agenouillées à ses côtés. Brunes de peau, abondamment maquillées, elles étaient vêtues de voiles diaphanes. Au-dessus d'elles, dominant la pièce, se dressait l'objet du culte de Cæcilia.

C'était certainement l'incarnation d'une déesse mère, Cybèle, Isis ou Astarté. La statue de huit pieds de haut effleurait le plafond. Elle avait un visage sévère, presque masculin, et portait une couronne de serpents. À première vue, je pris les reliefs qui ornaient son torse pour une multitude de mamelles. De près, la façon dont ils étaient disposés évoquait plutôt des testicules. La déesse tenait à la main une faux, dont la lame était peinte en rouge vif.

— Quoi ? fit une voix étouffée par les coussins.

Cæcilia tenta de se relever. Les deux esclaves l'aidèrent

en la soulevant chacune par un bras. Elle se retourna et nous dévisagea, comme prise de panique.

– Non, non ! hurla-t-elle. Quel imbécile cet eunuque ! Sortez, sortez immédiatement, Cicéron ! Il ne fallait pas rentrer, il fallait attendre derrière la tenture. Comment a-t-il pu commettre une faute aussi grossière ? Aucun homme n'est admis dans le sanctuaire de la déesse. Oh non, voilà que ça recommence ! Selon le rite, vous devriez être sacrifiés tous les trois. Flagellés, au moins. Bien sûr, l'un d'entre vous pourrait expier pour les autres – mais non, je ne peux exiger ça de toi, Cicéron, je sais combien tu es attaché au jeune Tiron. Alors celui-là, peut-être...

Elle aperçut mon anneau de fer, marque du citoyen, et baissa les bras, abattue. Ses ongles anormalement longs étaient teintés au henné, à la mode égyptienne.

– Ah là là ! il va encore falloir flageller une de ces pauvres filles à la place, comme la semaine dernière à cause de Rufus. Dire qu'elles sont si délicates. La déesse va être furieuse...

– C'est la deuxième fois ! Tu crois qu'il le fait exprès ou quoi ?

Nous étions dans la salle de réception de Cæcilia, un long rectangle éclairé par des verrières et ouvert aux deux extrémités pour laisser passer l'air. Les murs étaient peints en trompe-l'œil, de façon à représenter un jardin – de l'herbe, des arbres, des fleurs, des paons sous un ciel bleu. Le carrelage au sol était vert, le plafond drapé de bleu.

– Non, non, je sais ce que tu vas me dire, Cicéron. Mais Ahausarus est trop précieux pour s'en débarrasser, et trop fragile pour être puni. Si seulement il n'était pas si étourdi !

Nous étions assis autour d'un guéridon en argent, chargé d'eau fraîche et de grenades – Cicéron, moi-même, Cæcilia, et le jeune Rufus, arrivé avant nous, mais qui s'était bien gardé de pénétrer dans le sanctuaire. Tiron se tenait debout, en retrait derrière son maître.

Cæcilia Metella était une grande femme rubiconde. Malgré son âge, elle paraissait robuste. Quelle qu'ait été leur couleur d'origine, ses cheveux rouge flamboyant remontaient en torsade au sommet du crâne, maintenus en place par une épingle d'argent à la tête incrustée de cornaline. Elle était vêtue d'une stola de prix et parée de quantité de bijoux. Son visage disparaissait sous le fard. Un éventail à la main, elle répandait généreusement sur nous l'odeur d'encens qui l'imprégnait de la tête aux pieds.

Rufus avait les yeux noisette et des taches de rousseur. Il portait la tenue des mineurs : une tunique droite en laine blanche, aux manches longues pour déjouer les regards concupiscents. Bientôt, il passerait la toge virile. Pour l'instant, la loi en faisait un garçon. Visiblement, il idolâtrait Cicéron et, visiblement, Cicéron appréciait.

Cette noble assemblée ne s'offusquait pas de ma présence à sa table. Certes, ils avaient besoin de moi dans un domaine où aucun d'eux n'était compétent. Ils me traitaient donc avec la déférence qu'un sénateur témoigne envers son maçon, lorsque la voûte de sa chambre à coucher menace de s'écrouler. Quant à Tiron, ils l'ignoraient complètement.

Cicéron s'éclaircit la voix.

— Cæcilia, il fait très chaud. Après cette malheureuse intrusion dans ton sanctuaire, peut-être pourrions-nous passer à des sujets plus concrets ?

— Bien entendu. Vous venez à propos de ce pauvre Sextus.

— Oui. Gordien ici présent peut nous aider dans le cadre de sa défense.

— Sa défense ? Ah oui, je suppose qu'ils sont toujours là, ces gardes odieux. Vous avez dû les remarquer en entrant.

— Sans aucun doute.

— C'est honteux. Le jour où ils sont arrivés, je leur ai dit tout net : je ne le tolérerai pas. Sans aucun succès, d'ailleurs. Injonction du tribunal, répondirent-ils. Si Sextus vient habiter ici, il est assigné à résidence. Il faut un garde à chaque issue, nuit et jour. « Assigné à résidence ? ai-je dit. Est-ce à dire qu'il est en prison, tel un soldat captif ou un esclave fugitif ? Je connais bien les lois, et aucune ne vous permet de confiner un citoyen romain à son domicile, ni chez sa protectrice. »

C'est ainsi : un citoyen inculpé a toujours la liberté de s'enfuir s'il refuse de passer devant les tribunaux, à condition de renoncer à ses biens.

– Ils ont alors envoyé chercher un délégué du tribunal, qui m'a tout expliqué, en y mettant les formes – tu n'aurais pas mieux fait, Cicéron. « Tu as raison, a-t-il expliqué, sauf dans certains cas. Par exemple, de peine capitale. » Et qu'entendait-il par là ? « Capital comme dans *décapité* – autrement dit, les cas où l'on coupe la tête, ou tout autre organe vital, entraînant la mort. »

Cæcilia Metella s'adossa à son fauteuil et s'éventa, les yeux soudain embués. Rufus posa tendrement la main sur son bras.

– C'est alors que j'ai mesuré l'ampleur du drame. Pauvre petit Sextus, l'unique enfant de mon vieil ami ! Après avoir perdu son père, il risque sa propre tête. Pire que cela ! Cet individu, ce délégué a tenu à m'expliquer exactement la sentence en cas de parricide. Oh ! Jamais je ne l'aurais cru, si tu ne l'avais confirmé, Cicéron. C'est trop horrible, trop horrible pour même en parler !

Cæcilia s'éventa furieusement. Ses paupières noires de khôl battaient comme des ailes d'insecte. Elle semblait au bord de l'évanouissement.

Rufus lui versa un verre d'eau. Elle refusa d'un geste.

– Je ne prétends pas connaître cet homme sous mon toit ; c'est son père que je chérissais, à l'égal de mes meilleurs amis. Il est son fils, et je lui ai offert l'hospitalité. Ce que cet individu, ce délégué, cet odieux personnage m'a décrit ne saurait s'appliquer qu'au plus misérable, au plus vil des assassins.

Elle ferma les yeux et tendit le bras à l'aveuglette. Rufus

lui colla maladroitement le verre dans la main. Elle but une gorgée et le lui rendit.

— J'ai demandé à cette créature, ce délégué, avec raison je pense, de bien vouloir poster ses soldats un peu plus loin. C'est humiliant, à la fin. J'ai des voisins, cela fait jaser. Des clients et des personnes à charge qui viennent chaque jour solliciter mes faveurs ; les soldats les font fuir. Mes neveux et nièces craignent de me rendre visite. Oh, les militaires savent tenir leur langue, mais la façon dont ils regardent une jeune fille ! Ne peux-tu donc rien faire, Rufus ?

— Moi ?

— Mais oui, toi ! Ne pourrais-tu pas faire pression sur... sur Sylla. C'est lui qui nomme les magistrats. Et je te rappelle qu'il a épousé ta sœur, Valeria.

— Oui, mais ça ne veut pas dire...

Rufus s'empourpra.

— Allons, fit Cæcilia d'un air conspirateur, tu es un beau jeune homme, au moins aussi joli que Valeria. Et chacun sait que Sylla jette ses filets de chaque côté du fleuve.

— Cæcilia !

Les yeux de Cicéron étincelaient, mais il contrôlait sa voix.

— Que tu as l'esprit mal placé. Il suffirait d'un geste, d'un regard. Sylla est assez vieux pour être son grand-père. Du charme, rien de plus, Cicéron !

— Sylla ne me trouve pas charmant.

— Tiens donc ? Il a pourtant épousé ta sœur pour sa beauté. Et tu lui ressembles assez pour être son frère.

Il y eut un petit bruit de salive. C'était Tiron, qui se mordait les lèvres pour ne pas éclater de rire. Cicéron toussota pour couvrir l'incident.

— J'aimerais revenir en arrière, dis-je.

Trois paires d'yeux convergèrent vers moi. Cicéron eut l'air soulagé, Tiron attentif, Cæcilia perplexe. Rufus gardait les yeux au sol.

— Tu as évoqué la sentence réservée au parricide. Je ne

crois pas être familiarisé avec la chose. Aurais-tu l'obligeance de m'éclairer sur ce point, Cicéron ?

Le climat s'assombrit soudain, comme si un nuage avait voilé le soleil. Cæcilia se cacha derrière son éventail. Tiron et Rufus échangèrent un regard gêné.

Cicéron remplit son verre et se désaltéra longuement.

– Le parricide est rare chez les Romains. À ma connaissance, le dernier cas remonte à la jeunesse de mon grand-père. Traditionnellement, comme vous savez, un condamné à mort est exécuté par décapitation, par crucifixion si c'est un esclave. En ce qui concerne le parricide, la peine est très antique et très sévère. Ce sont les prêtres qui l'ont établie, non les juristes, pour manifester le courroux de notre père Jupiter contre celui qui attente à la vie de son géniteur.

– Je t'en supplie, Cicéron, fit Cæcilia dans un battement de cils, c'est assez de l'avoir entendu une fois. Cela me donne des cauchemars.

– Mais il faut que Gordien comprenne. Savoir qu'il s'agit de la vie d'un homme est une chose, savoir comment on procède à la mise à mort en est une autre. Voici ce que décrète la loi : dès la sentence prononcée, on emmène le parricide hors les murs, au Champ de Mars, près du Tibre. On sonne la corne et on frappe les cymbales pour appeler la population à témoin.

« Une fois le peuple rassemblé, le condamné est mis à nu, comme au jour de sa naissance. Deux piédestaux à hauteur du genou sont installés côte à côte. Le parricide prend position, un pied sur chaque, et s'accroupit, les mains liées derrière le dos, de façon à ce que chaque partie du corps soit livrée aux bourreaux. Ceux-ci sont chargés de le fouetter jusqu'à ce que le sang jaillisse de ses blessures, ce même sang qui coulait dans les veines de son père et lui donna la vie. Le fouet doit frapper partout, y compris sur la plante des pieds et dans les profondeurs de son entrecuisse. »

Cicéron regardait au loin en parlant. Cæcilia le fixait intensément par-dessus son éventail.

– On prépare un sac, assez grand pour contenir un homme. Il est cousu de peaux si finement assemblées que l'air ou l'eau ne peuvent y pénétrer. Quand les bourreaux ont achevé leur office, qu'on ne distingue plus le sang de la chair à vif, on oblige la victime à entrer à quatre pattes dans le sac. Celui-ci sera disposé à quelque distance des piédestaux, pour permettre au peuple de le voir ramper, de lui lancer des ordures et des malédictions.

« S'il refuse de s'y introduire, son supplice recommence.

« Dans le sac, le parricide retourne à la matrice ; il est à l'état fœtal. N'être pas né est une torture pire encore : on introduit quatre animaux vivants. D'abord un chien, l'animal le plus servile, et un coq, aux griffes et au bec spécialement acérés. Ce sont des symboles de la plus haute Antiquité : le chien et le coq, le gardien et le veilleur, garants de la lignée. Ayant failli à leur mission de protection, ils prennent place auprès de l'accusé. On ajoute un serpent, le principe mâle, capable de tuer tout en donnant la vie ; puis un singe, la plus cruelle parodie de l'homme. »

– Vous imaginez ? hoqueta Cæcilia. Vous imaginez le raffut ?

– Tous les cinq sont cousus ensemble et portés sur la berge. On ne doit ni rouler le sac, ni le frapper avec des bâtons : les animaux doivent demeurer en vie le plus longtemps possible pour tourmenter le parricide. Tandis que les prêtres profèrent les imprécations finales, on jette le sac dans le Tibre. Des vigiles sont postés jusqu'à Ostie. Si le sac échoue sur la rive, on le repousse dans le courant, jusqu'à ce qu'il atteigne la mer où il est emporté.

« Le parricide détruit la source même de sa vie ; il la terminera privé des éléments vitaux. La terre, l'air, l'eau, même la lumière lui sont déniés. Jusqu'à la fin où le sac se déchire, livrant ses dépouilles à Neptune, puis à Pluton. Loin de la pitié, de la mémoire, et même du dégoût de l'humanité. »

Le silence régnait. Cicéron poussa un profond soupir. Un sourire erra sur ses lèvres. Il n'était pas mécontent de lui.

Cæcilia baissa son éventail. Elle était livide sous son maquillage.

— Tu comprendras mieux, Gordien, quand tu verras ce pauvre Sextus ! Tu comprendras sa détresse. Il est pétrifié de peur. Il sait ce qui l'attend. Tu dois le sauver, tu dois aider Rufus et Cicéron.

— Je ferai tout ce qui est en mon pouvoir. Si la vérité peut sauver Sextus Roscius... Je suppose qu'il est là, quelque part dans la maison ?

— Hélas, oui. Il n'a pas le droit de sortir. Il se serait volontiers joint à nous, sauf que...

— Oui ?

Rufus hésita.

— Tu verras.

— Je verrai quoi ?

— C'est une épave, dit Cicéron. Il est pratiquement fou de terreur.

— A-t-il si peur d'être condamné ? Les charges contre lui doivent être accablantes.

— Bien sûr qu'il a peur, fit Cæcilia en chassant une mouche qui s'était posée sur sa manche. Mets-toi à sa place. Ce n'est pas parce qu'il est innocent que... enfin, nous savons tous, surtout depuis... mettons l'année dernière, qu'être innocent ne suffit pas à vous mettre en sécurité.

— L'homme a peur de son ombre, reprit Cicéron. Il avait peur avant de se réfugier ici, et plus encore maintenant. Peur d'être condamné, peur d'être acquitté. Il prétend que l'assassin de son père n'aura de cesse de le tuer aussi ; que le procès est une machination pour l'éliminer. S'ils n'y arrivent pas par les voies légales, ils l'abattront en pleine rue.

— Il me réveille par ses hurlements, la nuit.

Cæcilia donna une tape de son éventail. La mouche s'envola.

71

— On l'entend jusqu'à ma chambre à coucher. Des cauchemars.

Rufus frissonna.

— C'était presque un soulagement quand les soldats sont arrivés. Comme s'ils étaient là pour le protéger, et non l'empêcher de fuir. Fuir ! Il ne quitte même pas ses appartements.

— C'est vrai, dit Cicéron. Autrement, je te l'aurais présenté dans mon bureau. Nous n'aurions pas eu besoin de déranger notre hôtesse.

— C'eût été bien regrettable pour moi, de ne pas être reçu dans la demeure de Cæcilia Metella. Mais de toute façon, j'aurais été amené à la rencontrer au cours de mon enquête.

— Pourquoi donc ? objecta Cicéron. Cæcilia ne sait rien du meurtre de Sextus Roscius. C'est une amie de la famille, pas un témoin.

— Il n'empêche. Cæcilia Metella est l'une des dernières à avoir vu Sextus Roscius en vie.

— C'est exact, approuva Cæcilia. Il a pris son dernier repas ici même, dans cette pièce. Oh, comme il aimait cet endroit ! Les champs, les vallons d'Ameria, la vie au grand air l'ennuyaient à mourir. « C'est le seul jardin qui me convienne », disait-il. (Elle désigna les peintures.) Vous voyez le paon, là-bas, celui qui fait la roue ? Comme il admirait ce dessin, ces couleurs ! Je me souviens, il l'appelait son Gaïus, et je devais en faire autant. Gaïus aussi aimait cette pièce.

— Gaïus ?

— Oui. Son fils.

— Je croyais que le défunt n'avait qu'un fils.

— Pas du tout. Enfin, si, après la mort de Gaïus.

— Qui a eu lieu quand ?

— Laisse-moi réfléchir. Il y a trois ans ? Oui. C'était le soir même du triomphe de Sylla. Le Palatin était en liesse : on célébrait la fin des guerres civiles. Je recevais moi-même, toutes portes ouvertes. Quelle nuit torride ! Sylla en personne est passé. Je me souviens, il a eu ce mot : « Ce soir, a-t-il dit, tout ce qui compte à Rome est en train de faire la fête – ou de faire ses malles. » Évidemment, certains qui faisaient la fête auraient mieux fait de partir. Qui pouvait prévoir que les choses iraient si loin ?

Elle soupira.

– C'est donc ici que Gaïus est mort ?

– Oh non, et c'est bien le problème. Gaïus et son père auraient dû être parmi nous. Mon cher Sextus était si excité à l'idée de croiser Sylla dans mes salons, de lui présenter son fils ! Et connaissant ses goûts dans ce domaine (elle scruta le plafond), ils avaient toutes les chances de s'entendre.

– Tu veux dire, Sylla et Gaïus.

– Tout juste.

– Gaïus était donc un beau garçon.

– Oh, oui ! Blond, intelligent, bien élevé. Tout ce que Sextus pouvait espérer d'un fils.

– Quel âge avait-il ?

– Il avait revêtu la toge virile quelque temps auparavant. Dans les dix-neuf, vingt ans ?

– Beaucoup plus jeune que son frère, donc.

– Oui, puisque ce pauvre Sextus doit avoir au moins quarante ans ? Il a deux grandes filles. L'aînée va sur ses seize ans.

– Les deux frères étaient-ils proches ?

– Gaïus et Sextus ? Cela m'étonnerait : ils ne se voyaient jamais. Gaïus passait sa vie en ville auprès de son père, Sextus s'occupait des fermes d'Ameria.

– Tu allais me dire comment Gaïus était mort.

Cicéron se tortilla sur sa chaise.

– Je ne vois pas le rapport avec le cas présent. Ce ne sont que des rumeurs.

Je le regardai, non sans sympathie. Jusqu'à présent, Cicéron s'était montré extrêmement courtois à mon égard, partie par naïveté, partie par politesse. Mais me voir parler aussi librement à une femme supérieure (une Metella !) choquait sa sensibilité. Il percevait ce dialogue pour ce qu'il était : un interrogatoire.

– Laisse, Cicéron, laisse-le parler, fit Cæcilia en me gratifiant d'un sourire.

Elle était heureuse, impatiente même, de parler de son ami de toujours. Qui sait la nature exacte de ses rapports d'autrefois avec ce vieux fêtard de Sextus Roscius ?

– Non, Gaïus Roscius n'est pas mort à Rome, soupira-t-elle. Il était prévu qu'ils viennent chez moi en début de soirée. Nous devions nous rendre de concert à la résidence de Sylla pour assister au banquet. Il y avait des milliers d'invités. Les largesses du triomphateur ne connaissaient pas de bornes. Sextus désirait faire bonne impression. Il m'avait même consulté quelques jours avant sur sa tenue. Si tout s'était déroulé selon son plan, Gaïus n'aurait pas trouvé la mort.

Sa voix s'éteignit. Elle contempla le paon resplendissant.

– Les Parques en ont décidé autrement, la relançai-je.

– Oui, selon leur détestable habitude. Deux jours avant le grand soir, Sextus père reçut un message de son fils à Ameria, le pressant de le rejoindre. Une urgence – incendie, inondation, je ne sais plus. Si bien que Sextus se rendit en toute hâte chez lui en emmenant Gaïus. Il comptait bien être de retour pour les festivités. Au lieu de quoi, il est resté à la campagne pour enterrer son fils.

– Comment est-ce arrivé ?

– Une intoxication alimentaire. Une marinade de champignons – l'un des mets préférés de Gaïus – avariée. Sextus m'a raconté le détail par la suite, comment son fils s'est écroulé en vomissant une bile claire. Croyant qu'il s'étouffait, Sextus a plongé les doigts dans sa gorge. Elle était brûlante. Il les a ressortis rouges de sang. Gaïus s'est remis à cracher un jus noir et épais. En quelques minutes, c'était fini. Tragique, absurde ! Mon cher Sextus n'a plus jamais été le même...

74

– Gaïus avait vingt ans, dis-tu ? Je croyais que le père était veuf. Et la mère du jeune homme ?

– Elle est morte en lui donnant le jour. C'est pourquoi Sextus l'aimait tant. Gaïus ressemblait beaucoup à sa mère.

– Vingt ans séparent la naissance des deux frères. Sont-ils de la même mère ?

– Non. Gaïus et Sextus sont demi-frères. La première épouse est morte de maladie, il y a des années... C'est une autre raison de leur éloignement, sans doute.

– Je vois. Et à la mort de Gaïus, Sextus s'est-il rapproché de son fils aîné ?

– Non, c'est tout le contraire. La tragédie peut raviver les plaies anciennes. Il arrive qu'un père donne sa préférence à l'un de ses enfants ; les dieux n'y peuvent rien. Quand Gaïus s'est empoisonné, Sextus a rejeté la faute sur le frère aîné. C'était un accident, bien sûr, mais un vieillard en proie au chagrin n'a pas toujours la force d'accuser le sort. Il est rentré à Rome, où il a dilapidé son temps et sa fortune. Il m'a confié un jour qu'il n'avait plus personne à qui rien laisser, et qu'il comptait tout dépenser avant de mourir. Paroles cruelles, je le sais. Tandis que Sextus fils gérait le domaine, Sextus père dépensait sans compter. Vous pouvez imaginer l'amertume des deux côtés.

– Assez d'amertume pour conduire au meurtre ?

Cæcilia prit un air las. Sa vivacité l'avait quittée. Elle était soudain une vieille femme ridée.

– Je n'en sais rien. Il me serait insupportable de penser que Sextus Roscius a trouvé la mort aux mains de son fils.

– Cette fatale nuit de septembre – durant les ides, n'est-ce pas ? Sextus est venu dîner chez toi ?

– Oui.

– À quelle heure a-t-il quitté ton domicile ?

– Tôt, je me souviens. Il avait coutume de s'éterniser, mais, cette fois, il n'a même pas attendu la fin du repas. C'était une heure après le crépuscule.

– Sais-tu où il allait ?

– Chez lui, je suppose...

Sa voix traîna bizarrement. Ayant toujours vécu seule, Cæcilia n'avait pas ce talent qu'acquièrent les épouses romaines : elle ne savait pas mentir.

– Et si Sextus Roscius n'était pas rentré directement chez lui ? S'il avait eu une bonne raison de partir tôt. Un rendez-vous ? Un message ?

– Eh bien, à vrai dire... (Cæcilia plissa le front). Je crois me souvenir qu'un messager s'est présenté. Oui, un garçon de course comme on en trouve partout dans les rues. Il a frappé à la porte de service. Ahausarus est venu me prévenir. Je recevais quelques amis, ce soir-là. Nous n'étions que six ou huit. Sextus était en train de se reposer. Ahausarus s'est penché à son oreille. Sextus a eu l'air un peu surpris, mais il s'est levé et nous a quittés immédiatement, sans même prendre congé.

– As-tu la moindre idée du contenu de ce message ?

J'entendis Cicéron murmurer. Cæcilia se raidit.

– Jeune homme, Sextus Roscius et moi-même n'avions pas de secrets.

– Peux-tu me dire alors qui l'avait envoyé ?

– Voici ses propres mots : « Elena te prie de le rejoindre à la Maison aux Cygnes. C'est très important. » Puis, il lui a montré un gage.

– Quelle sorte de gage ?

– Un anneau, un petit anneau de femme en argent, tout simple. Le genre de bague qu'un pauvre homme offre à son amoureuse, ou le petit cadeau qu'un riche fait à une...

– Je comprends.

– Vraiment ? Après la mort de Gaïus, Sextus s'est mis à dépenser beaucoup d'argent dans ces endroits. Je parle des maisons de plaisir. Vous trouvez cela pathétique, à son âge ? Mais ne voyez-vous pas ? C'était à cause de son fils, précisément. Comme s'il était possédé du désir d'en fabriquer un autre. Insensé, certes, mais parfois l'homme doit plier devant la nature. Les voies de la guérison sont mysté-rieuses.

Un moment de silence passa.

— Tu ne manques pas de sagesse, Cæcilia Metella. Sais-tu autre chose sur cette Elena ?

— Non.

— Ou sur la Maison aux Cygnes ?

— Rien, sinon qu'elle se trouve à proximité des bains de Pallacine, pas loin de chez Sextus, près du cirque Flami-nius. Quoi, tu n'allais pas imaginer qu'il fréquentait un éta-blissement sordide de Subure ?

Cicéron se racla la gorge.

— Je pense qu'il est temps que Gordien rencontre Sextus.

— Juste une ou deux questions encore. Sextus Roscius est-il parti tout de suite après ?

— Oui

— Seul ?

— Non. Ses deux esclaves l'accompagnaient. Ses préfé-rés. Il les emmenait partout.

— Te rappelles-tu leur nom, par hasard ?

— Et comment ! Ils sont venus chez moi pendant des années ! Chrestus et Félix. D'une loyauté à toute épreuve. Sextus leur faisait entièrement confiance.

— Capables de le défendre ?

— Je suppose qu'ils avaient des couteaux. Mais ce n'était pas vraiment des athlètes. Ils servaient surtout à tenir la lanterne, et à aider au coucher de leur maître. Je doute qu'ils aient été bien utiles en cas d'attaque.

— Sextus avait-il donc besoin qu'on le guide dans les rues et qu'on le mette au lit ?

— Tu me demandes s'il était soûl à ce point ? sourit Cæcilia. Mon Sextus n'était pas homme à se rationner sur les plaisirs.

— Je suppose qu'il était correctement vêtu ?

— Il avait sa plus belle toge.

— Des bijoux ?

– Sextus soignait les apparences. Il avait certainement de l'or sur lui.

Je secouai la tête devant tant d'imprudence : un vieillard virtuellement sans défense, errant la nuit tombée, ivre et fier de montrer ses richesses, qui se rendait à la convocation d'une fille. La chance avait fini par le laisser tomber.

## 7

Sextus Roscius et sa famille avaient été relégués dans une aile éloignée de la vaste demeure. L'eunuque Ahausarus nous y emmena en passant par un labyrinthe de couloirs. Nous arrivâmes près des latrines.

Telle une matrone des temps héroïques, Cæcilia était prête à assumer les inconvénients, voire l'opprobre, pour protéger un client de sa famille. Mais qu'il ne s'attende pas à crouler sous le luxe, ni à résider trop près de ses appartements ! Je commençais à me demander si Cæcilia était si convaincue de son innocence, pour le loger avec tant de mauvaise grâce.

— Depuis combien de temps vit-il sous son toit ?

— Je ne suis pas sûr, répondit Cicéron. Rufus ?

— Environ trois semaines. Il n'était pas là avant les nones d'avril, en tout cas. Je n'étais même pas au courant. Avec l'arrivée des soldats, il a bien fallu que Cæcilia s'explique. Elle ne fait aucun effort particulier pour le présenter. Je ne pense pas qu'elle tienne à lui, et il faut dire que sa femme est vraiment très commune.

— Et que vient-il faire à la ville, s'il aime tant la campagne ?

Rufus haussa les épaules.

— Je n'en sais rien, et Cæcilia non plus. Lui et sa famille sont juste apparus un beau jour en suppliant qu'on les laisse entrer. Je pense que Cæcilia ne l'avait jamais rencontré de sa vie. Bien entendu, quand il s'est présenté, elle lui a ouvert les portes. Cela faisait un moment qu'il avait des ennuis, avec la mort de son père. Les problèmes ont dû commencer à Ameria. C'est à croire qu'il a été chassé, car il est arrivé les mains vides ; sans même un esclave. Demande-lui qui s'occupe du domaine en son absence. Il te dira que tout a été vendu, ou que de vagues cousins gèrent ce qui reste. Veux-tu des précisions ? Il pique une de ses crises. Personnellement, je crois qu'Hortensius a renoncé à le défendre par pure frustration.

Ahausarus nous introduisit avec cérémonie :

— Sextus Roscius, fils de Sextus Roscius, fit-il en saluant le personnage assis au centre de la pièce, un très honorable client de notre maîtresse. Je t'amène des visiteurs, dit-il en nous désignant d'un geste. Le jeune Messalla et Cicéron, l'avocat, que tu connais. Ainsi qu'un autre homme, du nom de Gordien.

Il ne présenta ni Tiron, ni la femme qui cousait, assise en tailleur dans un coin, pas plus que les deux jeunes filles agenouillées près de la fenêtre, qui jouaient à une sorte de jeu.

Ahausarus se retira. Rufus fit un pas en avant.

— Tu as meilleure mine qu'hier, Sextus Roscius.

C'est à peine si l'homme hocha la tête.

— Peut-être seras-tu plus loquace aujourd'hui. Cicéron se prépare pour sa plaidoirie – je te rappelle que le procès a lieu dans huit jours. C'est pourquoi Gordien nous accompagne. Il a du talent pour dénicher la vérité.

— C'est un magicien ?

— Non, un enquêteur. Mon frère Hortensius a souvent recours à ses services.

— Hortensius... ce lâche qui a tourné casaque pour mieux fuir ? Qu'ai-je à espérer des amis d'Hortensius ?

La pâle figure de Rufus vira au rouge tomate. Je lui fis signe de se taire.

– Dis-moi seulement ceci, lançai-je d'une voix forte. (Cicéron fronça les sourcils, mais je passai outre.) Avant d'aller plus loin, Sextus Roscius d'Ameria : as-tu tué ton père ou es-tu responsable de sa mort en quelque manière ?

Je le dominai de ma taille, le défiant du regard. Il leva la tête. Ce que je vis alors, c'était un visage qui respirait la simplicité : tanné par le soleil, buriné par les vents, blanchi par le temps. Roscius était peut-être un riche fermier, il était avant tout fermier. Nul ne peut faire travailler les paysans sans en adopter l'allure ; ni faire lever la moisson, fût-ce à grand renfort d'esclaves, sans s'incruster de la terre sous les ongles. Il y avait quelque chose de brut dans son expression, quelque chose de rugueux comme un bloc de granit. C'était donc lui, le fils abandonné à la campagne pour battre l'esclave récalcitrant, tirer la charrue du fossé, tandis que le jeune et élégant Gaïus grandissait à la ville, couvé par son épicurien de père !

Je cherchai dans ses yeux le ressentiment, l'amertume, la jalousie, l'avarice. Je n'y vis que la frayeur d'une bête traquée.

Roscius finit par murmurer d'une voix rauque : « Non. » Il me fixait sans ciller. Je le crus sur parole. Cicéron m'avait prévenu.

Sextus Roscius était un homme mûr. La terreur de l'avenir – ou la conscience de sa faute – pesait sur lui. Ses cheveux et sa barbe grisonnante étaient trop longs. Son corps affaissé paraissait fragile, même si, comparé à Rufus ou Cicéron, il était bien bâti et musclé. Il avait des cernes bistres, la peau flasque, les lèvres sèches et gercées.

Cæcilia Metella se plaignait de ses cris, la nuit. Elle avait décrété qu'il était fou. Mais Cæcilia ne s'était jamais promenée dans les rues grouillantes des quartiers pauvres de Rome ou d'Alexandrie. Le désespoir peut confiner à la folie, mais pour l'œil exercé au malheur, la différence est claire. Sextus Roscius n'avait rien d'un fou.

Je cherchai des yeux un endroit où m'asseoir. Roscius

claqua des doigts en direction de la femme. À la façon dont elle maugréa, ce ne pouvait être que son épouse – une femme entre deux âges, pas très belle et plutôt forte. À son tour, elle claqua des doigts ; les filles débarrassèrent le plancher. Roscia Minora et Roscia Majora, présumai-je, vu le manque d'imagination avec lequel les Romains appliquent à leurs filles le nom du géniteur, les distinguant ensuite par le rang.

L'aînée pouvait avoir l'âge de Rufus ; c'était une fille en passe d'être femme. Comme lui, elle portait la tunique blanche qui masquait ses formes. Une masse de cheveux châtains se répandait en cascade jusqu'à la taille. À la mode de la campagne, elle ne les avait jamais fait couper. Elle était étonnamment jolie, mais je repérai sur son visage la même angoisse que sur celui de son père.

La plus jeune n'était qu'une enfant, une réplique en miniature de sa sœur, avec la même tunique et les mêmes cheveux nattés. Trop petite pour porter les chaises, elle préféra s'esclaffer en montrant Cicéron du doigt : « Drôle de bouille ! » Sa mère la réprimanda et la chassa de la pièce. Cicéron supporta l'outrage avec bonne grâce. Rufus, qui avait l'air d'un Apollon à côté de lui, regardait ailleurs.

L'aînée se retira derrière sa mère, mais se retourna juste avant de disparaître derrière la tenture. Je fus de nouveau frappé par son visage : la bouche généreuse, le front haut, les yeux profonds teintés de tristesse. Elle surprit mon regard et me fixa avec une franchise rare à cet âge et dans ce milieu. Ses lèvres s'écartèrent, ses paupières se fermèrent, comme si elle s'offrait en une invitation, sensuelle, calculée, provocante. Elle sourit et inclina la tête. Ses lèvres formaient des mots que je ne pouvais déchiffrer.

Cicéron et Rufus étaient de l'autre côté, en plein conciliabule. Derrière moi, il n'y avait que Tiron, qui dansait nerveusement d'un pied sur l'autre. Elle ne pouvait s'adresser qu'à moi.

L'instant d'après, la jeune Roscia Majora avait disparu.

Seul, le rideau qui se balançait et une légère odeur de jasmin témoignaient de son passage. L'intimité de cette œillade me laissait pantois. C'était un regard comme en échangent les amants. Or, je ne l'avais jamais vue de ma vie.

Tiron m'avança une chaise. J'avais l'impression de rêver. La vue de Sextus me ramena sur terre.

— Où sont donc tes esclaves, Sextus Roscius ? Ne me dis pas que, chez toi, tu demandes à ta femme et à ta fille d'apporter les chaises pour les invités ?

Ses yeux sinistres s'illuminèrent.

— Et pourquoi pas ? Tu crois qu'elles sont au-dessus de ça ? Cela fait du bien aux femmes d'être remises à leur place de temps en temps. Surtout les miennes, qui ont un père et un mari assez riche pour les laisser paresser à leur guise toute la journée.

— Pardonne-moi, Sextus Roscius. Je ne voulais pas t'offenser. Tu parles d'or : la prochaine fois, nous demanderons à Cæcilia d'apporter les chaises.

Rufus réprima un rire. Cicéron tiqua devant mon impertinence.

— Tu te crois malin, n'est-ce pas ? coupa Roscius. Un bel esprit de la ville, comme les autres. Que veux-tu ?

— La vérité, Sextus Roscius. Parce que c'est mon travail, et parce que seule la vérité peut sauver un innocent, comme toi.

Roscius se tassa dans son siège. Côté muscles, il aurait donné du fil à retordre à deux d'entre nous, tout affaibli qu'il était. Mais à la bataille des mots, j'avais l'avantage.

— Que veux-tu savoir ?

— Où sont tes esclaves ?

— À Ameria, au domaine.

— Tous ? Tu n'as amené personne pour nettoyer, faire la cuisine, s'occuper des filles ? Je ne comprends pas.

Tiron se pencha vers Cicéron et lui chuchota quelque chose. Cicéron hocha la tête ; Tiron sortit.

– Quel petit esclave bien élevé tu as là, Cicéron ! Il demande à son maître la permission de pisser ! Ça ne pue pas autant d'habitude. C'est cette fichue chaleur.

– Nous parlions de *tes* esclaves, Sextus Roscius. Il y en a deux en particulier qui m'intéressent. Les préférés de ton père, ceux qui l'accompagnaient la nuit de sa mort. Félix et Chrestus. Sont-ils restés à Ameria ?

– Comment veux-tu que je sache ? Ils ont dû se sauver à l'heure qu'il est. Ou se faire trancher la gorge.

– Et qui ferait une chose pareille ?

– Les mêmes qui ont tué mon père, pardi.

– Mais pourquoi ?

– Parce qu'ils ont tout vu, quelle question !

– Comment le sais-tu ?

– Parce qu'ils me l'ont dit.

– Ce sont eux qui t'ont appris la mort de ton père ?

Roscius leva les yeux au ciel.

– Oui. Ils m'ont envoyé un messager de Rome.

– Tu te trouvais à Ameria la nuit de sa mort ?

– Absolument. Vingt personnes te le confirmeront.

– Et quand as-tu appris la nouvelle ?

Roscius réfléchit.

– Le messager est arrivé le surlendemain matin.

– Alors qu'as-tu fait ?

– Je suis parti pour Rome le jour même. Une sacrée trotte. On peut y être en huit heures avec un bon cheval. Parti à l'aube, arrivé au coucher du soleil – les journées sont courtes en automne. Les esclaves m'ont montré son corps. Les blessures...

Sa voix se brisa.

– T'ont-ils montré dans quelle rue cela s'était passé ?

Sextus gardait les yeux au sol.

– Oui.

– L'endroit exact ?

Il frissonna.

– Oui.

84

— Il faudra que j'aille voir par moi-même.

— Ne compte pas sur moi pour t'accompagner.

— Je comprends. Les deux esclaves peuvent m'y emmener.

J'observai son visage. Une lueur brilla dans ses yeux et j'eus un soupçon, sans savoir de quoi.

— Ah, j'oubliais. Sont-ils à Ameria ?

— Je viens de te le dire.

Roscius paraissait trembler, malgré la chaleur.

— Je dois y aller dès que possible. J'ai cru comprendre que ton père se rendait dans un établissement nommé la Maison aux Cygnes. Le meurtre a dû avoir lieu à proximité.

— Je n'en ai jamais entendu parler.

Était-il en train de mentir ? J'avais beau l'examiner, mon intuition ne me disait rien.

— Pourrais-tu quand même m'aider à localiser l'endroit ?

Non seulement il le pouvait, mais il le fit, à ma surprise étant donné son manque de familiarité avec Rome. Il y a des milliers de rues dans cette ville, dont seules quelques-unes portent un nom. Entre Cicéron et moi, avec les repères dont se souvenait Roscius, nous pûmes reconstituer le trajet. Cicéron grommela quelque chose sur l'absence de Tiron. Heureusement, celui-ci avait laissé son stylet et une tablette de cire. Rufus accepta de nous servir de secrétaire.

— À présent dis-moi, Sextus Roscius : sais-tu qui a tué ton père ?

Il baissa les yeux et garda le silence très longtemps. Il avait l'air sonné par la chaleur.

— Non.

— Pourtant, tu as dit à Cicéron que tu craignais de subir le même sort, que ces hommes sont déterminés à t'abattre, que le procès lui-même est une machination.

Roscius secoua la tête. Ses yeux s'assombrirent.

— Non, non, gémit-il. Je n'ai rien dit de tel.

Cicéron me jeta un regard étonné. Roscius enfla la voix.

— Laissez tomber, tous autant que vous êtes ! Laissez

tomber ! Je suis un homme condamné. On me jettera dans le Tibre, cousu dans un sac. Tout ça pour quoi ? Pour rien ! Que deviendront mes petites filles, mes jolies petites filles, mes filles chéries ?

Il se mit à pleurer.

Rufus alla poser la main sur son épaule. L'homme se dégagea violemment. Je me levai et m'inclinai pour saluer.

— Nous partons, je crois que ça suffit pour aujourd'hui.

Cicéron se leva à contrecœur.

— Mais nous venons à peine de commencer. Demande-lui si...

Je posai un doigt sur mes lèvres, me dirigeai vers la sortie et appelai Rufus. Je leur tins la portière à tous deux et me retournai vers Sextus Roscius qui se mordait les ongles, seul au milieu de la pièce.

— Une ombre terrible pèse sur toi, Sextus Roscius d'Ameria. Que ce soit la honte, la peur, la culpabilité, je n'en sais rien, et tu n'es visiblement pas disposé à me l'expliquer. Mais que ceci te rassure, ou te tourmente, selon le cas : je te promets que je ferai tout pour découvrir l'assassin de ton père, quel qu'il soit ; et j'y parviendrai.

Roscius frappa des deux poings ses accoudoirs. Ses yeux brillaient, mais il n'avait plus de larmes.

— Fais comme tu veux, s'exclama-t-il. Je ne t'ai rien demandé. Comme si la vérité avait de l'importance, comme si elle signifiait quelque chose ! Vas-y, va reluquer les traces de sang sur la chaussée ! Va voir où il est mort à côté de son lupanar ! Quelle différence cela peut-il faire ? Même ici, je ne suis pas en sécurité...

Et ainsi de suite. Je laissai retomber la tenture, qui étouffa cette litanie d'insultes.

— J'ai l'impression qu'il nous cache quelque chose, fit Rufus tandis que nous repartions.

— Certainement. Mais quoi ? (Cicéron faisait la moue.) Je commence à comprendre pourquoi Hortensius l'a laissé tomber. Cet homme est impossible. Je ne peux pas le défendre contre son gré ! On voit pourquoi Cæcilia l'a exilé dans ce coin nauséabond. Je regrette de vous avoir fait perdre du temps. Je me demande si je ne devrais pas abandonner moi-même.

— Je ne te le conseille pas.

— Pourquoi ?

— Parce que l'enquête vient de démarrer, et que c'est un début prometteur.

— Comment peux-tu dire ça ? Nous n'avons rien appris d'intéressant. Cæcilia ne sait rien. Quant à Roscius, qu'est-ce qui peut bien l'effrayer à ce point, qu'il refuse de collaborer avec ses propres avocats ? Malgré tout, par Hercule, je suis sûr qu'il est innocent ! N'est-ce pas ton sentiment ?

— Peut-être. Mais tu te trompes si tu crois n'avoir rien appris. J'ai cessé l'entretien, car j'ai déjà assez de matière pour m'occuper pendant deux jours.

— Deux jours ? fit Cicéron en trébuchant sur le sol inégal. Mais le procès commence dans une semaine, et je n'ai rien sur quoi bâtir ma défense !

— Je te promets, Marcus Tullius Cicéron, que d'ici là, nous saurons non seulement où Sextus Roscius s'est fait tuer — ce qui n'est pas sans importance, mais pourquoi et par qui. En attendant, je serais très heureux de résoudre un mystère beaucoup plus simple, mais non moins pressant.

— C'est-à-dire ?

— Où puis-je trouver ces fameuses latrines ?

Rufus rit.

— Nous les avons dépassées. Retourne sur tes pas, prends la seconde porte à gauche. Tu les reconnaîtras au carrelage bleu et au triton au-dessus de la porte.

Cicéron se pinça les narines.

— Et à l'odeur aussi. Pendant que tu y es, fit-il en s'éloignant, tâche de me retrouver Tiron. La dernière fois, il s'est perdu dans les couloirs. S'il est encore là-dedans, c'est qu'il a un problème. Il n'a que ce qu'il mérite. Il ferait mieux de suivre mon exemple et de jeûner à midi. Tant de nourriture par cette chaleur, c'est indigeste...

Un petit couloir me conduisit à la porte carrelée de bleu. Des niches dans le mur contenaient des cônes de cendre, témoignages des parfums brûlés pour camoufler les mauvaises odeurs. Par cette chaleur étouffante, il aurait fallu renouveler constamment l'encens, mais les serviteurs de Cæcilia n'avaient pas fait de zèle, ou bien tout était destiné au sanctuaire de la déesse. Je passai sous la lourde tenture bleue.

Aucun peuple sur terre n'égale les Romains en ce qui concerne l'adduction de l'eau ou le traitement des ordures. Comme me disait un Athénien spirituel : « Nous sommes dirigés par une nation de plombiers. » Pourtant, dans cette luxueuse villa au cœur de la ville, tout allait de travers. Le dallage avait besoin d'être récuré ; le conduit en pierre était bouché. Et quand j'actionnai la valve, l'eau sortit en un mince filet. Un bourdonnement me fit lever les yeux : une toile d'araignée remplie de mouches agonisantes recouvrait l'aération.

Je me dépêchai de faire ce que j'avais à faire et ressortis en retenant mon souffle. C'est alors que j'entendis des voix étouffées de l'autre côté du couloir. Je reconnus celle de Tiron.

L'autre voix était celle d'une jeune femme, à l'accent de la campagne, mais non sans raffinement. Les mots laissèrent place à des soupirs. Je compris sur-le-champ.

J'aurais pu me retirer. Mais j'avançai et collai mon oreille à la portière en tissu jaune. Et moi qui pensais que ce regard m'était destiné, et que Majora était restée en arrière pour mes beaux yeux !

Ils parlaient à voix basse, à dix pieds de moi à peine.

— Je n'aime pas cet endroit, disait-elle. Ça sent mauvais.

— C'est la seule excuse que j'ai pu trouver. Si mon maître vient me chercher, il faut que je sois dans les parages.

— D'accord, d'accord.

Elle laissa échapper un soupir. J'entendis des bruits de corps à corps. J'écartai le rideau et jetai un œil.

C'était une petite réserve, où la lumière blanche qui tombait d'un vantail haut placé n'arrivait pas à percer. De la poussière en suspension tournoyait dans l'espace confiné. Parmi les cageots et les sacs, j'aperçus les cuisses et les fesses nues de Tiron. Les doigts crispés de la fille lui maintenaient sa tunique relevée sur le dos. Ses reins se pressaient contre le ventre de Majora, allant et venant, tressautant convulsivement, selon le rythme immémorial.

Leurs visages se touchaient, dissimulés dans un pan d'ombre. Elle était nue. Sa tunique ne m'avait pas laissé deviner la splendeur de ses courbes voluptueuses, ni la pureté de sa chair ferme et blanche. Ruisselante de sueur, elle luisait comme si on l'avait enduite d'huile. Elle avait lové son corps contre celui de Tiron et ondulait comme un serpent sur le pavé brûlant.

– Ça va venir, dit Tiron d'une voix que je n'aurais jamais reconnue – ni libre ni esclave –, une voix purement animale, charnelle, venue des profondeurs de l'être.

La fille noua ses mains sur les reins de l'homme et l'attira à elle. Elle avait la tête chavirée, les seins dressés.

– Attends un peu, chuchota-t-elle.

– Non, ils vont commencer à s'inquiéter...

– Alors rappelle-toi, tu as promis, comme la dernière fois. Pas dans moi, ou mon père me...

– Ça vient !

Tiron poussa un long gémissement.

– Retire-toi ! siffla la fille.

Elle enfonça ses ongles dans la chair tendre de Tiron et le repoussa. Il partit en arrière, puis retomba en avant, et s'affaissa lentement sur elle. Il colla son visage à sa joue, puis à son cou, à ses seins. Il lui déposa un baiser sur le nombril, effleurant de ses lèvres les filets de semence qui brillaient sur son ventre. Agenouillé, il l'enlaça et pressa la tête entre ses jambes.

Je la vis toute nue dans le clair-obscur – seul son visage demeurait dans l'ombre. Elle avait un corps parfait ; délié, gracieux, blanc comme de la crème ; ni fille ni femme ; un corps délivré de l'innocence, mais que le temps n'avait pas gâté.

Sans Tiron entre nous deux, je me sentis aussi exposé qu'elle. Je reculai. Le rideau jaune se remit en place sans bruit, frémissant comme si un vent coulis s'était aventuré dans les couloirs.

## 8

— Alors ils ont fait ça comme ça, chez la dame riche, et sous le nez du maître ! Bravo !

— Non, Bethesda, sous mon nez à moi.

Je repoussai mon assiette et regardai le ciel. Les lumières de la ville empêchaient de distinguer les étoiles, mais les grandes constellations brillaient dans la tiédeur du soir. Vers l'ouest, un banc de nuages orageux s'étirait. On aurait cru voir la traînée de poussière que laisse le passage d'une cavalerie. Je m'allongeai sur ma couche, les yeux fermés, attentif au grésillement de la torche, au crissement d'un grillon près du bassin et au ronron de Bast qui se frottait contre un pied de la table.

Bethesda revint. Doucement, elle me souleva et plaça ma tête sur ses genoux. Contre mes pieds nus, il y eut un petit rebond, puis la chaleur d'une fourrure. Ma peau percevait la vibration du ronron, plus que je ne l'entendais.

— N'as-tu pas aimé mon repas, maître ? Tu n'as presque rien mangé.

— C'était exquis, mentis-je. Cette chaleur m'ôte l'appétit.

— Tu n'aurais pas dû tant marcher. Tu aurais dû dire à cette dame de t'envoyer une litière.

Bethesda me caressait les cheveux. Je portai ses doigts à mes lèvres.

— Tu travailles trop, Bethesda. Je t'appelle paresseuse

pour te taquiner, mais ce n'est pas juste. Et pourtant, tes mains sont douces comme celles d'une vestale.

— C'est que ma mère m'a appris à les soigner. En Égypte, même les filles les plus pauvres savent prendre soin de leur corps et garder leur beauté. Pas comme ces Romaines. (Les yeux fermés, je pouvais imaginer la mine qu'elle faisait.) Elles se fardent le visage, elles y mettent des crèmes comme on met du mortier pour tenir les briques.

— C'est vrai, les Romains manquent de style, et les Romaines de grâce. Ils sont devenus trop riches, trop vite. C'est un peuple grossier et vulgaire, tout maître du monde qu'il soit. Il y eut un temps où les gens savaient se tenir. Quelques-uns n'ont pas oublié.

— Comme toi.

— Moi ? Je n'ai pas de manières. Ni d'argent, d'ailleurs. Tout ce que j'ai, c'est une femme, une chatte et une maison que je ne peux pas entretenir. Non, c'est à Cicéron que je pensais.

— D'après ta description, il est assez laid.

— Oui, Bethesda. Cicéron n'a rien qui puisse t'intéresser.

— Mais le jeune garçon...

— Non, Bethesda. Rufus Messalla est trop jeune, même pour ton goût, et beaucoup trop riche.

— Je veux dire le jeune esclave, celui qui est venu de la part de son maître, celui que tu as vu avec la fille. Comment était-il sans ses vêtements ?

— Je l'ai à peine vu, et rien des parties qui pourraient t'intéresser.

— Comment sais-tu ce qui m'intéresserait ?

Les yeux clos, je les revoyais plaqués au mur, emportés par le rythme endiablé d'une sarabande qui excluait le reste du monde. La main de Bethesda se glissa sous ma tunique.

— Qu'est-il arrivé ensuite ? Ne me dis pas qu'ils ont été surpris, ça me ferait de la peine.

— Ne t'inquiète pas pour eux.

— As-tu fait comprendre au garçon que tu les avais vus ?

– Non, je suis retourné au jardin où j'ai retrouvé Cicéron et Rufus avec Cæcilia Metella, tous les trois bien sombres. Nous avons causé un peu, puis Tiron est arrivé, l'air gêné. Cicéron n'a pas fait de commentaires. Personne n'a soupçonné quoi que ce soit.

– Bien sûr que non. Ils croient tout savoir, et pensent qu'il n'y connaît rien, puisqu'il est un simple esclave. Tu n'as pas idée des choses qu'un esclave peut accomplir sans se faire prendre.

Une boucle de cheveux frôla ma joue. Je m'en emparai pour respirer le parfum du henné et des plantes aromatiques.

– Crois-tu que je sois un ignorant, Bethesda ?

– Non. Toi, tu sais. Rien ne t'étonne.

– C'est que je suis méfiant de nature, et j'en rends grâce aux dieux.

Bast ronronnait très fort. Je reposai confortablement mes épaules sur les cuisses de ma bien-aimée.

– Comme tu es fatigué, murmura-t-elle, veux-tu que je te chante quelque chose ?

– Oui, Bethesda. Quelque chose d'apaisant, dans une langue que je ne connais pas.

Sa voix était comme une eau dormante, pure et profonde. C'était une chanson que je n'avais jamais entendue. Une berceuse que sa mère lui chantait, peut-être. À moitié endormi, je restais contre elle, et des images épouvantables défilaient dans ma tête sans m'atteindre. Je revoyais les gladiateurs ivres, les embaumeurs, et les coups de poignard donnés dans la rue ce matin-là, et le visage de Tiron tout empourpré. Je voyais un vieillard attaqué dans une ruelle, blessé à mort. Je voyais un homme nu, ligoté, fouetté, couvert d'excréments, puis cousu dans un sac avec des animaux vivants.

La berceuse prit fin, puis ce fut un autre chant. Je le connaissais celui-là, sans en comprendre davantage les paroles. Il faisait partie du répertoire de séduction. Tout en

93

l'écoutant, je savais que Bethesda se déshabillait, libérant son parfum musqué. Bientôt nous fûmes côte à côte. Elle releva ma tunique jusqu'à la taille, comme l'avait fait pour Tiron la fille de Sextus Roscius, et se pencha sur moi. Je gardai les yeux fermés lorsqu'elle m'avala, et même lorsqu'à mon tour je la soulevai, roulai sur elle et la pénétrai. C'était le corps de Bethesda que j'étreignais, mais derrière mes paupières closes, c'était l'autre fille que je voyais nue, souillée par la semence d'un esclave.

Longtemps nous restâmes accolés, immobiles, nos chairs comme fondues par la sueur et la chaleur. La chatte, qui avait disparu momentanément, revint se blottir dans le désordre de nos jambes. Quand j'entendis le roulement du tonnerre, je crus l'avoir rêvé, mais des gouttelettes venues du jardin me rafraîchirent. J'entendis crachoter la flamme de la torche. Elle s'éteignit. Le tonnerre gronda plus fort. Bethesda me serra contre elle, murmurant quelque invocation dans son idiome secret. La pluie maintenant tombait dru, sifflant sur les tuiles et les pavés. Une pluie assez forte pour curer les égouts de Rome et laver les rues – la pluie bénéfique dont les poètes nous disent que les dieux l'envoient pour purifier de leurs péchés les pères comme les fils.

## 9

Le lendemain, tôt levé, j'allai me laver à la fontaine du jardin. La pluie avait duré toute la nuit. La terre était noire et grasse. Des gouttes ruisselaient de toutes les branches. Le ciel, légèrement teinté de rose, était opalescent comme de la nacre. Je le vis par touches imperceptibles passer au bleu, s'irradier, sans un seul nuage, annonçant la chaleur du nouveau jour. Je mis ma tunique la plus légère, ma toge la plus nette, et grignotai un bout de pain. Je laissai Bethesda endormie, avec la chatte à demi enroulée autour de son cou comme une étole.

D'un pas rapide, je gagnai la maison de Cicéron. Nous étions convenus la veille que je passerais avant d'aller inspecter le lieu du crime. Mais, à mon arrivée, Cicéron me fit dire qu'il ne se lèverait pas avant midi. Il était sujet à des troubles chroniques des intestins et se reprochait d'avoir fait une entorse à son régime en acceptant un pruneau chez dame Cæcilia. Aimablement, il me prêtait Tiron pour la journée.

L'air avait un parfum de propreté. Mais le temps d'arriver à la porte Fontinale, la chaleur s'était emparée de la ville. Les murs de brique suintaient : la moiteur remplaçait la fraîcheur du matin. J'allais, m'essuyant le front avec le bord de ma toge. Du coin de l'œil, je vis que Tiron souriait, l'air béat. J'imaginais facilement la cause de sa belle humeur, mais n'en soufflai mot.

Le cirque Flaminius est entouré d'un labyrinthe de rues. Celles qui lui font face et attirent les foules offrent côte à côte boutiques, tavernes, lupanars et auberges. Au-delà, des maisons de trois à quatre étages font écran à la lumière du soleil. Ces rues se ressemblent toutes et sont un mélange d'architecture de toutes sortes et de tous âges. Vu la fréquence des incendies et des tremblements de terre, Rome ne cesse d'être rebâtie. La population va croissant, les parcelles se concentrent aux mains des gros propriétaires, ce qui explique la médiocrité des constructions les plus récentes. Depuis que Sylla est au pouvoir, les problèmes n'ont fait qu'empirer.

Nous avons pris le chemin décrit par Sextus Roscius, tel que l'avait consigné la veille le jeune Rufus Messalla, de son écriture abominable et quasiment illisible. Je dis à Tiron combien il était dommage qu'il ait été occupé ailleurs et n'ait pas pu prendre de notes.

— Rufus, étant noble, ne s'est jamais donné la peine d'apprendre à former ses lettres, tandis que tu me parais manier le stylet avec fermeté.

Cette remarque anodine le fit rougir jusqu'aux oreilles.

Depuis la maison de Cæcilia, notre itinéraire empruntait les artères les plus larges, bordées de commerces, évitant les recoins dangereux. Nous débouchâmes sur une grande place ensoleillée, avec en son centre une citerne publique.

— Par là, dit Tiron en étudiant les notes de Rufus. Du moins je crois, ajouta-t-il en fronçant le sourcil.

— Oui, je me rappelle : un passage étroit entre une buvette et un immeuble badigeonné de rouge.

Je regardai autour de la place et dénombrai six rues. Le vieux Sextus avait pris la plus étroite cette nuit-là. Elle formait un coude, n'offrant presque aucune visibilité. C'était peut-être le plus court chemin pour rejoindre Elena. Peut-être le seul.

J'avisai un homme qui traversait la place. Quelque marchand, à l'aise sans être riche, à en juger par sa tenue. On

96

voyait qu'il était du quartier. Il s'arrêta près du cadran solaire monté sur un piédestal, et le regarda en tordant le nez. Je m'avançai, une citation aux lèvres.

— « Que les dieux foudroient celui qui le premier a inventé les heures ! »

Il sourit et enchaîna aussitôt.

— « Pitié ! Pitié pour moi ! Ils ont découpé ma journée comme les dents d'un peigne. »

Nous rîmes de concert.

— Citoyen, demandai-je, tu connais le quartier ?

— J'y habite depuis des années.

— Alors tu peux m'aider. Je n'ai ni faim ni soif, c'est une autre envie que je voudrais satisfaire. Je suis un amoureux des oiseaux.

— Des oiseaux ? Il n'y a que des pigeons ici, trop coriaces à mon goût.

— Je pensais à une volaille plus élégante. À l'aise sur l'eau, sur la terre et dans les airs.

Il saisit aussitôt.

— Tu veux dire la Maison aux Cygnes ?

— Oui.

— Prends cette rue-là.

Il montrait le passage entre la buvette et l'immeuble rouge.

— Est-ce la seule qui y mène ?

— Oui, sauf si tu veux marcher deux fois plus. C'est une longue rangée de maisons, avec quelques impasses. Et la promenade en vaut la peine, ajouta-t-il en clignant de l'œil.

— Je l'espère bien. Viens, Tiron.

Nous prîmes le passage indiqué. Même par cette belle matinée, on se sentait enfermé, sans autre perspective que briques et mortier. C'étaient de longues bâtisses sans fenêtres au rez-de-chaussée. Nous marchâmes quelque temps entre des murs aveugles. Les étages supérieurs étaient en surplomb. Par temps de pluie, ils offraient un abri, mais il devait faire bien sombre la nuit venue. Tous les cinquante pas, des appliques scellées dans les parois servaient à mettre des torches. En dessous, sur un écusson de pierre, était gravé un cygne. C'était de la publicité. Les torches étaient destinées à guider la clientèle vers la Maison aux Cygnes.

— On arrive, dit Tiron en levant le nez de sa tablette. Nous avons laissé une ruelle à gauche, en voici une autre à droite. D'après les indications, Sextus Roscius a trouvé une mare de sang. Mais après tout ce temps, crois-tu... ?

Tiron n'eut pas le temps de finir sa question. Il s'arrêta, le regard rivé au sol.

— Là, chuchota-t-il en avalant sa salive.

Considérons que le corps d'un homme contient plusieurs litres de sang. Considérons aussi la nature poreuse du pavé et la médiocrité de l'évacuation dans les rues de Rome, surtout dans les bas quartiers. Considérons qu'il était tombé peu de pluie cet hiver-là. Quand bien même, le vieux Sextus avait dû rester longtemps, très longtemps à saigner au milieu de la rue, pour y avoir laissé une telle tache indélébile.

Son diamètre égalait en longueur le bras d'un homme de haute taille. Les bords indistincts se confondaient avec la saleté environnante. Mais en son milieu, elle était d'un rouge foncé presque noir. Les pavés tout autour, foulés par les passants, avaient repris leur aspect patiné. Mais lorsque je m'agenouillai pour voir de plus près, j'aperçus de petites croûtes de sang séché dans les fissures. Je levai la tête : on ne voyait aucune fenêtre sous cet angle.

La porte d'entrée la plus proche se trouvait un peu plus haut sur la gauche. Le mur de droite n'offrait rien de notable, si ce n'est la boutique d'alimentation que nous venions de passer, au coin d'un cul-de-sac. Elle n'était pas encore ouverte. Sa porte haute et large occupait toute la façade. Elle était peinturlurée de jaune, avec une frise de divers signes annonçant des fruits et légumes. Tout en bas, dans le coin, une autre marque me coupa le souffle.

— Tiron, viens voir !

Je m'accroupis. À hauteur du genou, sous une couche de crasse qui allait s'épaississant, on distinguait clairement l'empreinte d'une main. Je la recouvris de la mienne et frissonnai : sans l'ombre d'un doute, je touchais la trace sanglante laissée des mois plus tôt par Sextus Roscius.

Je me redressai pour aller jusqu'au coin. Ce qui avait pu être une ruelle n'aboutissait plus nulle part, bloquée à son extrémité par un mur de deux étages. L'espace en question avait une vingtaine de pieds de long et pas plus de cinq pieds de large. Au fond, un reste d'ordures brûlées, un tas calciné où l'on apercevait des os parmi les détritus. Aucune fenêtre ici non plus. La torche la plus proche était distante d'une quarantaine de pas. C'était le lieu rêvé pour une embuscade.

— C'est ici qu'ils l'attendaient, Tiron, ici même, sachant qu'il devait passer par là en réponse au message d'Elena. Ils le connaissaient de vue, sans doute, pour savoir que c'était lui et bondir sans hésiter.

Je revins lentement vers l'empreinte.

— Ils ont dû porter le premier coup au torse ou au ventre ; il aura mis la main à sa blessure. Il s'est dégagé, espérant peut-être que cette porte s'ouvrirait, mais il est tombé à genoux. Le vrai massacre a eu lieu là-bas, en pleine rue. Il sera parvenu à se redresser, à faire deux ou trois pas avant d'être abattu...

— Peut-être que les esclaves se sont battus avec les agresseurs, suggéra Tiron.

J'imaginais plutôt leur fuite éperdue à la vue des poignards. Je me penchai de nouveau pour examiner l'empreinte. La grande porte frémit et s'ouvrit sur la rue. Je la reçus en pleine figure. De l'intérieur, une voix retentit.

— Quoi ! Encore un vagabond couché devant ma porte ! Je te ferai fouetter ! Bouge-toi de là, que je puisse ouvrir.

Nouvelle secousse. Je bloquai la porte du pied pour pouvoir me relever.

Une figure fripée apparut. La porte s'ouvrit largement,

vibrant sur ses gonds et se rabattit contre le mur, bloquant l'entrée du cul-de-sac.

— Oh, ce n'est pas un vagabond, grogna l'homme en me toisant de haut en bas. Mille excuses.

Il n'y avait pas l'ombre d'un regret dans sa voix.

— C'est ton magasin ? demandai-je.

— Bien sûr que c'est mon magasin. Depuis la mort de mon père, encore, longtemps avant que tu aies du poil au menton. Et il était à son père avant lui.

Le vieux louchait sous l'éclat du jour et se rencogna à l'intérieur.

— Tu n'ouvres que maintenant ? dis-je en le suivant. Il est tard.

— Je suis chez moi. J'ouvre quand je suis prêt.

— Quand il est *prêt* ! cria une voix quelque part à l'arrière.

Après la lumière aveuglante du dehors, je tâtonnais comme un aveugle dans cette espèce de couloir.

— Quand il est prêt ! C'est quand j'arrive à le tirer du lit, oui ! Quand *moi*, je suis prête. Un de ces jours, je ne prendrai plus cette peine. Je resterai couchée tranquillement, moi aussi. Et alors, je te le demande, qu'est-ce qu'on deviendra ?

— Tais-toi, la vieille !

L'homme trébucha, un panier se renversa, des olives se répandirent sur le sol. Tiron s'avança et se mit à les ramasser.

— Qui c'est, celui-là ? Ton esclave ? fit le vieux en allongeant le cou.

— Non.

— Il en a tout l'air. Tu ne veux pas le vendre ?

— Je te dis : il n'est pas à moi.

— Nous en avions un, avant. Rien que pour nous. Et puis mon imbécile de fils l'a affranchi. C'est lui qui ouvrait le matin. À mon âge, quel mal y aurait-il à se reposer un peu ? C'était un vrai fainéant, c'est sûr, mais pas trop voleur. Il aurait dû rester, affranchi ou pas. Un affranchi vous doit des obligations, tout le monde sait ça. C'est maintenant qu'on en a besoin. Mais il est quèque part en Apulie. Y s'est trouvé une femme. Libérez-les, et la première chose qu'ils font, c'est de pondre comme les gens bien. Ouais, c'est lui qu'ouvrait la porte. Et même pas voleur avec ça.

Pendant qu'il déblatérait, mes yeux s'habituaient à l'obscurité. La boutique était en triste état, sale et poussiéreuse. Les étagères n'étaient qu'à demi garnies. Je soulevai le couvercle d'une jarre d'argile et en tirai une figue sèche, piquetée de moisi. Il flottait un relent aigre dans toute la pièce, avec la pointe d'acidité des fruits pourris.

— Pas trop voleur ? Et qu'est-ce que t'en sais ? fit la voix criarde de la femme.

Je la voyais à présent, entortillée dans un châle sombre, qui s'employait à hacher quelque chose derrière son comptoir. Elle ponctuait chaque mot d'un coup de couteau.

— Toi, le vieux, t'as tout oublié. T'as la tête comme une passoire. Ce bon à rien de Gallius, il volait tout le temps ! Je lui aurais bien fait trancher les mains pour vol, mais à quoi bon un esclave sans mains ? On pourrait même plus le vendre. Et qui voudrait d'un voleur, sauf aux mines et aux galères ? Non, Gallius ne valait rien. On est bien mieux sans lui.

— Bon, vous voulez acheter quelque chose, ou c'est pour écouter les sottises de la vieille ?

Je cherchai de l'œil quelque chose de mangeable.

— En fait, ce sont les dessins sur la porte qui ont attiré mon attention...

— Ah, c'est Gallius qui nous a laissé ça. Il avait du talent, pour un esclave, même s'il était sacrément fainéant. Et pas trop voleur en plus.

— J'en ai remarqué un différent des autres, vers le bas : une main.

Le visage de l'homme se durcit.

— C'est pas Gallius qu'a peint ça.

– Je m'en doute. On dirait du sang.

– C'en est.

– Tu parles trop, le vieux.

Sourcils froncés, la femme tapait plus fort sur le comptoir.

– Il y a des choses qu'on doit voir, mais dont on parle pas.

– La ferme ! Si c'était moi, y a longtemps que j'aurais lavé ça. C'est toi qu'as voulu que ça reste ; y a pas à s'étonner que les gens le remarquent.

– C'est là depuis longtemps ?

– Oh, depuis plusieurs mois. Depuis l'automne.

– Et d'où vient cette marque ?

– Un homme a été tué en pleine rue, un riche à ce qui paraît. Tu te rends compte : tué à coups de poignard, juste devant chez moi !

– La nuit ?

– Évidemment. Autrement, il serait tombé en plein chez nous. Par Hercule, on n'en aurait jamais vu ni entendu la fin !

La femme se tenait le front baissé, comme un taureau.

– Tu ne sais rien, tu ferais mieux de te taire, va ! Demande plutôt à ce brave homme s'il désire quelque chose.

– Tu permets, je sais qu'on a tué un homme, aboya le vieux.

– Nous, on n'a rien vu, rien entendu. Seulement les racontars le lendemain.

– Des racontars ? C'était quelqu'un du quartier ?

– Pas que je sache, fit l'épicier. On dit seulement que des habitués des Cygnes se trouvaient là quand on a retourné le corps, et qu'ils l'ont reconnu.

– Les Cygnes ?

– Une maison de plaisir, réservée aux hommes. Personnellement, je n'y mets jamais les pieds. (Il baissa la voix.) Mais mon fils m'en a raconté de belles, sur cet endroit.

102

Sur le comptoir, les coups redoublaient de férocité.

— En tout cas, on était monté se coucher quand c'est arrivé.

— Et tu n'as rien entendu ? On pourrait penser qu'il y a eu des cris, du bruit...

L'homme ouvrit la bouche, mais sa femme l'interrompit.

— Les chambres sont par-derrière. On n'a pas de fenêtre sur la rue. Et puis, qu'est-ce que ça peut bien te faire ?

Je haussai les épaules.

— C'est seulement qu'en passant, j'ai remarqué cette empreinte. C'est curieux que personne n'ait pensé à badigeonner par-dessus.

— C'est ma femme, ça. Superstitieuse, comme toutes les femmes !

— Un voyou y réfléchira à deux fois avant de pénétrer un magasin avec une main sanglante à l'entrée. Les voleurs, on leur coupe la main, tu sais bien. Cette empreinte, elle a une force. Si c'était nous qu'on l'avait peinte, ça marcherait pas. Mais la marque d'un homme qui meurt, faite de sa main, avec son sang, elle a une force, j'te dis. Demande à cet étranger. Il l'a bien sentie, lui. N'est-ce pas ?

— Moi, je l'ai sentie !

C'était Tiron derrière moi. Trois paires d'yeux le fixèrent. Il devint rouge comme une tomate.

— Dites-moi : qui a vu le meurtre ? Les gens ont dû parler dans le quartier. Tout le jour, on entre et on sort de chez vous. S'il y a des témoins, vous devez être au courant ?

Le vieux cessa de se racler la gorge et me dévisagea longuement, puis regarda sa femme. Elle se taisait, l'air revêche, mais peut-être y eut-il un signe imperceptible, car lorsqu'il se retourna vers moi, on eût dit qu'il avait obtenu la permission de parler.

— Il y a eu une personne... une femme. Elle habite l'immeuble en face. Elle s'appelle Polia. Une jeune veuve. Elle habite avec son petit garçon, qui est muet. Un client nous a dit que Polia racontait à tout le monde qu'elle avait vu le

103

meurtre de ses yeux, depuis sa fenêtre. Naturellement, quand elle est passée au magasin, je lui ai demandé. Et tu sais quoi ? Elle a refusé d'en parler. Pas un mot, muette comme une tombe, elle aussi. Sauf pour dire que je devais plus jamais lui poser de questions là-dessus, et jamais parler à personne de rien qui puisse...

Il pinça brusquement les lèvres l'air coupable.

— Sais-tu s'il aime les figues, son petit garçon ? fis-je en choisissant précautionneusement quelques spécimens.

Tiron, qui portait mon sac en bandoulière, fouilla et sortit un as de cuivre.

— Non, Tiron, plus que ça. Donne un sesterce à l'épicier, et qu'il garde la monnaie. Après tout, ton maître me paye les frais.

Le vieux examina la pièce d'un air soupçonneux.

— Bien élevé, avec ça. Tu es sûr que tu peux pas me le vendre ?

Je souris et fis signe à Tiron de me suivre.

## 10

L'immeuble en face de nous était une construction relativement récente. La façade aveugle se trouvait déjà barbouillée de slogans électoraux (car les élections se poursuivirent, sans grande conviction il est vrai, sous la dictature de Sylla). Plus représentatifs étaient les graffitis obscènes, sans doute laissés par les clients comblés de la Maison aux Cygnes que je survolais dans l'espoir qu'Elena y serait mentionnée.

Une volée de marches conduisait à la porte, ouverte à la chaleur du matin. Deux couloirs partaient sur la gauche. L'un menait à une cage d'escalier qui grimpait au second, l'autre desservait sur toute la longueur du bâtiment une série d'alcôves drapées de lambeaux d'étoffe.

Un grand maigre, assis au bout à même le sol, se déplia et vint à notre rencontre. C'était le gardien. Chaque immeuble en possède un, parfois un par étage – en général un résident qui gagne trois as auprès des locataires ou du propriétaire pour surveiller les affaires en leur absence et tenir les étrangers à l'œil.

– Citoyens, dit-il en se mettant au garde-à-vous.

Il était encore plus grand de près, avec une barbe poivre et sel et une lueur farouche dans le regard.

– Citoyen, répondis-je. Je cherche une femme.

Il sourit bêtement.

— Comme nous tous.

— Elle s'appelle Polia.

— Polia ?

— Oui. À l'étage, il paraît.

— Polia ? répéta-t-il en se frottant le menton.

— Une jeune veuve, avec son fils. Le garçon est muet.

Le type haussa exagérément les épaules, retournant lentement la paume de sa main droite.

Tiron m'avait devancé et farfouillait dans ma besace. Il en retira quelques as de cuivre, mais je lui fis signe d'attendre. Penché sur nous, l'échalas fixait son poing fermé avec une cupidité non dissimulée.

— Y a-t-il bien une femme du nom de Polia qui habite ici ?

Il inclina la tête. Tiron lui tendit une première pièce.

— Est-elle dans sa chambre à présent ?

— J'en sais rien. Elle est au second. Une grande chambre avec porte et tout et tout.

— Une porte qui ferme à clef ?

— Pas assez bien pour aller y voir de plus près.

— Ce qui signifie que je dois m'adresser au gardien à l'étage, n'est-ce pas ? Je ferai mieux de garder ma monnaie pour lui.

Je me dirigeai vers l'escalier.

Il me retint d'une main preste.

— Citoyen, attends. Ne va pas jeter ton argent par les fenêtres. C'est un bon à rien, qui picole toute la journée. Avec la chaleur qui fait, il doit être en train de roupiller. Inutile de le déranger. Tiens, je m'en vais te montrer moi-même, simplement, faites pas de bruit dans l'escalier.

Il grimpa quatre à quatre, exagérément juché sur la pointe des pieds, et semblait perdre l'équilibre à chaque pas. Comme prévu, l'autre était endormi en haut des marches : un petit bonhomme rondouillard adossé au mur, une outre de vin reposant sur le genou, avec sa bouteille dressée obs-

106

cènement entre ses courtes cuisses. Le géant l'enjamba en levant le nez.

Le couloir était faiblement éclairé par deux lucarnes à chaque extrémité. Le plafond était si bas que notre guide se courbait en deux pour éviter les poutres. À un moment, Tiron fit craquer le plancher ; il se retourna et nous supplia à mains jointes. Il s'arrêta à mi-chemin et toqua à la porte, surveillant à chaque coup le gardien endormi. Décidément, ce petit ivrogne possédait des pouvoirs de représailles invisibles au commun des mortels.

Après un temps, la petite porte s'entrebâilla d'un doigt.

— Oh, c'est toi, fit une voix de femme. Je t'ai déjà dit mille fois, c'est *non*. Tu ne peux pas me laisser tranquille ? Il y a cinquante autres femmes dans l'immeuble.

Le géant me regarda et rougit comme un jouvenceau.

— Je suis pas seul. Tu as de la visite.

— De la visite ? Pas... ma mère ?

— Non. Un homme. Et son esclave.

On l'entendit respirer.

— Pas ceux de la dernière fois ?

— Mais non. Ils sont là, à côté de moi.

La fente s'ouvrit d'un brin, juste assez pour révéler le visage de la veuve d'une oreille à l'autre.

— Qui êtes-vous ?

Au bout du couloir, l'ivrogne se retourna pesamment, heurtant la bouteille entre ses jambes, qui partit en roulant vers l'escalier.

— Par Hercule ! suffoqua le géant qui se précipita sur la pointe des pieds.

Le temps d'arriver au palier, la bouteille entamait sa descente, cognant chaque marche à grand bruit.

Le petit bonhomme se réveilla instantanément. Il se redressa d'une galipette.

— Hé, toi !

Le géant prit la fuite, mains sur la tête, mais déjà l'autre était sur lui. Armé d'une latte de bois, il le bastonnait sur les épaules en criant d'une voix perçante :

— Que je t'y reprenne, à amener des étrangers à mon étage ! Voler mes pourboires ! Tu vas voir si je t'attrape, pauvre tas de merde ! Fous le camp, ou je te bats comme plâtre.

La scène était pathétique et ridicule. Nous avons éclaté de rire, et cessé aussitôt devant le visage pétrifié de la jeune femme.

— Qui êtes-vous ? Que venez-vous faire ici ?

— Je m'appelle Gordien. Au service de l'honorable avocat Marcus Tullius Cicéron. Voici son secrétaire, Tiron. J'avais juste une ou deux questions, à propos des événements de septembre dernier.

Elle pâlit.

— J'en étais sûre. Je le savais, ne me demande pas comment. J'en ai encore rêvé cette nuit... Mais je n'ai rien à dire maintenant, il faut vous en aller.

Elle poussa la porte. Je la coinçai du pied. Le panneau de bois était si mince et délabré qu'il craqua sous la pression.

— Allons, laisse-nous entrer. Tu as un fameux chien de garde sur le palier. Je l'entends qui revient. Tu n'as rien à craindre. Tu n'auras qu'à appeler si je me conduis mal.

La porte s'ouvrit brusquement en grand, mais ce n'était pas la veuve qui se tenait devant nous. C'était son fils, et bien qu'il n'eût guère plus de huit ans, il n'avait pas l'air d'un gosse, surtout avec ce coutelas à la main.

— Non, Eco, non !

La femme l'attrapa par le bras et le tira en arrière. Des portes commençaient à s'ouvrir en grinçant.

— Oh, par Cybèle, entrez.

La femme réussit à désarmer son fils et verrouilla bien vite derrière nous. L'enfant me regardait avec haine.

— Coupe ça, plutôt, dis-je en lançant mon sachet de figues qu'il saisit au vol.

C'était une petite chambre encombrée, comme toujours

dans ces logis. Mais il y avait une fenêtre avec des persiennes, et assez de place pour pouvoir dormir à deux par terre sans se gêner.

— Vous habitez seuls, tous les deux ?

Je repérai les quelques effets personnels : des vêtements de rechange, un petit panier de produits de beauté, des jouets en bois. Ses affaires à lui, ses affaires à elle.

— Ça te regarde ?

Elle se tenait dans l'encoignure près de la fenêtre, le bras passé autour de son fils, qu'elle protégeait et retenait tout à la fois.

— Pas vraiment, dis-je. Tu permets que je jette un coup d'œil par la fenêtre ? Tu ne sais pas la chance que tu as. (Le garçon se raidit à mon approche.) Bon, la vue n'est pas terrible, mais j'imagine que c'est tranquille le soir, et l'air frais est une bénédiction.

L'appui de la fenêtre m'arrivait aux cuisses, formant un rebord d'un pied de large, où la jeune femme avait jeté un coussin plat. En face, un peu sur la droite, je pouvais voir l'entrée de la petite épicerie ; la vieille s'était mise à balayer devant sa porte. Juste à la verticale, ressortant vivement par contraste sur les pavés, s'étalait la tache de sang laissée par Sextus Roscius.

— En voilà une bonne banquette, surtout par un temps pareil. Ça doit être agréable de s'asseoir à l'automne, quand les soirées sont douces. Regarder les passants. Je parie qu'on peut voir les étoiles, par une nuit sans nuages.

— La nuit, je ferme les volets, peu importe le temps. Et je ne m'occupe pas des gens dans la rue, ce ne sont pas mes oignons.

— Tu t'appelles Polia, je crois ?

Elle se contracta, resserrant son étreinte sur le petit, dont elle caressait nerveusement les cheveux. Il leva la tête et tenta de la repousser.

— Je ne te connais pas. Qui t'a dit comment je m'appelais ?

– Dis-moi, Polia, cette histoire de s'occuper de ses oignons, c'est une règle de vie ? ou une résolution récente ? Ça ne t'aurait pas pris, par hasard, en septembre dernier ?

– J'ignore de quoi tu parles.

– Quand le gardien nous a amenés, tu m'as pris pour quelqu'un d'autre.

– J'ai cru que c'était ma mère. Elle arrête pas de venir me réclamer de l'argent, et j'ai plus rien à lui donner.

– Non, j'ai entendu distinctement. Tu as demandé : « Pas ceux de la dernière fois ? » Tu n'avais pas l'air heureuse de les revoir.

Le garçon continuait à lutter entre les bras de sa mère. Elle lui donna une tape.

– Pourquoi viens-tu nous harceler ? Rentre chez toi !

– Parce qu'un homme a été assassiné, et qu'un innocent risque sa vie.

– Qu'est-ce que ça peut bien me faire ? rétorqua-t-elle. (Son aigreur lui ôtait tout reste de beauté.) Quel crime avait-il commis, mon mari, quand il est mort de la fièvre ? Qu'avait-il fait pour mériter de mourir ? Même les dieux ne sauraient répondre. Les dieux s'en moquent ! Des hommes meurent chaque jour.

– L'homme s'est fait tuer juste sous tes fenêtres. Tu as dû voir quelque chose.

– Et qui dit que je m'en souviendrais ?

Polia commençait à haleter. L'enfant ne me quittait pas des yeux.

– Cela doit être difficile d'oublier une chose pareille. Regarde, on voit la tache de sang juste en bas. Mais je n'ai pas besoin de te l'apprendre.

Soudain, le gamin se libéra. Je reculai d'un bond. Tiron s'interposa, mais ce n'était pas la peine. L'enfant éclata en larmes et s'enfuit de la pièce.

– Voilà ! Tu vois ce que tu as fait ? J'ai évoqué son père devant lui. Sous prétexte qu'Eco est muet, les gens oublient qu'il entend. Il parlait aussi, avant. Mais c'est fini depuis la mort de son père. Plus un mot ! La fièvre les a frappés tous deux... Maintenant, partez. J'ai rien à vous dire. Partez !

Elle tripotait son coutelas en parlant, lorsqu'elle parut se rendre compte de ce qu'elle tenait entre les doigts. Elle le pointa sur nous d'une main peu sûre. J'avais plutôt peur pour elle que pour nous.

— Partons, dis-je. Il n'y a rien à en tirer.

Dehors, c'était la fournaise.

Tiron restait en arrière, descendant à petits pas, l'air perplexe.

— Qu'y a-t-il ?

— Pourquoi ne pas lui avoir proposé de l'argent ? L'épicier a dit qu'elle avait vu le meurtre. Elle est sûrement dans le besoin.

— Ma bourse n'est pas assez pleine pour la faire parler. Tu ne vois pas ? Elle est terrifiée. Je ne pense pas qu'elle aurait accepté. Elle n'est pas assez pauvre pour mendier. Pas encore, en tout cas. Qui sait l'histoire de cette femme ? Je m'efforçai de durcir le ton. La seule chose qui compte, c'est qu'on l'a fait taire bien avant notre arrivée. Elle ne nous servira à rien.

Je m'attendais presque à ce que Tiron réagisse, mais ce n'était qu'un esclave, et tout jeune avec ça. Il ne voyait pas que j'avais manipulé cette femme, aussi crûment que l'épicière ou les gardiens. Peut-être aurait-elle parlé, si j'avais essayé un autre registre que la peur. Je marchais à grands pas. J'étais en colère. Le soleil de midi tapait comme un poing sur ma nuque. Le petit garçon arriva à contre-jour ; je lui rentrai dedans.

Je poussai un juron. Eco, ébranlé, hoqueta. J'eus assez de présence d'esprit pour vérifier qu'il avait les mains vides. Je le regardai un instant dans les yeux, puis m'écartai pour reprendre ma route. Il me saisit par la manche et montra la fenêtre.

– Qu'est-ce que tu veux ? Nous avons laissé ta mère tranquille. Ta place est auprès d'elle.

Eco secoua la tête et tapa du pied. Il nous fit signe d'attendre et fila à l'intérieur de l'immeuble.

– Que signifie ce comportement ? demanda Tiron.

– Je ne sais pas encore, dis-je avec un sentiment d'appréhension, comme à l'approche d'une découverte.

L'enfant réapparut aussitôt, une cape noire sur le bras. Il dissimulait quelque chose dans les plis de sa tunique. Il fit glisser sa main : une lame effilée brilla au soleil. Tiron tressaillit et me prit par le bras. Je le repoussai doucement ; le coutelas n'était pas pour nous.

L'enfant s'approcha de moi. Il n'y avait personne dans les rues. C'était la canicule.

– Je crois que ce garçon a des choses à nous dire.

Il fit oui de la tête.

– À propos de cette nuit de septembre ?

Il désigna la tache de sang de la pointe du couteau.

– Sur l'assassinat du vieillard. Le meurtre a eu lieu une ou deux heures après le coucher du soleil, n'est-ce pas ?

Il hocha la tête.

– Comment as-tu pu voir autre chose que des ombres ?

Il montra les supports des torches de loin en loin sur les murs et dessina une sphère de ses mains.

– Ah oui. C'étaient les ides. La lune était pleine. Explique-moi : les tueurs, d'où venaient-ils ?

Eco tendit l'index vers l'espace en retrait derrière la porte de l'épicerie.

– J'en étais sûr. Combien étaient-ils ?

Il leva trois doigts.

– Seulement ?

Il hocha vigoureusement la tête. Et la pantomime commença.

Il remonta la rue en courant une dizaine de mètres, puis revint vers nous en se dandinant, les yeux mi-clos, balançant les bras de part et d'autre.

112

— Le vieux Sextus Roscius, dis-je. Qui arrive flanqué de ses deux esclaves.

Le garçon approuva, puis courut vers l'échoppe, s'introduisit dans le recoin et claqua la porte. Depuis son comptoir à l'arrière, j'entendis la vieille qui râlait. L'enfant s'enroba dans la cape et se tapit contre le mur du petit cul-de-sac, le coutelas à la main. Je le suivis.

— Trois tueurs, dis-tu. Et toi, tu es le chef ?

Il opina et m'indiqua de prendre la place de Sextus Roscius, qui déambulait sous la lune, en plein milieu de la rue.

— Viens, Tiron. Tu sera Félix ou Chrestus, celui qui se tenait à ma droite, le plus près de l'embuscade.

— Est-ce bien raisonnable ?

— Tais-toi, Tiron, et joue le jeu.

Nous arrivâmes côte à côte. Du point de vue de la victime, la petite impasse, même au clair de lune, était invisible. Regardant droit devant moi, je sentis un mouvement à peine perceptible. Déjà il était trop tard. Le petit attrapa Tiron par l'épaule et le poussa de côté. Il recommença, une fois à droite, une fois à gauche : deux assassins séparant les deux esclaves de leur maître. La deuxième fois, Tiron le repoussa méchamment.

J'allai me retourner ; Eco m'obligea à rester droit d'une bourrade dans les épaules. Par-derrière, il noua ses bras aux miens, comme pour m'immobiliser. D'une petite pression, il me signala qu'il changeait de rôle, se dégagea, fit le tour et se retrouva devant moi. Le capuchon baissé, le couteau à la main, il avança en boitant. Il me saisit à la mâchoire et me regarda bien en face. C'est alors qu'il abattit son poignard.

— Où ça ? Où a-t-il frappé ?

Il me toucha entre la clavicule et le sein, juste au-dessus du cœur. Instinctivement, j'y portai la main. Eco hocha la tête, invisible sous son capuchon. Il désigna l'empreinte sur la porte de l'échoppe.

— Sextus s'est débattu ?

Il secoua la tête et fit le geste de lancer quelque chose.

– On l'a jeté à terre ? (Battement de cils.) Et il a eu la force de se traîner jusqu'à la porte...

Eco hocha la tête et désigna le point de chute du vieillard. Il s'approcha de la silhouette imaginaire et la roua de coups de pied, en poussant des sortes de jappements. J'étais écœuré, je compris qu'il imitait des rires.

– Il était donc ici, dis-je en prenant position aux pieds d'Eco. Choqué, blessé, inerte. Ils l'ont poussé à coups de pied, en l'insultant et en riant, jusqu'à la porte. Il a levé la main...

Pour la deuxième fois de la matinée, je pris la porte en plein nez, quand elle s'ouvrit avec une secousse.

– Qu'est-ce que c'est que ce trafic ? (C'était la bonne femme.) Vous n'avez pas le droit...

Eco se figea à sa vue.

– Continue, dis-je, ne fais pas attention à elle. Sextus Roscius est tombé, il s'est appuyé contre la porte. Et après ?

L'enfant fit le geste de me prendre au collet et de me lancer littéralement au milieu de la rue. Il courut en boitillant vers son fantôme prostré et se remit à le battre, progressant à chaque coup d'un pas, jusqu'à se retrouver au beau milieu de la tache de sang. Il désigna ses compagnons autour de lui.

– Trois, ils étaient trois à l'entourer. Mais où étaient les deux esclaves ? Morts ? Non. Blessés ? Non plus.

L'enfant fit un bras d'honneur dégoûté. Les esclaves avaient fui. Une profonde déception se peignit sur le visage de Tiron.

Eco s'accroupit au-dessus de la tache, brandit son poignard et l'abattit à un doigt de la chaussée, plusieurs fois de suite. Puis il se mit à trembler, et tomba à genoux. Il poussait comme un braiment à peine audible. Il pleurait.

Je m'agenouillai à ses côtés et lui posai la main sur l'épaule.

– Là, là, ça va aller, dis-je. J'ai besoin que tu fasses

114

encore un effort. (Il se dégagea et s'essuya le visage, furieux contre lui-même d'avoir pleuré.) Un petit effort : quelqu'un d'autre a-t-il été témoin ? Dans l'immeuble, ou en face dans la rue ?

Il fit les gros yeux à l'épicière, qui nous observait depuis le seuil, et tendit un doigt accusateur.

— Ha ! fit-elle en croisant les bras. C'est un menteur ! Ou alors il est aveugle en plus d'être muet.

Le garçon répéta son geste, comme s'il pouvait la faire avouer du doigt. Il attira mon attention sur une petite fenêtre à l'étage ; j'eus le temps de voir s'éclipser la tête du vieux, qui nous épiait derrière ses volets fermés.

— Un menteur, rugit la femme, qui mérite une correction !

— Tu viens de me dire que vous habitiez à l'arrière du bâtiment, sans fenêtre sur la rue, dis-je.

— Si j'ai dit ça, c'est que c'est vrai.

Elle n'avait aucun moyen de savoir que j'avais vu son mari l'instant d'avant, suspendu au-dessus d'elle, comme le visage désincarné d'un *deus ex machina* au théâtre.

Je me retournai vers Eco.

— Ils étaient trois, dis-tu. Peux-tu me les décrire, à part leur manteau ? Grand, petit ? Un détail particulier ? Le chef boitait, dis-tu. C'était quelle jambe, la droite ou la gauche ?

Le garçon réfléchit et frappa sa jambe gauche. Il se releva et fit un tour dans le sens contraire des aiguilles d'une montre.

— La gauche, tu es sûr ?

— Mais non ! fit la bonne femme. Imbécile ! C'est la droite qui clochait, la jambe droite !

C'était sorti tout seul. Elle se plaqua la main sur la bouche. J'esquissai un sourire de triomphe.

— La jambe gauche, repris-je. Et la main qui tenait le poignard ? Rappelle-toi !

Eco plongea son regard dans la tache de sang. Lentement, hypnotiquement, il changea son couteau de main. La gauche s'essaya à de petits coups répétés en l'air. Il leva les yeux vers moi et hocha la tête.

— Un gaucher ! Bien. Un gaucher avec une patte folle ; on ne devrait pas avoir trop de mal à le retrouver. Et sa figure ? As-tu pu voir quelque chose ?

Il hocha la tête lentement, gravement. Il avait l'air de retenir ses larmes.

— Vraiment ? Tu serais capable de le reconnaître ?

Cette fois, ce fut un regard de pure panique. Il fit un bond, je le retins par le bras et l'attirai vers la tache.

— Mais comment pouvais-tu le voir de si près ? Où étais-tu ? À la fenêtre de ta chambre ?

Il acquiesça. Je levai la tête : trop loin pour identifier un visage, même en plein jour. Et en plus, il faisait nuit.

— Bande d'idiots ! Vous ne comprenez donc pas ? lança quelqu'un.

La voix venait d'en haut. Le vieux avait ouvert les volets de sa petite fenêtre et passait la tête. Il continua d'un chuchotement rauque.

— Ce n'est pas cette nuit-là qu'il a pu les voir. Ils sont revenus quelques jours plus tard.

— Et comment le sais-tu ? lançai-je en me démanchant le cou.

— Ils... ils sont passés au magasin.

— Mais comment sais-tu que c'étaient *eux* ? *Toi aussi*, tu as vu le meurtre ?

— Oh, non, pas moi. Surtout pas. (Le vieux regarda prudemment par-dessus son épaule.) Mais rien n'arrive dans cette rue, de nuit comme de jour, sans que ma femme s'en aperçoive. C'est elle qui a tout vu, ce soir-là, d'ici même où je te parle. C'est elle qui les a reconnus, quand ils sont revenus en plein jour, les trois mêmes – le chef qui boitait, l'autre, un géant blond au visage rougeaud. Le troisième est barbu, il me semble. Ils ont posé des tas de questions, un peu comme toi. Mais on n'a pas dit un mot, je te jure, rien ! Même pas sur Polia qui prétendait avoir tout vu, du

116

début jusqu'à la fin. Moi, en tout cas, je l'ai bouclée. Faut dire que leurs têtes me revenaient pas. Sauf que, maintenant que j'y repense, j'ai dû laisser le magasin un moment, tandis que la vieille les congédiait – tu crois pas qu'elle est allée, avec son caquet...

Il y eut un cri de bête dans mon dos. Je me retournai et plongeai pour éviter le couteau qui vola au-dessus de ma tête. Le vieux eut des réflexes étonnamment rapides : la lame alla se ficher sur les volets qu'il rabattit en catastrophe. Elle resta là un moment, puis glissa et tomba dans la rue avec un bruit métallique. Je me retournai vers Eco, stupéfait de la force du petit garçon. Il se cachait la tête dans les mains.

— Ces gens sont fous, murmura Tiron.

J'attrapai Eco par les poignets et lui écartai les mains. Il se débattait, détournant la tête pour que je ne voie pas ses larmes. Je tins bon.

— C'est à cause de toi qu'ils sont revenus, c'est ça ? Est-ce qu'ils t'auraient vu le soir du meurtre ?

Il secoua sauvagement la tête.

— Non. Alors, ils sont allés trouver l'épicière. C'est elle qui t'a dénoncé. Mais d'après la rumeur, c'est ta mère qui était au courant. C'est vrai ? Elle était avec toi, à la fenêtre ?

Il continuait à secouer la tête en pleurant.

— En ce cas, tu es le seul témoin. Avec la vieille en face. Mais elle a eu le bon sens de se préserver – et de les diriger ailleurs. Tu as tout raconté à ta mère, n'est-ce pas ? Comme tu viens de le faire avec moi ? Et elle a fait semblant que c'était elle, le témoin, pour te protéger. N'est-ce pas que j'ai raison ?

Il sanglotait.

— Malheureux, soufflai-je. Ils sont donc revenus pour la chercher. Ils l'ont trouvée à l'appartement. Tu étais là aussi ?

Il baissa la tête.

117

– Et ensuite ? Ils l'ont menacée ? Ils ont proposé de l'argent ? demandai-je en pressentant le pire.

Le garçonnet se dégagea de mon étreinte. Il se mit à se gifler lui-même, d'un côté puis de l'autre. Tiron se serra contre moi, horrifié. Eco finit par s'arrêter. Il me défia du regard. Grinçant des dents, grimaçant de haine, il leva les bras. Lentement, avec raideur, comme si c'était contre son gré, il fit aller et venir ses mains et ses reins, en une pose obscène. Puis contracta les poings, comme s'il s'était brûlé.

Ils avaient violé sa mère, Polia, qui n'avait rien vu, qui serait restée innocente s'il ne s'était pas confié à elle, dont le seul crime était d'avoir bavardé avec la voisine d'en face. Ils l'avaient violée, sous les yeux de son fils.

Soudain Eco se précipita pour aller ramasser son couteau dans la rue. Il le ramassa, vint me retrouver, prit ma main dans la sienne et pressa mes doigts sur le manche.

Je regardai le couteau, soupirai et fermai les yeux.

– C'est pour que je le venge, murmurai-je à Tiron. Il croit que nous lui rendrons justice.

## 11

Nous laissâmes passer le pire de la chaleur dans une petite taverne. J'avais l'intention de poursuivre mon chemin pour retrouver Elena – la Maison aux Cygnes ne pouvait guère être loin du lieu du crime – mais le cœur me manqua. Nous retournâmes donc sur nos pas, jusqu'à la grande place.

Sur la pierre d'angle d'un petit immeuble, une mosaïque représentant une grappe de raisin annonçait une taverne à proximité. C'était une pièce sombre et humide, qui sentait le renfermé. Il n'y avait personne.

J'étais épuisé. Après une telle marche, j'aurais dû manger quelque chose, mais j'avais l'estomac noué. Je commandai de l'eau fraîche et du vin, et persuadai Tiron de se joindre à moi. La boisson lui ayant délié la langue, je brûlais de l'interroger sur son intermède galant avec la fille de Sextus. Si seulement je m'étais écouté ! Mais une fois n'est pas coutume, je fis taire ma curiosité.

Tiron n'avait pas l'habitude de boire. Dans un premier temps, il se lança avec entrain dans le commentaire des événements de la matinée et de la veille, s'interrompant çà et là pour placer un mot de louange à la gloire de son maître. Je n'écoutais que d'une oreille, hébété sur ma chaise. Peu à peu, il se tut, fixant sa coupe d'un regard mélancolique. Il but une dernière gorgée, étendit les jambes et s'endormit aussitôt.

Je finis par fermer les yeux moi-même. Sans jamais perdre conscience, je somnolai par à-coups pendant un temps qui me parut extrêmement long. Quand je me réveillais, c'était pour voir Tiron affalé sur sa chaise en face de moi, la mâchoire pendante, dormant du sommeil du juste.

Je rêvais. Je me trouvais chez Cæcilia Metella, en train d'interroger Sextus Roscius ; il marmonnait quelque chose, mais je ne comprenais pas un traître mot. C'est quand il se leva que je remarquai sa cape noire. Il s'avança vers moi en boitant atrocement ; sa jambe raclait le sol derrière lui. Je m'enfuis dans le couloir, horrifié, mais voilà que les couloirs se subdivisaient comme dans un labyrinthe. J'étais perdu. J'écartai une tenture et le revis de dos. La jeune veuve était plaquée contre le mur, nue et en larmes, tandis qu'il la violait sauvagement.

Mais comme souvent dans les rêves, cette vision se transforma, et je vis avec stupeur qu'il ne s'agissait pas de la veuve, mais de la propre fille de Roscius. Elle ne témoigna aucune honte en me voyant, au contraire, elle esquissa de loin un baiser et me tira la langue.

J'ouvris les yeux. Mes mains reposaient sur la table, tremblantes. Tiron dormait paisiblement en face de moi. J'avais la bouche sèche comme de l'alun, tout était embrouillé dans ma tête. Je voulus appeler le tavernier, aucun son ne sortit. De toute façon, cela n'aurait servi à rien : lui-même s'était endormi sur son tabouret, les bras croisés, le menton calé sur la poitrine.

Je me mis debout. Mes membres étaient raides comme du bois. J'allai jusqu'à l'entrée, grimpai les marches, repris l'allée jusqu'au coin et débouchai sur la place entièrement déserte. La lumière était aveuglante. Je m'approchai de la citerne, m'agenouillai et plongeai mon regard dans le bassin. Sa fraîcheur me monta au visage. Je tirai le seau, m'aspergeai, et renversai le reste du contenu sur ma tête.

Je me sentis à nouveau presque humain, mais toujours aussi faible. Je n'aspirai qu'à une chose : me reposer chez moi, à l'ombre du portique, et contempler le soleil dans le jardin, avec Bast à mes pieds, et Bethesda qui apaiserait mon front avec un linge humide...

En fait de linge, c'est une main hésitante qui se posa sur mon épaule.

— Tout va bien ?

C'était Tiron. Je respirai un grand coup.

— Oui.

— C'est la chaleur. Cette chaleur terrible, contre nature, comme un châtiment. Elle engourdit la cervelle, prétend Cicéron, et dessèche l'esprit.

— Tu ne m'aiderais pas à me relever, plutôt ?

— Il te faudrait t'allonger, dormir.

— Non ! Le sommeil est le pire ennemi de l'homme par cette température. Des cauchemars abominables...

— Retourner à la taverne, alors ?

— Non ! Enfin, oui. Je suppose que je dois quelque chose pour le vin.

— Ne t'inquiète pas. J'ai réglé. Comme le tavernier dormait, j'ai laissé l'argent sur le comptoir.

— Et tu n'as pas manqué de le réveiller en partant, afin qu'aucun voleur ne le lui prenne ?

— Cela va sans dire.

— Tiron, tu es un parangon de vertu. Tu es une rose parmi les épines. Une baie savoureuse parmi les ronces.

— Je ne suis que le miroir de mon maître, fit-il, avec plus de fierté que d'humilité.

## 12

Pendant un temps, le soleil encore haut se cacha derrière un voile de nuages surgi de nulle part. Ses rayons déclinaient, mais tout ce que la ville avait absorbé de chaleur, elle le rendait à présent. Briques et pavés irradiaient comme les parois d'un four. À moins d'un bon orage, les pierres allaient diffuser la chaleur jusqu'au matin, cuire à petit feu la ville et tous ses habitants.

Tiron me pressait de rentrer chez moi ou, à la rigueur, de retourner à pied chez Cicéron. Mais à quoi bon être arrivés si près de la Maison aux Cygnes, si c'était pour repartir bredouilles ?

Nous reprîmes l'étroite rue, dépassâmes le cul-de-sac où les assassins s'étaient cachés et contournâmes la tache de sang, longeant l'immeuble de la veuve. Le gardien dégingandé était assoupi sur les marches. Il ouvrit l'œil et nous regarda, comme si notre entrevue remontait à des siècles et qu'il nous avait complètement oubliés.

La Maison aux Cygnes était encore plus près que je ne pensais. On ne pouvait pas la rater : avec son luxe de pacotille, comme elle devait éblouir les hommes de peu de moyens, qui s'y rendaient attirés par sa réputation, à la lumière des torches ! Et d'un mauvais goût, ô combien délicieux, pour un vieillard aussi raffiné que Sextus Roscius !

Un portique en demi-cercle avançait sur la rue. Une statue de Vénus était perchée dessus. Le travail de l'artiste était d'une médiocrité affligeante, presque blasphématoire. Même Tiron ricana en la voyant. Une grande lampe était suspendue sous la voûte du portique. Charitablement, on aurait pu la comparer à un bateau, si la longue courbure terminée en pointe ne suggérait plutôt un membre aux proportions obscènes. Combien de nuits Sextus s'était-il fié à cette lumière comme à une sentinelle, pour atteindre cette grille noire où je me présentai avec Tiron, et frappai sans vergogne en plein jour ?

Un esclave vint nous ouvrir, un grand gaillard musclé qui ressemblait plus à un gladiateur qu'à un portier. Il était d'une obséquiosité rebutante et ne cessa de sourire et de s'incliner. Nous n'attendîmes que quelques secondes l'arrivée du propriétaire en personne.

Il était tout en rondeurs, depuis sa bedaine jusqu'à sa couronne de cheveux soigneusement huilée et coiffée, en passant par un gros nez. Ses joues étaient grotesquement fardées de rouge, et son goût en matière de bijoux égalait ses excès en matière de décoration. C'était le vivant spectacle de l'épicurien en décomposition ; quant à sa reconstitution d'un lupanar levantin, elle confinait à la parodie. Les Romains ne réussissent pas toujours à imiter l'Orient. La grâce et le luxe ne se laissent pas copier si facilement, ni ne s'achètent en gros.

– Citoyen, dit-il, tu arrives bien tôt. Mais c'est tant mieux. Tu n'auras que l'embarras du choix, et sans devoir attendre. La plupart de mes filles dorment encore, mais je me ferai un plaisir de les tirer du lit. C'est alors que je les préfère, au réveil, fraîches et fleurant encore le sommeil, comme la fleur du matin humide de rosée.

– À vrai dire, je pensais à une personne en particulier.

– Qui ça ?

– Elle m'a été vivement recommandée. Elle s'appelle Elena.

L'homme me regarda sans expression et prit son temps

pour répondre. Je n'y détectai aucune ruse, seulement le manque de mémoire chez celui qui a tant négocié de corps qu'ils lui sont devenus indifférents.

— Elena, fit-il, comme si c'était un mot étranger. Et qui te l'a recommandée ?

— Oh, un ami. Mais il n'est pas venu depuis longtemps. Ses affaires le tiennent éloigné de Rome. Il m'en parle toujours avec un souvenir ému et m'écrit dans ses lettres qu'il aurait aimé trouver une femme qui lui donne ne fût-ce qu'une fraction du plaisir qu'il a connu dans ses bras.

— Ah !

L'homme joignit ses doigts et parut compter ses bagues. Derrière lui, le mur représentait Priape courtisant une bande de nymphes dévêtues, effarouchées comme il se doit, par la queue démesurée qui s'élevait entre les jambes du dieu.

— Pourrais-tu me la décrire, en ce cas ?

Je réfléchis et secouai la tête.

— Hélas ! mon ami ne m'a rien précisé. Seulement que je ne serais pas déçu.

Le visage de mon hôte s'éclaira.

— Cela, je peux te le garantir de toutes mes filles.

— Tu es donc sûr qu'Elena ne travaille plus ici ?

— Écoute, le nom me dit quelque chose. Si je me souviens bien, elle a été vendue, il y a déjà un bout de temps — à un particulier, pas à la concurrence ajouta-t-il rapidement, comme pour me dissuader d'aller chercher ailleurs.

— Un particulier ? Mon ami sera grandement déçu de l'apprendre. Je me demande si je connais l'acheteur. Tu ne saurais pas de qui il s'agit ?

— Je ne me rappelle pas le détail. À moins de consulter mon comptable ? Mais je dois te prévenir que la direction ne souhaite pas discuter des conditions de la vente, sinon avec un acheteur potentiel.

— Je comprends.

— Ah, voilà Stabius qui nous amène quatre filles ravissantes. Laquelle préfères-tu ? Souhaiterais-tu en prendre deux d'un coup ? Ou les essayer l'une après l'autre ? Mes filles ont le pouvoir de transformer n'importe qui en satyre, et tu ne m'as pas l'air d'être n'importe qui.

Par rapport aux maisons d'Antioche ou d'Alexandrie, l'offre de mon hôte était désespérément banale. Toutes les quatre étaient brunes. Deux d'entre elles me semblèrent quelconques, sauf qu'elles possédaient, pour ceux que la chose intéresse, d'amples attributs au-dessus et au-dessous de la ceinture. Les deux autres étaient plutôt jolies, mais aucune n'égalait Polia, du moins avant que la jeune veuve n'ait connu la souffrance. Elles portaient des robes de couleur vive, sans manches, si moulantes que seuls étaient dissimulés les détails les plus intimes de leur corps. Mon hôte mit en avant la plus jeune et la plus jolie.

— Tenez, je vous offre la rose le plus fraîchement éclose de mon jardin : Talia. Aussi mignonne qu'une enfant, mais déjà femme, n'ayez crainte.

Il se plaça derrière elle et souleva doucement sa robe. Elle s'ouvrit par le milieu et la fille fut exposée toute nue. Je sentis Tiron tressaillir.

Le maître des lieux caressa gentiment ses seins, laissant courir ses doigts sur son abdomen. Talia baissait les yeux.

— Elle rougit, regardez ce teint de rose !

Il la recouvrit.

— Malgré sa pudeur juvénile, sachez qu'elle ne recule devant rien au lit.

— Depuis combien de temps est-elle chez vous ?

— À peine un mois. Presque une vierge, et pourtant, quelle artiste en amour ! Sa bouche est particulièrement gourmande...

— Je ne suis pas intéressé.

— Non ?

— Je m'étais mis Elena en tête.

Mon hôte serra les dents.

— Qu'à cela ne tienne, dis-je. Puisqu'elle n'est pas là, amène-moi ta catin la plus expérimentée. Je me fiche de

126

son apparence. Ces filles sont trop jeunes pour savoir ce qu'elles font. Je ne suis pas pédophile. Amène-moi la plus ancienne de tes pensionnaires. Je veux une femme mûre, une femme de tempérament, à qui aucun des jeux de l'amour n'est inconnu ! Et qu'elle parle un latin acceptable. La moitié de mon plaisir réside dans la conversation. Y a-t-il une telle recrue à la Maison aux Cygnes ?

L'homme frappa des mains. Stabius refoula les filles. Talia, le jeune bouton de rose qui avait rougi et baissé les yeux avec tant de conviction, étouffa un bâillement.

– Et ramène-nous Electra.

La dame en question se fit attendre. Mais quand elle entra, je sus que je ne m'étais pas trompé. Sa chevelure était éblouissante : une masse de boucles noires relevées d'une touche de blanc sur les tempes. Son maquillage témoignait d'un talent que seule l'expérience confère, et notre hôte aurait bien fait de prendre modèle sur elle. Dans la lumière tamisée de l'atrium, on pouvait dire sans hésitation que c'était une apparition éblouissante.

Avec l'âge, elle avait conquis le droit de porter une robe blanche, à manches longues et à large ceinture.

Il y a toujours une femme de cette sorte dans chaque lupanar. Electra était la Grande Mère. Non la mère de l'homme adulte, mais celle qui rappelle l'enfance, non pas vieille, mais sage, avec un corps généreux et nourricier.

Tiron était éberlué par cette créature. Il ne devait pas en rencontrer souvent au service de Cicéron.

J'entamai la négociation. Évidemment, le propriétaire en demandait trop. Je revins sur l'absence d'Elena. Il grimaça et baissa son prix. Je persistai à me plaindre. Il baissa encore. J'acceptai, et donnai instruction à Tiron de payer. Il tendit les pièces d'un air choqué, soit que la somme lui semblât extravagante (elle venait de la poche de son maître), soit que le marché l'eût épaté.

127

Electra s'éloigna pour nous conduire à sa chambre. Je fis signe à Tiron de nous suivre.

Tiron tressaillit ; mon hôte aussi.

— Citoyen, citoyen, je n'avais pas compris que tu souhaitais être accompagné. Il faudra prévoir un supplément.

— C'est ridicule. Partout où je vais, mon esclave me suit.

— Mais...

— Autant me faire payer pour emporter mes sandales avec moi. J'avais cru comprendre par mon ami que cet établissement était convivial. Sans compter que je m'attendais à y trouver une certaine personne...

Mon hôte fit tinter les pièces au creux de sa main, entrechoquant ses bagues. Il leva les yeux au ciel, pinça les lèvres et s'écarta.

La chambre d'Electra ne ressemblait en rien au reste. Elle l'avait sans doute aménagée elle-même, avec la simplicité infaillible du goût grec, et l'impression de confort qui naît de longues habitudes. Elle s'étendit sur un divan profond. Il y avait deux chaises où nous prîmes place. Elle sourit de nous voir si timides, ou prétendant l'être.

— C'est plus confortable ici, dit-elle en caressant la toile passée du divan.

Elle avait un très léger accent.

— Je n'en doute pas. Mais j'aimerais d'abord te parler.

Elle haussa les épaules d'un air entendu.

— Certes. Dois-je me déshabiller en même temps ?

Tiron rougissait déjà.

— Oui, répondis-je. Prends ton temps.

Elle se leva, rejeta ses cheveux en arrière et défit l'agrafe sur sa nuque. Sur une table de chevet derrière elle, j'aperçus un sablier. La partie supérieure était remplie, elle avait dû le retourner en entrant, si discrètement que je ne m'en étais pas aperçu. C'était une vraie professionnelle.

— Parle-moi d'Elena.

Elle hésita le temps d'un soupir.

— Tu es un ami à elle ? Un client ?

– Non.

– Comment la connais-tu ?

– Je ne la connais pas.

Ma réponse parut l'amuser.

– Alors pourquoi veux-tu en parler ?

Sa robe glissa avec souplesse, s'épanouit en corolle autour de sa taille, retenue par une ceinture. Sa peau était étonnamment lisse et tendre. Des bijoux discrets paraient sa nudité : des bracelets d'argent aux poignets, et une mince chaîne, qui dessinait une courbe admirable au-dessus de ses seins. Elle ne prêtait pas attention à Tiron, qui la contemplait à loisir, avec une intensité presque douloureuse.

– Je te suggère de me répondre sans détours. Après tout, j'ai payé pour toi. Si tu ne me donnes pas satisfaction, j'irai me plaindre à ton maître et me faire rembourser. Peut-être qu'il te battra.

Elle eut un petit rire de gorge.

– Je ne le crois pas. Ni toi non plus.

Elle prit un peigne et un petit miroir à main sur la table, et entreprit de se coiffer. Elle était franchement merveilleuse. Mon hôte aurait dû en demander le double.

– Tu as raison. Je n'ai dit cela que pour émoustiller le garçon.

Elle quitta son miroir le temps d'arquer un sourcil vers moi.

– Tu as l'esprit taquin. Ne perdons pas trop de temps à ces enfantillages.

– Parle-moi d'Elena. Quand est-elle partie ?

– C'était cet automne, je crois. Avant l'hiver.

– En septembre ?

– C'est possible, oui. Juste après les Grands Jeux. Je m'en souviens, car les jours fastes nous amènent toujours tant de monde. Fin septembre.

– Quel âge a Elena ?

– C'est une enfant.

– Comme Talia ?

129

— J'ai dit une enfant, pas un bébé.

— Peux-tu me la décrire ?

— Très jolie. Une des plus jolies filles de la maison, d'après moi. Châtain, avec une peau de miel. Je crois qu'elle est d'origine scythe. Un corps épanoui pour son âge, avec une belle poitrine, des hanches larges, la taille très fine. Comme elle était fière de sa taille !

— Avait-elle un client régulier ? Un homme qui semblait tenir à elle ?

Electra parut mal à l'aise.

— C'est pour cela que tu es venu ?

— Oui.

— Es-tu un ami de cet homme ? Comment s'appelle-il déjà, Sextus ?

— Il s'appelait Sextus, oui. Non, je ne le connaissais pas.

— Tu en parles comme s'il était mort.

— C'est le cas.

Elle posa le miroir et le peigne sur ses genoux.

— Et Elena ? Étaient-ils ensemble quand il est mort ? Sais-tu où elle se trouve à présent ?

— Je ne sais que ce que tu voudras bien me dire.

— C'était une fille charmante. Si délicate. (Une profonde tristesse s'empara soudain d'Electra, qui n'en fut que plus belle.) Elle n'est pas restée bien longtemps. Une année, peut-être. Le maître l'avait achetée aux enchères au Temple de Castor, avec une demi-douzaine de filles de la même race. Mais c'était elle, la perle, bien qu'il ne s'en soit pas rendu compte.

— Contrairement à Sextus.

— Le vieux ? Oh, que oui ! Après la première fois, il est revenu une ou deux fois par semaine. Vers la fin, il passait tous les deux jours.

— Vers la fin ?

— Quand elle est tombée enceinte.

— Enceinte ? Et de qui ?

Electra rit.

130

— Au cas où tu l'aurais oublié, nous sommes dans un lupanar ici. Tous les clients ne se contentent pas de regarder une femme se peigner. Personne ne sait jamais qui est le père... Mais les filles aiment à s'imaginer des choses. C'était la première fois pour Elena. Je lui ai conseillé d'avorter, mais elle a refusé. J'aurais dû la dénoncer au maître.

— Et tu ne l'as pas fait. Pourquoi ?

— Je te le répète, Elena était si charmante, si fragile. Elle désirait si fort son bébé. Je me suis dit que si elle arrivait à le cacher assez longtemps, le maître serait bien obligé de l'accepter, même s'il ne lui permettait pas de le garder avec elle.

— Mais Elena s'est confiée à quelqu'un d'autre que toi. Elle s'imaginait des choses, dis-tu. Quel genre de choses ?

Ses yeux étincelèrent de colère.

— Tu le sais parfaitement, je le vois à ta question. D'accord, elle a prévenu le vieux Sextus qu'elle était enceinte. Enceinte de lui. Et ce vieux fou l'a cru. Il arrive que les hommes de cet âge souhaitent ardemment faire un enfant. Il avait perdu son fils, tu sais. Il lui en parlait sans arrêt. C'est pourquoi elle savait qu'il la croirait. Et qui sait ? L'enfant était peut-être vraiment de lui.

— Mais en quoi cela pouvait-il aider Elena ?

— À ton avis ? C'est le rêve de toutes ces pauvres filles, avant qu'elles aient du plomb dans la tête. Un homme riche tombe amoureux d'une prostituée, il la rachète à son maître et l'intègre à sa maisonnée. Ou même il l'affranchit et l'installe dans son propre logement, où elle peut élever son enfant en citoyen. Dans ses rêves les plus fous, le père reconnaît le bâtard et en fait son héritier. Cela s'est vu. Elena était encore assez jeune pour y croire.

— Et comment le rêve s'est-il terminé ?

— Sextus a cessé de venir. Elena a fait front pendant quelque temps, mais sa grossesse commençait à se voir, et les jours passaient sans qu'on ait de nouvelles de lui. Je la

131

prenais dans mes bras quand elle pleurait la nuit. La cruauté des hommes...

— Où est-elle à présent ?

— Le maître l'a vendue.

— À qui ?

— Je ne sais pas. J'ai cru que Sextus l'avait rachetée, finalement. Tu m'apprends qu'il est mort — et que tu ne sais rien d'Elena.

Je fis non de la tête.

— Ils sont venus la chercher fin septembre. Sans prévenir. Stabius est entré en trombe et lui a dit de rassembler ses affaires. Le maître l'avait vendue, elle quittait les lieux immédiatement. Elle tremblait, la pauvre chatte. Elle pleurait d'émotion, et moi avec elle. Elle ne s'est même pas préoccupée de ses habits, disant que Sextus lui en achèterait de plus beaux. C'est moi qui l'ai accompagnée ; ils l'attendaient dans le vestibule. J'ai compris dès que je les ai vus qu'il y avait quelque chose de louche. Elle aussi, je crois, mais elle a fait comme si de rien n'était. Elle m'a embrassée et les a rejoints en souriant.

— Sextus n'était pas parmi eux. Il était mort à cette date.

— Ils étaient deux. Je n'aimais pas leur mine, ni celle du grand blond, ni celle du boiteux.

J'ai dû faire un bruit ou un signe sans m'en apercevoir. Electra me fixa par-dessus son miroir.

— Qu'y a-t-il ? Tu les connais ?

— Pas encore.

— Quelle est cette énigme ? fit-elle d'une voix courroucée. Sais-tu où se trouve Elena ou non ? Qu'est-elle devenue ?

— J'ignore tout.

— Mensonge !

Tiron se fit tout petit sur son siège. Je crois que je n'avais jamais entendu une esclave s'adresser sur ce ton à un citoyen.

— D'accord, j'ai menti. Il y a une chose que je sais d'elle.

Voici : la nuit où Sextus a été assassiné – pas loin, Electra, à quelques pas d'ici –, il sortait d'un dîner chez une grande dame de la noblesse, Cæcilia Metella. Ce nom te dit quelque chose ?

– Non.

– La nuit était tombée, quand un messager est arrivé. Il était chargé d'un mot pour Sextus, de la part d'Elena. Elle le priait de venir instamment à la Maison aux Cygnes.

– C'est impossible.

– Pourquoi ?

– Elena ne savait pas écrire.

– Quelqu'un de la maison aura pu l'aider ?

– Stabius se débrouille. Le comptable aussi, bien sûr, mais nous ne le voyons jamais. De toute façon, déranger un riche vieillard dans la maison d'une matrone, le faire quérir comme un chien... Elena se faisait peut-être des idées, mais elle n'était pas folle. Elle n'aurait jamais fait une chose pareille, du moins sans me consulter.

– Tu es sûre ?

– Certaine.

Je hochai la tête. Le sable continuait à s'écouler.

– Je crois que nous avons assez parlé, dis-je.

Electra regarda le sablier à son tour. Elle ferma les yeux un long moment. L'agitation et l'angoisse s'évanouirent de ses traits. Elle se leva et défit sa ceinture.

– Une dernière chose, murmura-t-elle. Si tu obtiens des nouvelles d'Elena et de son bébé, je te serais reconnaissante de me tenir au courant. Même si ce sont de mauvaises nouvelles. Tu n'es pas obligé de revenir me voir si tu n'en as pas envie. Stabius veillera à me faire passer le message.

– Je te le promets.

Inclinant la tête avec courtoisie, elle laissa tomber la robe à ses pieds. Elle se tenait immobile, les pieds légèrement décalés, les mains sur les hanches, me permettant d'étudier les lignes de son corps, de respirer l'odeur de sa chair.

– Tu es une belle femme, Electra.

— Quelques hommes l'ont pensé.

— Mais ce n'est pas parce que j'avais besoin d'une femme que je suis venu ici. Je suis à la recherche d'Elena.

— Je sais. (Elle me regarda.) Mais il nous reste du temps.

— Non. Pas pour moi. Pas aujourd'hui. En revanche, tu peux m'accorder une faveur.

— Oui ?

— Le garçon. (Je désignai Tiron, qui me jeta un regard où se mêlaient le désir et la panique.) Il semblait avoir très chaud.

— Bien sûr, dit-elle. Tu veux nous regarder ?

— Non.

— Désires-tu nous prendre tous les deux ? (Elle me fit un sourire malicieux.) Je suppose que j'accepterais de le partager.

— Tu n'as pas compris. J'attendrai dehors. C'est seulement pour son plaisir à lui. Et peut-être pour le tien.

Elle leva un sourcil étonné. Quel homme, en effet, paierait argent comptant pour régaler son esclave d'une catin ?

J'allai vers la porte. Tiron se leva.

— Chut, reste là. C'est un cadeau ; accepte-le avec grâce.

Je refermai la porte derrière moi, traînant un peu dans le couloir au cas où Tiron me suivrait. Il ne me suivit pas.

Tiron ne mit pas longtemps à débouler du couloir. Il avait le visage en sueur, les cheveux en bataille. Il n'avait même pas pris la peine de rajuster sa tunique dans sa fuite.

Dans la rue, il marchait si vite que je dus le rattraper en courant.

— Je n'aurais pas dû, dit-il, le regard fixe.

Je lui posai la main sur l'épaule. Tout en ayant un mouvement de recul, il obéit comme un cheval et ralentit l'allure.

— Ne la trouvais-tu pas désirable ?

— Bien sûr que si. Elle est...

Désespérant de trouver le mot adéquat, il haussa les épaules.

— Cela ne t'a pas plu ?

— Bien sûr que si.

— Tu pourrais me remercier, au moins.

— Mais je n'aurais pas dû, reprit-il sombrement. C'est Cicéron qui a payé, pas toi. Utiliser son argent pour m'acheter une femme ! S'il savait...

— Mettons qu'il ne le saura pas. De toute façon, j'avais réglé notre hôte. Avoue que la dépense était justifiée. Il eût été dommage que personne n'en profite.

— Évidemment, présenté comme cela. Mais quand même...

Il me regarda dans les yeux, une seconde seulement, mais c'était assez pour que je le perce à jour. Ce n'était pas d'avoir abusé Cicéron qui le rendait coupable, mais d'en avoir trahi une autre.

Je compris alors combien la fille de Sextus Roscius l'avait ensorcelé.

## 13

Tiron était d'humeur à marcher vite. Je me mis à l'unisson, puis j'accélérai le pas à mon tour. J'avais eu mon content d'inconnus et de tragédies pour la journée. Je voulais rentrer chez moi.

Nous refîmes le trajet en sens inverse. Le soleil brillait juste au-dessus des toits ; il restait une heure de lumière. Sur la place, les boutiques avaient rouvert, les marchands ambulants étaient revenus. Des enfants, des femmes, des esclaves s'affairaient autour de la citerne. La place bruissait de vie et de mouvement, mais quelque chose n'était pas normal. Je vis après coup que la moitié des gens tournaient la tête dans la même direction.

Rome est une ville de feu et de fumée. Le pain dont elle se nourrit cuit dans des fours qui lâchent aux quatre coins leurs fumerolles grises. Mais un incendie se présente autrement : par temps clair, c'est une colonne épaisse et noire qui s'élève.

L'incendie avait éclaté quelque part entre nous et le Capitole. Tiron parut soudain soulagé de ses angoisses. Une saine excitation se peignit sur son visage. L'instinct commandait de fuir, mais la vie urbaine anéantit les réflexes. Nous ne croisâmes pas une seule personne en sens inverse ; au contraire, un flot grandissant de gens et de véhicules se pressait vers le spectacle.

137

Cela se passait au pied du Capitole, juste au-delà du mur de Servius, dans les logements à la mode au sud du cirque Flaminius. Un immeuble de quatre étages était la proie des flammes, qui fusaient par les fenêtres et dansaient sur le toit. Si drame il y avait, nous l'avions raté : point de victimes hurlant sur les corniches, point de bébés jetés dans le vide. Les habitants avaient réussi à se sauver, ou y étaient restés.

Au milieu des badauds qui regardaient le spectacle avec horreur et ravissement, j'aperçus des femmes qui s'arrachaient les cheveux, des hommes en pleurs, des familles agglutinées. « Il paraît que ça a commencé en début d'après-midi », disait quelqu'un. Son interlocuteur opinait gravement. « N'empêche, des gens se sont fait coincer dans les étages supérieurs. Ils ont été brûlés vifs. Paraît qu'on les entendait hurler. Un homme en flammes s'est précipité d'une fenêtre, pas plus tard qu'il y a une heure ; il a atterri là-bas, au milieu de la foule. Viens, on verra peut-être quelque chose... »

Dans le couloir laissé libre entre la foule et les flammes, un homme à la barbe grise courait frénétiquement en tous sens. Il sollicitait de l'aide pour contenir l'incendie. Côté nord, vers la colline, le feu ne menaçait pas de s'étendre, faute de vent. Mais juste à gauche un bâtiment plus bas n'était séparé de l'immeuble en flammes que par une brèche de la taille d'un homme. Déjà, la façade noircissait, et à mesure que le bâtiment en feu s'écroulait, des monceaux de cendres et de brandons dégringolaient dans la brèche et sur le toit, où une équipe d'esclaves les déblayait aussitôt.

Un noble, richement vêtu, escorté d'une suite d'esclaves, de secrétaires et de gladiateurs, s'avança.

— Citoyen, lança-t-il au barbu en détresse, es-tu le propriétaire de ces immeubles ?

— Pas de celui qui brûle. Il est à mon imbécile de voisin, le genre à laisser ses locataires faire du feu par une telle canicule ! Il n'est même pas venu combattre les flammes.

Probablement en vacances à Baia. Voilà le mien : celui qui est encore debout.

— Peut-être plus pour longtemps.

Sans l'avoir vu de face, je devinai qui avait parlé.

— Crassus, murmurai-je.

— Oui, fit Tiron avec une once de fierté, mon maître le connaît.

Le contact avec une célébrité n'était pas pour lui déplaire.

— Tu connais la chanson : « Crassus, Crassus, riche comme Crésus ». On dit qu'il est l'homme le plus riche de la ville, après Sylla, bien entendu, ce qui le place au-dessus de bien des rois, et qu'il s'enrichit de jour en jour. D'après Cicéron.

— Que dit d'autre ton maître sur Crassus ?

Crassus avait pris le barbu par l'épaule. Ils allèrent jusqu'à l'espace entre les deux immeubles, infranchissable sous une pluie de briques et de braises. Je les suivis à distance.

— Les hommes disent que Crassus n'a qu'un vice, l'avarice. Mais Cicéron y voit le signe d'un vice plus profond : l'envie. Crassus n'a que la richesse pour lui. Il accumule par jalousie envers les qualités des autres, comme si son envie était un gouffre, et que le remplir d'or, d'immeubles, de bétail et d'esclaves lui permettrait de rivaliser avec les meilleurs.

— Nous devrions le plaindre, peut-être ? Je trouve ton maître bien indulgent.

Nous avançâmes assez près pour entendre Marcus Crassus et le propriétaire qui criaient pour couvrir le vacarme. Je clignai des yeux sous l'haleine chaude de l'incendie et les cendres qui tourbillonnaient dans ma figure.

Nous étions au premier rang. C'était un curieux endroit pour conduire une négociation, sauf à considérer l'avantage qu'en retirait Crassus. Le pauvre barbu n'avait pas les moyens de se défendre. La voix bien entraînée de Crassus résonnait comme un carillon.

– Dix mille deniers, jeta-t-il.

Je n'entendis pas la réponse, mais l'autre fit des gestes et prit une expression outragée.

– C'est ma proposition.

Crassus haussa les épaules. Il semblait prêt à monter son prix, quand une langue de feu jaillit sans crier gare à la base du petit immeuble. Des ouvriers accoururent, battant les flammes avec des tapis, faisant la chaîne avec leurs seaux. Leurs efforts parurent calmer les flammes ; mais le feu repartit à un autre endroit.

– Huit mille cinq cents, fit Crassus, c'est mon dernier mot. C'est plus que la valeur du terrain qui te restera. Songe à la dépense, quand il faudra débarrasser les gravats. (Il observa l'incendie et secoua la tête.) Pas plus de huit mille. C'est à prendre ou à laisser. Une fois que le feu aura pris pour de bon, je ne t'en offrirai pas un as.

Le barbu était à la torture. Quelques milliers de deniers ne compenseraient jamais sa perte. Mais si le feu ne laissait que les autres murs, l'immeuble ne vaudrait plus rien.

Crassus se retourna vers son secrétaire.

– Rassemble ma suite ; tenez-vous prêts à partir. Je suis venu ici pour acheter, pas pour voir un immeuble s'envoler en fumée.

L'homme à la barbe avait craqué. Il s'accrocha à la manche de Crassus et accepta. Celui-ci fit signe à son secrétaire, qui produisit une bourse rebondie et paya sur-le-champ. Immédiatement, toute sa suite entra en action. Esclaves et gladiateurs se démenaient comme des fourmis, relevant les volontaires épuisés, arrachant les pavés, jetant des pelletées de terre, de pierraille, bref, tout matériau non inflammable, pour combler la brèche.

Crassus tourna les talons et marcha droit sur nous. Je l'avais croisé plusieurs fois au Forum, mais jamais de si près. Il était plutôt bel homme, à peine plus âgé que moi, avec un nez busqué et une mâchoire volontaire.

— Citoyen, m'apostropha-t-il, rejoins nos rangs. Je te paierai dix fois le salaire d'un journalier, la moitié tout de suite, même chose pour ton esclave.

J'étais trop estomaqué pour répondre. Crassus fendait imperturbablement la foule, faisant la même proposition à tout individu apte au travail.

— Ils auront vu la fumée et viennent droit du Forum, fit Tiron.

— Si c'est l'occasion d'acheter du terrain bien situé pour pas cher, pourquoi pas ? J'ai entendu dire que Crassus postait des esclaves au sommet des collines pour repérer de tels incendies et arriver avant tout le monde.

— Ce n'est pas ce que j'ai entendu de pire, répondit Tiron.

— Que veux-tu dire ?

— Eh bien, seulement qu'il a fait fortune à la faveur des proscriptions. Sylla faisait trancher la tête de ses ennemis et tous leurs biens étaient confisqués. Des domaines entiers partaient aux enchères. On pouvait les acquérir à un prix dérisoire, si l'on était bien placé.

— Tout le monde sait cela, Tiron.

— Mais Crassus a fini par aller trop loin. Même pour Sylla.

— Comment donc ?

Tiron baissa la voix. On aurait été bien en peine de nous entendre avec la cohue et le grondement des flammes.

— Rufus l'a raconté à mon maître, un jour. Tu sais qu'il est lié à Sylla par le mariage de sa sœur, Valeria ; sans quoi, il ne serait au courant de rien.

— Oui, oui, continue.

— Il paraît que Crassus a fait rajouter le nom d'un innocent sur les listes, car il convoitait sa propriété. C'était un vieux patricien, qui n'avait plus personne pour protéger ses intérêts ; ses fils étaient morts à la guerre – dans les milices

141

de Sylla ! Le pauvre homme a été assailli par des brutes et décapité le jour même. Crassus a eu beau jeu de tout rafler aux enchères. Les proscriptions étaient dirigées contre les ennemis politiques du régime, mais Crassus en a profité personnellement. Sylla était furieux, ou prétendit l'être. Depuis, il bloque son accession à toute fonction publique, de peur que le scandale n'éclate.

Je cherchai Crassus des yeux. Il se tenait immobile en plein chaos, souriant béatement, comme un père comblé. Il y eut une commotion terrible : un pan entier de l'immeuble en flammes s'écroula dans une envolée d'étincelles. Mais le feu n'avait pas gagné ; le petit immeuble était sauvé.

J'observai Crassus, le visage rayonnant d'un bonheur extatique. À la lueur orangée de l'incendie, il semblait plus jeune, ses yeux brillaient d'un appétit insatiable. Je lisais dans ses traits, et c'était l'avenir de Rome qui m'était conté.

## 14

Cicéron n'était pas visible quand nous arrivâmes à son domicile. Le vieux domestique m'informa solennellement que son maître était descendu au Forum pour affaires dans la matinée, mais qu'épuisé par la chaleur et les troubles intestinaux, il avait dû se mettre au lit. Nul ne devait le déranger, pas même Tiron. C'était aussi bien. Je n'étais pas disposé à faire un compte rendu ni à mimer ce que j'avais vu devant son œil caustique.

Je déclinai la proposition de Tiron de me restaurer, ou même de m'allonger si j'étais trop fatigué pour reprendre la route. Comme il s'enquérait d'un rendez-vous pour le lendemain, je répondis qu'il ne me verrait pas de la journée : j'avais décidé de visiter Ameria et les propriétés de Sextus Roscius.

La promenade sur la colline me rafraîchit l'esprit. L'heure du dîner approchait, et la brise du soir apportait des odeurs de cuisine. Une journée de travail s'achevait au Forum. Parmi les ombres allongées des temples, de petits groupes se rassemblaient. Les changeurs parlaient boutique ; on se lançait des invitations de dernière minute ; dans les coins solitaires, quelques mendiants comptaient leurs gains.

C'est l'heure exquise à Rome. La folle agitation a cessé ; la langueur de la nuit n'est pas encore. Le crépuscule est une méditation sur les exploits de la journée et les plaisirs à venir. L'avenir a beau être incertain – un saut dans l'inconnu –, l'obscurité guetter, elle nous laisse un répit, et Rome peut bien s'imaginer qu'elle fera de doux rêves.

Je pris par des rues de traverse. Si seulement le soleil pouvait rester posé sur l'horizon, comme une balle sur une corniche, si le crépuscule pouvait se prolonger indéfiniment ! Qu'elle serait mystérieuse, ma cité, baignée dans les ombres bleues, avec ses allées moussues et odorantes comme les bords d'une rivière !

J'atteignis le long boyau que j'appelle le Goulet. Mon sentiment de sérénité m'abandonna. C'est une chose de l'emprunter de jour, une autre quand la lumière vient à manquer. En l'espace de trois pas, je me trouvai plongé dans une nuit prématurée, entre deux murs noirs, avec de la grisaille devant et derrière, et un mince ruban de ciel bleu foncé pour tout repère.

Il me restait une petite transaction à régler avant de remonter sur l'Esquilin. Il y a des écuries sur la voie Subure, pas loin du raidillon qui grimpe jusqu'à ma maison. Le propriétaire de ce relais de poste est une vieille connaissance. Je lui dis qu'il me fallait une monture pour un voyage éclair à Ameria.

– Ameria ? (À califourchon sur un banc, il vérifiait les comptes de la journée.) Il faut compter au moins huit heures de cheval.

– Une fois sur place, j'ai beaucoup à faire, et je compte revenir à Rome le lendemain matin. À moins de devoir filer en vitesse.

L'homme me jeta un regard en dessous. Il n'avait jamais compris la nature de mes activités, mais les soupçonnait fortement d'être criminelles.

– Je suppose que tu voyages seul, en fou que tu es ?

– Oui.

Il se racla la gorge et cracha un paquet de mucosités sur la paille derrière lui.

– Tu as besoin d'un cheval robuste et rapide.

– Le plus robuste et le plus rapide, acquiesçai-je. Vespa.

– Et si Vespa n'était pas disponible ?

– Je vois sa queue dépasser d'ici, à sa place habituelle.

– Tu as une bonne vue. Un de ces jours, tu reviendras me raconter sa triste fin, et tous les efforts que tu as faits pour l'éviter. « Filer en vitesse », c'est ça. Bien entendu, tu n'as pas d'explications à me donner. C'est ma meilleure jument. Je ne voudrais pas qu'on me la crève.

– Il est plus probable qu'un de ces jours, elle rentrera sans cavalier. Mais tel que je te connais, tu ne verseras pas une larme sur mon sort. Je dois partir avant l'aube. Prépare-la pour moi.

– Au tarif habituel ?

– Non, dis-je, savourant sa mine déconfite. Avec un bon pourboire.

Un sourire bougon détendit sa vilaine figure.

Le jour s'attardait sur les sept collines de Rome. Le soleil avait disparu pour de bon, mais l'Esquilin était encore nimbé de lumière. En grimpant mon raidillon, je baignais dans une lumière bleu pâle. Les étoiles commençaient à poindre dans le ciel.

Sans raison, je hâtai le pas, mon cœur se mit à battre la chamade. Je crus entendre une femme crier mon nom dans le lointain.

La porte de ma maison était grande ouverte. Sur le chambranle, quelqu'un avait plaqué une main noire et gluante. Inutile de vérifier : c'était du sang.

Tout était calme à l'intérieur. Le seul éclairage venait du jardin – la lumière bleutée du crépuscule se glissait à travers les colonnes, jusque dans les pièces ouvertes. Le sol était flou comme la surface d'une piscine. Je distinguai à mes pieds des éclaboussures de sang – de grosses taches rondes, certaines irrégulières comme des empreintes de pied. Elles formaient une piste qui se terminait au niveau du mur de la chambre de Bethesda.

C'était une véritable explosion, noire comme de l'encre sur le plâtre blanc, avec des filaments qui partaient vers le plafond et une large coulée qui descendait jusqu'au sol. On avait gribouillé un message en lettres de sang. Les lettres étaient petites et mal formées. Je n'y voyais rien dans la pénombre.

– Bethesda ? chuchotai-je.

Le nom résonna bêtement à mes oreilles. Je le répétai de plus en plus fort, effrayé par la stridence de ma voix. Pas de réponse.

Je ne bougeai plus. Le silence était total. L'obscurité semblait se concentrer dans les coins, d'où elle se propageait. Le jardin vira au gris cendré. La nuit était tombée.

Je m'écartai du mur, me demandant où trouver une lampe et de l'amadou. C'était toujours Bethesda qui s'occupait des feux à la maison. Bethesda ! À sa pensée, un gouffre d'angoisse s'ouvrit en moi. C'est alors que je trébuchai sur quelque chose ; une petite chose molle et inerte. Je reculai et glissai dans du sang. La forme à mes pieds était méconnaissable, mais je ne tardai pas à comprendre.

Une lumière trembla du côté de la porte. Je me redressai, me maudissant de n'être pas armé. Le couteau du petit muet me revint en mémoire. Je farfouillai dans les plis de ma toge et m'en saisis. Je fonçai à la porte, tapi dans l'ombre. Quand la lampe émergea, j'agrippai l'intrus à la gorge.

Elle hurla et me mordit l'avant-bras. Je tentai de me dégager, mais ses dents restaient plantées dans ma chair.

– Bethesda, suppliai-je, c'est moi !

Elle se retourna vivement, dos au mur, et s'essuya la bouche de la main. Je ne sais par quel miracle, elle avait réussi à maintenir sa lampe en l'air sans répandre une goutte d'huile.

– Pourquoi as-tu fait ça ? cria-t-elle en frappant du poing contre le mur.

Il y avait une lueur de folie dans ses yeux. Je vis des

traces de coups sur son visage. Sa robe était déchirée à l'encolure.

— Bethesda, tu es blessée ? Tu as mal ?

Elle ferma les yeux et respira un grand coup.

— Un peu.

Elle brandit la lampe et regarda vers sa chambre avec une telle expression de désespoir que je crus à une nouvelle menace. Elle n'avait d'yeux que pour le cadavre ensanglanté de sa chère Bast.

Je voulus la prendre dans mes bras, elle me repoussa en frissonnant. Elle courut de chambre en chambre allumer chaque lampe et chaque bougie. Quand elle se fut assurée qu'il n'y avait personne d'embusqué, elle verrouilla la porte et repartit à travers la maison fermer toutes les issues.

Je la suivais en silence, constatant les dégâts : meubles renversés, tentures arrachées, objets fracassés par terre. Je baissai les yeux, hébété. Je m'approchai de l'inscription sur le mur. Les lettres de toutes tailles étaient maladroites, certaines inversées, mais l'orthographe était correcte. Visiblement, c'était l'œuvre d'un analphabète, qui ne faisait que recopier les symboles qu'il avait sous les yeux :

TAIS-TOI OU MEURS
QUE LA JUSTICE ROMAINE
SUIVE SON COURS

Bethesda me frôla, faisant un grand détour pour éviter le cadavre de la chatte.

— Tu dois avoir faim, fit-elle d'une voix étrangement calme.

— Très faim, admis-je.

Je l'accompagnai à l'office, à l'arrière de la maison. Elle souleva le couvercle d'une marmite, en retira un poisson entier. Sur la table, il y avait une poignée de fines herbes, un oignon, des feuilles de vigne.

— Tu vois, dit-elle, je venais de rentrer du marché.

— Quand sont-ils arrivés ? Combien étaient-ils ?

147

– Deux hommes. (Elle attrapa un couteau et trancha la tête du poisson d'un coup sec.) Ils sont venus deux fois. La première en fin de matinée. J'ai fait comme tu m'as toujours dit, je leur ai parlé à travers le judas. J'ai dit que tu étais sorti et que tu rentrerais tard. Ils ont dit qu'ils reviendraient, sans autre précision.

Je l'observais qui enlevait les écailles de la pointe du couteau et de l'ongle. Ses mains étaient extraordinairement rapides.

– Plus tard, je suis allée faire les courses. Il faisait si chaud que le marchand avait peur pour son poisson. J'ai pu l'avoir pour un bon prix. Tout frais de la rivière. Je suis rentrée ; la porte était fermée, le verrou bien en place. J'ai vérifié, comme tu m'avais dit. Il faisait si chaud, si lourd. Pas le moindre courant d'air dans le jardin. Alors j'ai laissé la porte entrouverte, quelques instants. Mais j'ai dû oublier. Je suis allée m'allonger dans ma chambre ; j'avais du mal à rester éveillée. Puis, je les ai entendus dans le vestibule. Je ne sais pas pourquoi, je savais que c'étaient eux. Ils parlaient bas ; après, il y a eu un grand bruit, comme une table renversée. Ils se sont mis à crier, à t'appeler, à brailler des obscénités. Je me suis cachée dans ma chambre. Je les ai entendus tout renverser sur leur passage. Ils sont arrivés ; ils m'ont trouvée tout de suite.

– Et après ? questionnai-je, le cœur battant.

– Ce n'est pas ce que tu crois. (Elle essuya une larme.) L'oignon, fit-elle.

Je vis son poignet meurtri, cerclé de brun.

– Ils m'ont bousculée. L'un d'eux m'a tenue par-derrière ; ils m'ont forcée à regarder. (Elle avait les yeux rivés sur la table.) J'avais grondé Bast tout l'après-midi, continua-t-elle d'une voix blanche. L'odeur du poisson l'excitait. L'un d'eux l'a trouvée dans la cuisine et l'a emmenée dans le vestibule. Elle l'a mordu et griffé au visage. Il l'a lancée contre le mur. Puis il a sorti son couteau... (Elle releva la tête.) Ils ont écrit quelque chose avec le sang. Ils ont dit que c'était pour toi, que tu n'avais pas intérêt à oublier. Qu'est-ce que c'est ? Un sort ?

— Non. Des menaces. Ça ne veut rien dire.

— C'est à cause du jeune esclave qui est venu hier, n'est-ce pas ? Ton nouveau client, le parricide ?

— Peut-être, mais je ne vois pas comment. Cicéron m'a envoyé quérir seulement hier, et je n'ai commencé qu'aujourd'hui à enquêter. Ils se sont mis en route avant même que j'aie parlé à l'épicière et son mari... Comment t'es-tu échappée ?

— Comme avec toi. Je l'ai mordu. Le grand qui me tenait était un vrai couard. Il a couiné comme un goret.

— De quoi avaient-ils l'air ?

— Grands, gros. Des gladiateurs, des gardes du corps. Affreux.

— Et l'un d'eux boitait, énonçai-je automatiquement, mais Bethesda secoua la tête.

— Non, je les ai bien regardés s'éloigner la première fois.

— Tu es sûre ?

— Je n'ai pas bien vu celui qui me maintenait. Mais l'autre était très grand, blond, un géant. Il saignait à cause de Bast. J'espère qu'il aura une cicatrice.

Elle mit le poisson dans la marmite, jeta les fines herbes et recouvrit le tout de feuilles de vigne. Elle versa de l'eau d'une amphore et mit la marmite sur le feu. Je remarquai que ses mains tremblaient.

— Ce n'est pas le genre d'homme à se satisfaire de tuer une chatte, tu ne crois pas ?

— Je pense comme toi.

— Ils avaient laissé la porte ouverte. Je devais m'enfuir pendant que l'autre était occupé à tracer ses lettres. Alors, je l'ai mordu de toutes mes forces. Là. (Elle montra le renflement de son avant-bras.) Je me suis dégagée et j'ai couru dehors. Ils m'ont poursuivie, mais se sont arrêtés juste après le seuil.

« Je me suis perdue dans les rues. Mais de retour à l'extrémité de notre sentier, j'ai pris peur. Je suis allée me réfugier dans la taverne de l'autre côté de la rue. Je connais la cuisinière ; elle m'a laissée aller dans une chambre à l'étage et m'a prêté une lampe. Je t'ai appelé quand je t'ai vu passer pour te prévenir. Mais tu n'as rien entendu. (Elle fixait la flamme.) Tu crois qu'ils vont revenir ?

– Pas ce soir, la rassurai-je, sans en avoir la moindre idée moi-même.

Après le dîner, je n'aspirai plus qu'à dormir, mais Bethesda n'eut de cesse que nous ayons disposé du petit cadavre.

Les Romains ne vénèrent pas les animaux comme des dieux. Ils ne font guère de sentiment à propos de nos amis domestiques. Et comment en serait-il autrement, quand ils accordent si peu d'importance à la vie humaine ? Au contact de leurs maîtres blasés, les esclaves venus du monde entier perdent souvent la notion du sacré qu'ils ont acquise dans leur enfance en terre lointaine. Mais Bethesda éprouvait une terreur religieuse à la mort d'un animal. À sa manière, elle pleurait Bast.

Il fallut construire un bûcher au centre du jardin. Elle alla chercher une robe, une belle robe de lin blanc que je lui avais offerte à peine un an auparavant. Je tressaillis quand elle la déchira pour en faire un linceul. Elle en enveloppa le corps avec le plus grand soin. Elle le déposa sur le bûcher et murmura quelque chose en regardant les flammes bondir. La fumée monta tout droit sous la lune.

Je n'avais qu'une envie, dormir. Je lui intimai de me rejoindre, mais elle s'y refusa tant que le sol ne serait pas nettoyé. Armée d'un seau d'eau chaude, elle frotta jusque tard dans la nuit. J'eus le plus grand mal à la convaincre de laisser l'inscription intacte. Pour elle, c'était attirer le mauvais sort.

Je dus m'endormir dans une maison illuminée de tous ses feux. Elle finit par se glisser dans le lit, mais sa présence ne fut pas un réconfort. Toute la nuit, elle se releva pour vérifier les loquets et fenêtres, pour remplir les lampes et changer les bougies.

J'eus un sommeil agité. Je rêvais que je chevauchais un cheval blanc sur une lande stérile, pendant des milles et des milles, incapable de me rappeler d'où je venais ni les raisons de ma course. Au milieu de la nuit, je me réveillai épuisé, comme par un long et pénible voyage.

## 15

Jamais Bethesda ne pourrait rester seule en mon absence. Un an plus tôt, le problème ne se serait pas posé : j'entretenais deux jeunes et solides esclaves mâles. Excepté les rares occasions où j'avais besoin d'une suite, ils restaient auprès de Bethesda, l'un pour l'accompagner dans ses courses, l'autre pour surveiller la maison durant ses sorties, chacun pour l'aider et la protéger. Elle avait ainsi à qui commander, ce qui lui plaisait ; le soir, je réprimai un sourire tandis qu'elle me contait ses doléances et déplorait les rumeurs qu'elle les imaginait répandre dans son dos.

Mais les esclaves coûtent cher et sont une monnaie d'échange pratique, surtout si l'on peut à peine se les permettre. Une offre d'un client, à une période où j'étais dans la gêne, me convainquit de les vendre. Bethesda s'était débrouillée elle-même sans incident depuis lors. Par mon incurie, j'avais failli provoquer la catastrophe.

Je ne pouvais pas la laisser seule. Si j'engageais un garde à la journée, serait-elle plus en sécurité ? Les assassins menaçaient de revenir. Un seul garde suffirait-il ? Ou même deux ou trois ? Et si je lui trouvais un endroit où se cacher, la maison resterait déserte. De tels hommes, frustrés de leur proie, étaient capables de mettre le feu à tout ce que je possédais.

Bien avant le chant du coq, j'étais réveillé et retournais

ce dilemme dans ma tête. À un moment, je décidai de tout laisser tomber. J'annulai mon expédition à Ameria. À la première heure, j'enverrais un messager à Cicéron pour qu'il me règle mes honoraires. À la suite de quoi, je pourrais me barricader avec Bethesda, faire l'amour toute la journée et déambuler dans le jardin en me plaignant de la chaleur ; à quiconque frapperait à la porte, je répondrais : « C'est bon, c'est bon. Je me tais. Que la justice romaine suive son cours ! Et maintenant, passe ton chemin. »

Il existe un coq sur ma colline qui se réveille avant les autres. Je soupçonne qu'il appartient à ma voisine – un coq de la campagne aux manières rustiques, différent de l'espèce paresseuse d'ici. Quand il chante, il reste deux heures avant l'aube. Je résolus de me lever à ce moment pour réfléchir.

La nature du temps change quand le monde dort. Les instants se figent ou se dissolvent, comme des grumeaux dans le fromage blanc. Le temps devient incertain, inégal, élusif. Pour l'insomniaque, la nuit dure éternellement, ou passe à toute allure. Je restai allongé longuement, à regarder les ombres au plafond. Incapable de dormir, incapable de suivre les pensées qui voletaient dans ma tête, en attendant le chant du coq. Cela dura si longtemps que je finis par me demander si l'oiseau ne s'était pas rendormi. Enfin son cocorico s'éleva, clair et perçant dans le silence.

Je me redressai, effaré de constater que j'avais bel et bien dormi. Un bref instant, je crus avoir rêvé le chant du coq. Mais il recommença de plus belle.

À la lumière de nombreuses chandelles, je m'aspergeai le visage et changeai de tunique. Bethesda s'accordait enfin un repos bien mérité, recroquevillée sur une paillasse sous la colonnade au bout du jardin – le plus loin possible de l'endroit où Bast avait trouvé la mort. Elle s'était entourée de bougies.

J'allai sur la pointe des pieds pour ne pas la réveiller. Elle dormait sur le côté, les mains accrochées aux épaules.

Ses traits étaient reposés et sereins. Une mèche noire lui balayait la joue. À la lueur des bougies, elle avait l'air d'une enfant. L'envie me vint de la prendre dans mes bras, de la porter au lit, de l'y tenir bien au chaud et à l'abri, de dormir, de rêver avec elle, jusqu'à ce que le soleil du matin nous réveille tous les deux. D'oublier l'imbroglio dans lequel Cicéron m'avait fourré. Je ressentis une telle vague de tendresse que mes yeux s'embuèrent de larmes. Ses traits se brouillèrent ; un halo brumeux entoura les bougies presque consumées.

C'est une chose, dit-on, de trouver le bonheur avec une femme libre ; c'en est une autre d'avoir une esclave pour femme. Je me demandais ce qui était le plus doux ou le plus amer.

Le coq chanta, rejoint cette fois par un autre sur la colline. Ma décision était prise.

Je tentai de la réveiller aussi doucement que possible. Elle n'en sursauta pas moins et me fixa comme si j'étais un inconnu. Je fus saisi d'un doute et me détournai, sachant que toute hésitation de ma part provoquerait ses craintes et qu'on n'en sortirait plus. Je lui dis d'aller se préparer et de prendre un morceau de pain si elle avait faim. Nous irions faire un tour dès qu'elle serait prête.

J'allai éteindre les lampes. La maison retomba dans l'obscurité. Quelques minutes après, Bethesda apparut sur le seuil de sa chambre et m'annonça qu'elle était prête. Il y avait une pointe d'anxiété dans sa voix, mais aucune défiance. Je priai silencieusement en espérant que je faisais le bon choix, tout en me demandant à qui j'adressais ma prière.

Notre raidillon était rempli d'ombres. À la lueur de la torche, les aspérités des murs semblaient nous agresser. Nous aurions mieux fait de sortir sans lumière. Bethesda se pendait à mon bras et trébuchait sur les pavés. Nous pénétrâmes dans une zone de brume, qui montait comme l'eau d'une rivière. Bethesda tremblait à mes côtés, mais j'étais secrètement soulagé : j'avais des chances de partir inaperçu.

Mon maître d'écurie dormait quand nous arrivâmes ; un esclave s'empressa de le réveiller. Il était fort contrarié : j'arrivais une heure plus tôt que prévu, et l'on pouvait bien organiser mon départ sans le déranger. Quand j'expliquai les raisons de ma venue, il se radoucit.

Durant deux jours, il prendrait Bethesda à son service. Je lui recommandai de ne pas la surmener : elle n'avait pas l'habitude des gros travaux. C'était un mensonge, mais je n'avais pas l'intention de la retrouver épuisée. S'il lui confiait une tâche ménagère, par exemple, elle gagnerait largement sa pension.

Je désirais également lui louer deux esclaves pour garder ma maison. Il soutint qu'il n'en avait qu'un à me proposer. Je le crus quand il alla le chercher. Un jeune homme aussi laid, aussi énorme, je n'en avais jamais vu. Il portait le nom étrange de Scaldus. Mais d'où sortait-il, avec une tête pareille ? Il avait la peau rouge, brûlée par le soleil ardent de ces derniers jours ; ses cheveux se dressaient par touffes jaunes et sèches comme les brins de paille qui y étaient emmêlés. Si sa taille ne dissuadait pas les visiteurs, sa figure y parviendrait. Il devait monter la garde jour et nuit devant ma porte. Un garçon d'écurie lui apporterait de quoi boire et manger. Même s'il s'avérait plus faible qu'il n'en avait l'air, il pourrait au moins donner l'alarme. Quant au prix, le maître d'écurie acceptait de me faire crédit. Je mettrais ce supplément sur le compte de Cicéron.

Je n'avais pas besoin de rentrer chez moi, j'avais pris tout le nécessaire pour mon voyage. Un esclave alla chercher Vespa. Je montai en selle et vis Bethesda qui me regardait les bras croisés. Elle n'était pas contente et gardait les lèvres pincées, ses yeux étincelaient de colère. Je souris en moi-même : elle avait récupéré après le choc de la veille.

J'eus envie de me pencher et de l'embrasser, au vu et au su des esclaves et de leur maître ; mais je m'employai plutôt à calmer Vespa, toute fringante au petit matin. Je la conduisis dans la rue et partis en douceur au petit trot. Je savais d'expérience qu'une démonstration publique d'affection envers un esclave est toujours mal interprétée. Quel que soit le geste, il semble condescendant, emprunté, ridicule.

Malgré tout, une angoisse me serra le cœur, l'impression que je regretterais toute ma vie de m'être refusé ce baiser d'adieu.

La brume était si épaisse que je me serais perdu si je n'avais pas connu l'itinéraire par cœur. Elle assourdissait le martèlement des sabots et nous dissimulait aux regards innombrables de la capitale. La ville se remettait à bouger ; à vrai dire, elle n'avait jamais cessé. Toute la nuit, des hommes, des chevaux, des convois avaient circulé dans les rues. Je franchis la porte Fontinale et passai au trot enlevé devant les urnes de vote du champ de Mars, débouchant sur l'imposante voie Flaminia.

Rome, invisible, reculait derrière moi. L'odeur d'égout fut remplacée par celle de l'humus. À travers la brume, le monde semblait ouvert, sans limites. Enfin le soleil se leva à l'horizon, dissipant les dernières vapeurs. Le temps d'arriver à la grande boucle du Tibre, le ciel était bleu, dur comme du cristal, et réverbérait la chaleur.

# Deuxième partie

*Menaces*

# 1

Quand ils vont de la ville à la campagne, les riches ont une escorte de gladiateurs et de gardes du corps. Les pauvres errent en bande. Les acteurs voyagent en troupe. Quand un fermier conduit ses moutons au marché, il s'entoure de bergers. Mais l'homme qui voyage seul – comme dit le vieux proverbe étrusque – n'a qu'un fou pour compagnon.

Nulle part l'homme n'est plus en danger qu'en pleine nature, surtout qu'il se hâte et ne s'arrête pour personne ! Cette vieille femme qui geint au bord de la route, abandonnée de tous, n'est sans doute ni seule, ni malade, ni même une femme, mais un jeune bandit embusqué. Pour l'imprudent, un voyage d'une dizaine de milles risque de se terminer sur un marché d'esclaves, de l'autre côté de l'océan. Alors, ne te gêne pas pour crier au secours, sois préparé à fuir dans la seconde même, ou à tuer s'il le faut.

Grâce à ces avertissements, ma chevauchée se déroula sans incident. Pour couvrir une telle distance, je pris le bon rythme dès le début sans jamais ralentir. Pas un cavalier ne me dépassa de la journée. Je doublai les voyageurs l'un après l'autre, comme autant de tortues sur le bas-côté.

La voie Flaminia passe par l'Étrurie et traverse deux fois le Tibre. Elle continue jusqu'au Nar, un affluent venu de l'est. Passé le pont de la ville de Narnia, on pénètre dans l'extrême sud de l'Ombrie. À quelques milles, un embranchement vous ramène vers l'ouest. La route escalade des collines escarpées, puis redescend dans une vallée de vignobles et de pâturages. Là, nichée dans un croissant de terre entre le Tibre et le Nar, se trouve la ville d'Ameria.

Cela faisait des années que je n'avais pas visité le Nord. Mes affaires me mènent généralement à l'ouest, vers le port d'Ostie, ou au sud, le long de la voie Appienne, dans cette région de riches villas qui se termine sur la côte avec Baia et Pompéi. À l'occasion, j'ai poussé à l'est, dans les territoires rebelles qui ont combattu Rome lors de la Guerre sociale. Partout, j'avais constaté les ravages de dix années de guerre – fermes en ruine, routes détruites, tas de cadavres à l'abandon, qui se transformaient lentement en montagnes d'ossements.

Je m'attendais au même spectacle, mais la campagne avait été épargnée. Les habitants de cette région avaient montré une prudence qui confinait à la lâcheté. Durant la Guerre sociale, ils avaient attendu que Rome fasse appel à eux et leur octroie le droit de cité en échange de leur aide contre les alliés. Durant les guerres civiles, ils n'avaient pas pris clairement parti pour Marius ou Sylla, pour Sylla ou Cinna, jusqu'à ce que quelqu'un l'emporte. Le vieux Sextus Roscius avait été un partisan déclaré de notre dictateur.

Bois et collines moutonnantes n'avaient pas changé. Pas de populations déplacées. On éprouvait en Étrurie et en Ombrie un sentiment de monotonie, de permanence, presque de stagnation. Les gens ne montraient aucune curiosité envers moi. Des paysans levaient la tête à mon passage, l'œil vide, et reprenaient leur tâche. Le printemps trop sec était avare de couleurs.

J'eus tout le temps de réfléchir. Le paysage qui défilait libérait mon esprit des entrelacs de Rome. Pourtant, le mystère de l'attaque de ma maison s'épaississait. Depuis que l'enquête avait commencé, j'étais menacé de toutes parts : l'épicier et sa femme, la veuve, la prostituée, n'importe qui avait pu prendre langue avec mes ennemis. Je passai en revue ceux qui connaissaient ma mission dès le départ : Cicéron bien entendu, et Tiron ; Cæcilia Metella ; Sextus Roscius ; Rufus Messalla ; Bethesda. À moins que le complot soit plus tortueux que je ne pouvais l'imaginer, aucun de ces personnages n'avait intérêt à faire obstacle à mon enquête. Il y avait toujours la possibilité qu'un serviteur indiscret ait transmis des informations aux ennemis de Sextus Roscius ; mais étant donné la loyauté de la domesticité de Cicéron, et la rigueur du châtiment chez les Metellus, c'était peu probable. Restait que quelqu'un avait appris l'affaire assez tôt pour faire enfoncer ma porte dès le lendemain. Quelqu'un qui était résolu à me tuer si je persévérais.

Plus j'y réfléchissais, moins je comprenais, et plus le danger me semblait imminent. J'avais peur pour Bethesda. Ne sachant d'où venait la menace, comment pouvais-je la protéger ? Seule la vérité nous mettrait à l'abri.

Après la seconde traversée du fleuve, je fis halte sous un grand chêne sur la berge. Tandis que je me reposais, un fermier et ses trois aides arrivèrent, suivis d'une trentaine d'esclaves à pied. Le fermier et deux de ses hommes mirent pied à terre et s'assirent en tailleur à l'ombre, tandis que le troisième emmenait les esclaves, enchaînés par le cou, boire à la rivière. Le fermier n'était pas liant : après m'avoir jeté des regards soupçonneux, les trois hommes m'ignorèrent complètement.

Je mangeai un morceau de pain et pris une goulée de vin, chassant paresseusement une abeille qui tournoyait au-dessus de ma tête. Les esclaves s'aspergeaient le visage et buvaient, agenouillés sur la rive, comme des animaux.

J'aurais bien aimé dormir, mais les gémissements continuels et le claquement du fouet me mettaient les nerfs à vif. Pour un riche fermier, les esclaves valent moins que le bétail. S'ils meurent, on les remplace sans peine ; les esclaves arrivent aussi nombreux à Rome que les vagues sur la grève. Je repartis sur ma monture.

Il faisait de plus en plus chaud. Je ne vis pratiquement personne de tout l'après-midi. J'aurais pu être seul au monde. Quand j'atteignis Narnia, les activités reprenaient doucement. C'est une grosse bourgade, connue pour son marché aux bestiaux.

J'allai jusqu'à la grand-place, ombragée d'arbres, entourée d'échoppes et d'enclos. Des odeurs de paille et de fumier stagnaient dans l'air.

J'aperçus une petite taverne. Sur la porte en bois, un carreau de faïence représentait un jeune berger, un agneau jeté sur les épaules. Il faisait sombre à l'intérieur, mais au moins, il faisait frais. Un vieillard émacié, assis à table, regardait fixement dans le vide. Le patron était un Étrusque exceptionnellement gros et gras, aux dents jaune foncé, si énorme qu'il semblait occuper toute la petite pièce. Il m'apporta une coupe de vin de pays.

— Il faut combien de temps pour aller à Ameria ? demandai-je.

Il haussa les épaules.

— Faut voir. Le cheval est frais ?

J'étais tout rouge et ruisselais de sueur, mes cheveux étaient couverts de poussière.

— Pas plus que moi.

Il fit la moue.

— Une heure si tu le forces, plus si tu tiens à le ménager. D'où viens-tu ?

— De Rome.

Le mot m'avait échappé. Toute la journée, je m'étais bardé de prudence, et il suffisait d'une goutte de vin pour me desceller les lèvres.

— De Rome ? Tout ce trajet en un jour ? Tiens, bois encore un coup. T'inquiète pas, je vais le couper d'eau. Rome. J'ai un fils là-bas. Du moins, j'en avais un. Engagé par Sylla comme soldat. Contre un terrain, soi-disant. P't-êt' bien. J'ai plus de nouvelles depuis des mois... Rome ! Ça fait une trotte, dis-moi. Tu as de la famille à Ameria ?

164

Il est plus facile de faire confiance à un gros qu'à un maigre. La trahison se voit comme une cicatrice sur un visage hâve ; elle se dissimule mieux dans les replis d'une face poupine. Seuls les yeux ne mentent pas, et ceux de mon hôte étaient dépourvus de malice. Il s'ennuyait, il voulait bavarder, sans plus.

— Non, je viens pour affaires.

— Ah ! Tu es bien pressé.

Malice ou non, je ne lui devais pas toute la vérité.

— Mon patron est un homme impatient. Aussi impatient qu'il est riche. Il s'intéresse à des terres, près d'Ameria. Je viens voir pour son compte.

— Ouais. T'es pas le premier. Quand j'étais gosse, y avait que des petits fermiers aux alentours. Des gens du pays, qui se transmettaient la terre de père en fils. Aujourd'hui, des étrangers rachètent tout. On ne sait plus quoi appartient à qui. C'est pas au voisin en tout cas ! Mais à un richard de Rome, qui vient deux fois par an jouer au fermier. (Il rit amèrement.) Et plus les exploitations sont grandes, plus ils amènent d'esclaves. Ils leur faisaient traverser la grand-place comme à un troupeau, jusqu'à ce qu'on y mette le holà. On les a obligés à ne plus passer par la route principale. Quand on est dans les fers, il fait pas bon traîner par ici, respirer un parfum de liberté. Tant d'esclaves misérables dans le coin, ça met mal à l'aise les braves gens comme moi.

— Ce sont les fugitifs qui t'inquiètent ? dis-je.

— Disons que ça fait des histoires. Oh, rien encore en ville. Mais j'ai une sœur qu'a épousé un fermier du nord. Ils vivent en pleine cambrousse. D'accord, ils ont leurs propres esclaves pour se défendre ; mais faudrait quand même être idiot pour y dormir portes ouvertes. Je te dis, un jour, ça va barder. Imagine une vingtaine de fuyards, dont des tueurs professionnels. Sais-tu qu'il y a pas loin d'ici une ferme où on les entraîne pour en faire des gladiateurs ? Imagine ces fauves lâchés dans la nature, sans rien à perdre.

– Quel imbécile ! aboya le vieillard.

Il leva sa coupe et but d'un trait. Le vin refluait aux commissures des lèvres et gouttait sur son menton gris et ridé.

– Imbécile. *Rien à perdre* ! Et la crucifixion, alors, et l'éviscération ? Tu crois que Sylla va laisser une bande d'esclaves détrousser les propriétaires et violer leurs femmes ? T'en fais pas, les miséreux, ça fait pas d'histoires, tant qu'y a de la terreur pour les museler.

Le vieillard avança le menton et sourit comme un spectre. Je réalisai alors qu'il était aveugle.

Je tournai ma coupe dans mes mains.

– Terreur ou pas, on ne se sent plus en sécurité chez soi. De nos jours, même le père doit se garder du fils. Seulement de l'eau, cette fois, merci.

Le tavernier me versa maladroitement l'eau du broc.

– Que veux-tu dire, au juste ?

Il jetait des regards inquiets au vieux.

– Oh rien. Ce sont des ragots qui circulent à Rome. J'ai parlé de mon voyage à mes associés du Forum, pour avoir des tuyaux sur Ameria. Eh bien, la plupart n'en avaient jamais entendu parler.

Je me tus et bus longuement. Le tavernier porta l'index à la tempe. Le vieillard réagit, inclinant la tête dans ma direction. Un ange passa.

– Et alors ? souffla l'Étrusque.

– Et alors quoi ?

– Les ragots, voyons ! (Le vieux ricana et se détourna soudain, comme si tout cela ne l'intéressait plus.) Ce cochon ne vit que pour ça. Pire que sa mère.

Mon hôte me jeta un regard impuissant. Je pris l'air blasé, comme si mon récit n'en valait pas la peine.

– Une histoire de procès, la semaine prochaine à Rome, qui implique quelqu'un d'Ameria. Il s'appelle Roscius. Je crois ; oui, comme l'acteur. Il est accusé – j'ai honte de le dire – d'avoir tué son père.

166

Le tavernier recula d'un pas. Il tira un chiffon de sa ceinture, s'essuya le front où perlait la sueur, et se mit à frotter son comptoir.

— Vraiment ? finit-il par dire. Oui, j'ai entendu un truc de ce genre.

— Un truc, c'est tout ? Pour un crime pareil, en province ? Si près de chez vous ? J'aurais cru que c'était sur toutes les lèvres.

— Ben, c'est que ça s'est pas passé près d'ici.

— Ah bon ?

— Non, le vieux Sextus Roscius s'est fait assassiner à Rome. C'est ce qu'on m'a dit.

— Tu le connaissais ? fis-je d'un air dégagé comme si je n'écoutais que d'une oreille.

Mon hôte n'était peut-être pas soupçonneux, mais le vieil homme, certainement. Je le voyais à sa mâchoire qui ruminait de droite à gauche. Il buvait littéralement mes paroles.

— Le vieux Sextus Roscius ? Non. Enfin, à peine. Il lui arrivait de passer, quand j'étais petit. Mais pas récemment, pas depuis des années. Un Romain de la grande ville, un mondain, voilà ce qu'il était devenu. S'il rentrait au pays, c'était pas pour s'arrêter ici. Pas que j'ai raison, père ?

— Imbécile, grogna le père. Pauvre imbécile...

Mon hôte s'essuya le front et me fit un sourire penaud. Je regardai le vieillard d'un air que je m'efforçai de rendre affectueux et haussai les épaules, l'air de dire : « Je comprends. Un vieillard impossible à vivre. Mais que peut faire un bon fils ? »

— En fait, je voulais parler du fils Roscius. Si ce qu'on dit est vrai, eh bien, on se demande quel est l'homme capable de commettre un tel forfait.

— Son fils ? Oui, je le connais un peu, quoi, juste assez pour le saluer dans la rue. Un homme de mon âge environ. C'était pas rare qu'il vienne boire un coup, les jours de marché.

— Qu'en penses-tu ? Est-ce qu'il a une tête d'assassin ?

– C'est sûr qu'il était très aigri contre son père. Non pas qu'il se répande en long et en large ; il était pas du genre à se plaindre, même après quelques coupes. Juste un mot de temps en temps, une allusion. Les gens s'en rendent même pas compte. Mais moi, j'écoute. J'entends.

– Tu crois donc que c'est lui ?

– Pas du tout ! Je sais que ce n'est pas lui.

– Comment ça ?

– On a beaucoup jasé quand c'est arrivé. Et tout le monde te dira que Sextus n'avait pas quitté sa ferme depuis des jours et des jours.

– Mais personne ne l'accuse d'avoir frappé lui-même. On dit qu'il a engagé des tueurs.

L'homme n'eut rien à répondre à cela. Visiblement, il n'était pas impressionné. Il fronça les sourcils, cherchant dans sa mémoire.

– C'est bizarre que tu me parles de ce meurtre. J'étais pratiquement le premier au courant.

– À Narnia, tu veux dire ?

– Le premier tout court. C'était par une nuit de septembre. Oui ; il faisait froid, avec des rafales de vent et de la grisaille. Si j'étais superstitieux, je te dirais que j'ai fait un mauvais rêve, cette nuit-là, ou qu'un fantôme m'a réveillé...

– Impie ! éructa le vieux. Aucun respect pour les dieux !

L'homme n'entendait plus, scrutant les profondeurs du mur en face de lui.

– En tout cas, je me suis levé beaucoup plus tôt que d'habitude.

– C'est un flemmard, marmonna le vieil homme.

– Un tavernier n'a pas vraiment de raison de se lever tôt. Les clients n'arrivent qu'en fin de matinée. Cette fois, j'étais debout bien avant l'aube. J'avais du mal à digérer.

– Du mal à digérer ! On aura tout vu !

– Je me suis habillé. J'ai laissé ma femme dormir et je suis descendu. Je suis sorti dans la rue ; il faisait frisquet.

Le ciel s'était éclairci pendant la nuit ; il n'y avait qu'un nuage à l'est, tout illuminé d'orange et de rouge par-dessous. Quelqu'un arrivait sur la route. Je l'ai entendu, d'abord. Tu sais comme les sons portent, quand l'air est pur. Puis je l'ai vu. Sur un attelage à deux chevaux, qui fonçait si vite que j'ai failli me barricader à l'intérieur. Mais je suis resté sur le pas de la porte ; il a ralenti et s'est arrêté à ma hauteur. C'est quand il a retiré sa calotte de cuir que j'ai reconnu Mallius Glaucia.

— Un ami ?

— Pas de moi, en tout cas. Un ancien esclave, connu pour son arrogance. À ce qu'on dit, les maîtres déteignent sur leurs esclaves. Ça c'est la vérité pour Mallius Glaucia.

« Tu as deux branches de la famille Roscius à Ameria, continua-t-il. Sextus Roscius père et fils, qui ont conquis le respect pour avoir construit leurs fermes et consolidé leur fortune, et les deux cousins, Magnus et Capito, avec leur clan. C'est ce qu'on appelle des sales types. Dangereux. Il suffit de voir leurs têtes. Mallius était esclave de naissance. Magnus l'a affranchi – sûrement pour le récompenser d'une chose ignoble. Glaucia est resté à son service jusqu'à ce jour. Quand j'ai vu que c'était lui, j'ai regretté de pas m'être caché à temps.

— Un costaud, ce Mallius ?

— Les dieux eux-mêmes ne naissent pas plus costauds.

— Un blond ?

— Les cheveux clairs, oui, mais laid comme un pou. Et rougeaud. Quoi qu'il en soit, il s'avance vers moi. « T'ouvres tôt », fait-il. Je réponds que je suis pas encore ouvert et vais pour fermer la porte. Mais il la coince avec son pied ; je tire quand même, alors il passe un glaive à travers la fente. Et comme si ça suffisait pas, la lame est couverte de sang.

— Noir ou rouge ?

— Pas trop frais, mais pas trop sec non plus. C'était encore rouge et luisant au milieu... Impossible de fermer la

169

porte. Je pensais appeler au secours, mais mon épouse est une femme craintive et mes esclaves ne sont pas de taille à lutter contre Glaucia, pour le reste... (Il jeta un regard coupable sur le vieillard.) J'ai dû le laisser entrer. Il voulait boire du vin ; il a vidé sa coupe cul sec et m'a demandé la bouteille. Juste là, à ta place. Il l'a descendue tout entière. Quand j'essayais de m'éclipser, il haussait le ton, comme pour m'obliger à l'écouter.

« Il disait qu'il arrivait de Rome avec de terribles nouvelles, qu'il avait cavalé toute la nuit. C'est là que j'ai appris la mort de Sextus Roscius ; j'ai pas réagi. "Un vieillard, ai-je fait, c'est peut-être le cœur ?" Glaucia a éclaté de rire : "Si l'on veut. Un couteau dans le cœur, plus précisément." Et il a planté son poignard sur la table. »

Mon hôte désigna ma place de son bras oblong. Il y avait une entaille profonde dans le bois, juste à côté de ma coupe.

– Je devais faire une drôle de tête. Il a ri ; le vin, sans doute. « Pas de panique, tavernier, a-t-il fait. J'y suis pour rien. Ai-je l'air d'un assassin ? Et voici l'arme du crime, tout droit sortie du cœur du mort. » Puis, il s'est fâché : « Me regarde pas comme ça, je te dis ! J'ai rien fait. Je ne suis que le porteur de mauvaises nouvelles pour la famille. » Là-dessus, il est parti en titubant et a filé sur son char. On peut pas m'en vouloir si j'ai décidé de plus jamais me lever matin...

Je contemplai la cicatrice laissée par la lame. Je crus la voir s'obscurcir et se creuser de plus en plus sous mes yeux.

– L'homme venait donc prévenir Sextus Roscius du meurtre de son père ?

– Pas exactement. Paraît même que Sextus ne l'a appris qu'après les autres. C'est un voisin qui l'a rencontré par hasard et lui a fait ses condoléances, sans pouvoir imaginer qu'il était pas au courant. Quand les messagers de la maison Roscius sont arrivés le lendemain, tout le pays connaissait la nouvelle.

– Mais qui venait-il prévenir, alors ? Son maître, Magnus ?

– Magnus n'était pas là. Cette fripouille passe sa vie à Rome. Il fréquente les bandes, dit-on, et travaille pour son aîné, le cousin Capito. C'est sans doute à lui que Glaucia venait parler. Non que l'autre en soit affligé ; les deux branches des Roscius ne se portent pas dans leur cœur. La querelle remonte à loin.

Le glaive ensanglanté, les chevaux en pleine nuit, la discorde familiale : la conclusion semblait évidente. J'attendis que mon hôte la formule, mais il se remit à frotter son comptoir.

– En ce cas, dis-je, personne ne peut croire sérieusement que Sextus Roscius a tué son père.

– Justement, c'est là où je comprends plus rien. Car chacun sait, du moins dans la région, que ce sont les hommes de Sylla qui ont tué le vieux Roscius.

– Comment ?

– Le vieillard était proscrit. Décrété ennemi de l'État. Sur les listes.

– Non, tu dois faire erreur. Tu confonds avec une autre histoire.

– C'est vrai qu'y en a eu d'autres par ici, avec des propriétés à Rome, qu'on a mis sur les listes. Ils y ont laissé leur tête, ou se sont enfuis. Mais je ne confonds rien du tout. Tout le monde sait que Sextus était proscrit.

« Mais c'était un partisan de Sylla », faillis-je m'exclamer.

– C'est comme ça, continua le tavernier. Des soldats sont arrivés de Rome quelques jours plus tard, ils l'ont proclamé publiquement : Sextus Roscius père était déclaré ennemi de l'État, il avait trouvé la mort en tant que tel, ses propriétés seraient confisquées et vendues aux enchères.

– Mais en septembre, les proscriptions étaient terminées depuis des mois !

171

– Cela signifiait-il la fin des ennemis de Sylla ? Ne pouvait-il pas en éliminer un de plus ?

Je regardai ma coupe vide.

– As-tu entendu cette proclamation toi-même ?

– Parfaitement. Ils ont commencé par Ameria, puis ils l'ont répétée ici, étant donné les liens entre nos deux villes. Cela a choqué, bien sûr, mais les guerres ont fait tant de victimes, tant de morts ! Je peux pas dire qu'on ait versé une larme pour le vieux.

– Si ce que tu dis est vrai, Sextus Roscius est déshérité.

– Je le crains. On l'a plus revu depuis. Le bruit court qu'il est à Rome, chez la protectrice de son défunt père. Enfin, bref, l'histoire est plus compliquée qu'il n'y paraît.

– C'est le moins qu'on puisse dire. Et qui s'est porté acquéreur des terres du vieux Roscius ?

– Treize fermes en tout. Eh bien, Capito devait être en première ligne, puisqu'il a pris les trois meilleures, dont l'ancienne maison de famille. On dit qu'il a expulsé le fils Roscius lui-même. Il l'a jeté dehors. Mais quoi ? Il est chez lui, maintenant, de plein droit.

– Et le reste ?

– C'est un riche gars de Rome qui a tout racheté ; son nom m'était inconnu. Il n'a sans doute jamais mis les pieds ici ; encore un de ceux qui font main basse sur le pays. Comme ton patron, tiens ! Est-ce là ton affaire, citoyen, l'appât du gain ? Pas de chance, on a tout ratissé ici. Si tu cherches une bonne propriété, faudra chercher plus loin.

Je regardai par la porte ouverte. La queue de Vespa projetait des ombres fantastiques sur le seuil. Il se faisait tard et je n'avais aucun endroit pour passer la nuit. J'alignai quelques pièces sur la table. Mon bonhomme s'en saisit et disparut dans un étroit couloir, non sans se mettre de profil pour pouvoir passer.

Le vieil homme tourna la tête, l'oreille aux aguets.

– Quel avare ! À chaque pièce, il court la mettre dans sa

petite boîte. Il recompte toutes les heures ; peut pas attendre la fermeture, non ? Ça lui vient de sa mère, ça encore.

Je me dirigeai discrètement vers la porte, mais pas suffisamment. Le vieux bondit et me barra le passage. Il semblait me dévisager à travers les membranes laiteuses qui voilaient ses yeux.

— Toi l'étranger, fit-il, tu n'es pas venu pour acheter de la terre. Tu es ici à cause du meurtre, n'est-ce pas ?

Je tâchai de me composer un masque, avant de me rappeler que c'était inutile.

— Non, répondis-je bêtement.

— De quel côté es-tu ? Du côté de Sextus ou de ses ennemis ?

— Je t'ai déjà dit...

— Étrange coïncidence, n'est-ce pas, qu'un vieillard soit proscrit par l'État, et que son propre fils soit accusé du crime ? Et n'est-il pas étrange que ce misérable Capito soit le seul à en profiter ? Cela tombe à pic qu'il soit le premier à avoir vent du meurtre ! Et que le messager ne soit autre que Glaucia. Qui peut l'avoir envoyé, sinon Magnus, l'ignoble Magnus ? Pourquoi était-il au courant ? Et comment s'est-il procuré l'arme du crime ? Sûr que tu trouves ça clair comme de l'eau de roche, n'est-ce pas, l'étranger ?

« Mon fils affirme que Sextus est innocent, mais mon fils est un imbécile, et tu aurais tort de l'écouter. Il dit qu'il entend tout ce qui se passe, mais il est bien trop occupé à parler ! C'est moi qui écoute. Depuis dix ans que j'ai perdu la vue, j'ai appris à écouter. Tu n'imagines pas les choses que j'entends. Même les mots qu'on ne prononce pas. Je sais lire sur les lèvres, quand les hommes chuchotent à leur insu, quand ils parlent tout seuls.

Je lui touchai l'épaule, en vue de l'écarter pour passer. Mais il ne céda pas d'un pouce, il restait planté là comme un poteau.

— Les Sextus Roscius, tu penses si je les connais ! Et laisse-moi te dire, même si tu as toutes les preuves du

173

contraire, que le fils est derrière le meurtre du père. Quelle haine entre eux ! À commencer quand Roscius s'est remarié pour faire un enfant – Gaïus, celui qu'il a tellement gâté, jusqu'au jour de sa mort ! Je me souviens encore, quand il nous a présenté l'enfant. Chacun devait caresser la chère tête blonde, tandis que le jeune Sextus attendait sur le seuil. Oublié, méprisé, gonflé de haine comme un crapaud ! J'ai oublié à quoi ressemblait une fleur, mais je revois tout à fait sa gueule d'assassin !

Je crus entendre le tavernier revenir et tournai la tête.

– Regarde par ici ! cria le vieux. Ne crois pas que tu peux t'en tirer comme ça. Je le sens à ton haleine : regarde-moi quand je te parle ! Écoute la vérité : le fils haïssait le père et le père haïssait le fils. Cette haine n'a fait que grandir au fil des jours. J'ai entendu des mots qui restaient coincés dans leur gorge : des mots de colère, de ressentiment, de vengeance. Et comment leur en vouloir ? Comment en vouloir au père d'avoir engendré un tel fils, un tel raté, un tel déchet ? Un porc, voilà ce qu'il est devenu ! Cupide et insolent ! Quel crève-cœur ! On dit que Jupiter exige l'obéissance filiale, mais quel ordre peut-on attendre d'un monde où les hommes perdent la vue et s'engraissent comme des porcs ? Le monde est un chaos, nous sommes fichus. Le monde est pourri...

Je reculai, épouvanté. L'instant d'après, le gros tavernier s'interposait et libérait le passage. J'enjambai le seuil et regardai derrière moi : le vieux me fixait de ses yeux laiteux en continuant ses imprécations, l'autre détournait la tête.

Je détachai Vespa, sautai en selle, traversai Narnia et franchis le pont aussi vite que possible.

## 2

Vespa paraissait aussi soulagée que moi de quitter le bourg de Narnia. Je la talonnai sans relâche durant la dernière étape. Arrivée à une fourche juste au nord de la ville, elle parut renâcler.

Il y avait une auge à l'embranchement ; je fis boire Vespa en prenant soin de retenir les rênes après chaque lampée. Un crâne de bouc était fiché sur un bâton. Sur le front blanchi, on lisait AMERIA au-dessus d'une flèche pointée vers la gauche.

Je quittai la voie Flaminia et pris le chemin qui serpentait jusqu'à un plateau escarpé. Pour la première fois, ma monture donnait des signes de fatigue ; quant à moi, mes reins me faisaient atrocement mal. Seule consolation, le talus nous assurait une ombre propice.

Arrivé presque au sommet, je tombai sur un groupe d'esclaves autour d'un char à bœufs. Ils tentaient de le pousser sur la crête, serrés les uns contre les autres. Le véhicule tanguait et dérapait. Je rattrapai le conducteur et le saluai de la main.

— Tu prends souvent cette route ?

Le garçon sursauta à ma voix, puis me sourit.

— Seulement quand il faut livrer de la marchandise au marché de Narnia. C'est la descente qui est dangereuse.

— Je le crois sans peine.

— Nous y avons laissé un esclave l'année dernière. Il est tombé sous les roues en aidant à freiner. La pente est moins raide vers Ameria.

— Voilà qui plaira à mon cheval.

— C'est une bête superbe, fit-il avec un regard de connaisseur.

— Tu es d'Ameria ?

— D'à côté, au pied de la colline. Juste en dehors de la ville.

— Pourrais-tu m'indiquer où se trouve la maison de Sextus Roscius ?

— Mais, oui. Sauf que Sextus Roscius n'y habite plus.

— Tu parles du vieux Roscius ?

— Celui qui s'est fait assassiner ? Si c'est lui que tu cherches, tu trouveras ses restes dans le cimetière de famille. Il n'a jamais vécu à Ameria, que je sache.

— Non, je voulais dire son fils.

— Son fils était le voisin de mon père, si c'est bien le Roscius qui a deux filles.

— C'est cela. Il en a une de ton âge à peu près ; une très jolie fille.

— Très jolie, et très gentille, aussi.

Le garçon prit l'air avantageux. Je revis en un éclair le corps de Roscia, vibrant de plaisir, son amant agenouillé à ses pieds. Tiron n'avait peut-être pas été le premier.

— Indique-moi sa maison.

— Je veux bien, mais comme je te dis, ce n'est plus sa maison. Ils en ont chassé Sextus Roscius.

— Quand ça ?

— Il y a deux mois.

— Pour quelle raison ?

— Une loi édictée par Rome. Son père a été proscrit. Tu sais ce que ça veut dire ?

— Je ne le sais que trop.

Il se passa un doigt en travers de la gorge.

— Et après, on te prend toutes tes terres et ton argent.

176

Rien n'est laissé à la famille. Il y a eu des enchères, là-bas à Rome. Mon père aurait bien voulu y participer, surtout pour les terrains mitoyens des nôtres, mais à quoi bon ? Il dit que tout est pipé. Il faut être un ami d'ami de Sylla, ou graisser la patte à l'entrée.

C'était la deuxième fois qu'on me servait cette histoire de proscription. Elle n'avait pas de sens, mais si c'était vrai, cela aiderait à innocenter Sextus.

— Dis-moi, qui y habite maintenant ?

— Le vieux Capito. Il a racheté la maison de famille et les meilleurs champs. Mon père a craché par terre quand il a su qui on aurait pour voisin. Capito a permis à la famille Roscius d'y passer l'hiver. Cela semblait la moindre des choses, qu'il les prenne en pitié. Puis, il les a expulsés pour de bon.

— Et personne d'autre ne pouvait les recueillir ? Sextus Roscius devait avoir des relations, tout de même ?

— Tu serais étonné de la vitesse à laquelle on perd ses amis, quand les ennuis viennent de Rome ; c'est ce que dit mon père. D'ailleurs, c'était un solitaire. Au fond, mon père était ce qu'il avait de plus proche, en tant que voisin et tout. Il a passé quelques jours sous notre toit, avec sa femme et ses filles... (Le garçon baissa la voix. Je vis à son regard qu'il pensait à Roscia.) Il n'est pas resté longtemps dans le pays ; il est parti pour Rome. On dit que le vieux Sextus avait une protectrice influente et qu'il s'est adressé à elle.

Nous continuâmes en silence. Les roues du char à bœufs grinçaient et claquaient dans les ornières ; les esclaves traînaient derrière.

— Tu dis qu'il a été proscrit ?

— Oui.

— Et personne n'a protesté ?

— Bien sûr que si. On a même envoyé une délégation à Sylla. Mais si cela t'intéresse, il vaut mieux parler à mon père.

— Comment s'appelle-t-il ?

– Titus Megarus. Moi, c'est Lucius.

– Et moi, Gordien. Oui, j'aimerais beaucoup rencontrer ton père. À ton avis, comment le prendrait-il si tu ramenais un étranger à dîner ce soir ?

Le garçon prit ses précautions.

– Ça dépend.

– Ça dépend de quoi ?

– On dirait que tu t'intéresses à la propriété de Capito.

– En effet.

– De quel côté es-tu ?

– Pour Sextus, et contre Capito.

– En ce cas, mon père serait heureux de te recevoir.

– Parfait. C'est encore loin ?

– Tu vois la fumée à droite, derrière le rideau d'arbres ? C'est là.

– Tout près, donc. Et la maison de Capito ?

– Un peu plus loin, de l'autre côté de la route, à main gauche. On aperçoit le toit après le tournant.

– Très bien. Tu diras à ton père qu'un homme venu de Rome désire lui parler. Un ami de Sextus Roscius. S'il peut m'accueillir à sa table, je lui en serais très reconnaissant. Et doublement si je peux dormir sous son toit ; un coin dans la grange me suffira. Le prendrait-il mal si je lui proposais de l'argent ?

– Sans aucun doute.

– Alors j'éviterai. C'est ici que nos chemins se séparent.

– Où vas-tu ?

– Rendre visite à ton nouveau voisin. C'est peut-être inutile, mais j'aimerais avoir un aperçu des lieux, et peut-être de l'homme.

Je saluai et repartis au trot.

La maison où Sextus avait grandi et qu'il avait dirigée en l'absence de son père était un exemple magnifique de villa en pleine campagne : trois étages de belles pierres sous un toit de tuiles rouges, entourée de granges et d'étables. On entendait au loin les cloches des troupeaux qui rentraient. Des ouvriers traversaient les vignobles ; une armée de faux scintillait au-dessus des pampres et des vrilles. Au soleil couchant, les lames avaient des reflets couleur de sang.

Un homme aboyait des ordres à un groupe d'esclaves qui s'activaient avec des bêches et des pelles. Sur leurs visages souillés de terre, on lisait l'humiliation de ceux qu'on houspille depuis toujours.

Le maître continuait sans se décourager, allant et venant en gesticulant. Il avait les cheveux blancs et le dos voûté. Par moments, je distinguai son visage balafré, d'où ressortaient deux yeux à l'éclat métallique.

J'approchai en tenant Vespa par la bride et frappai à la porte. L'esclave grand et mince qui m'ouvrit murmura sans oser me regarder que son maître était occupé à l'extérieur.

— Je sais, je l'ai vu dans le jardin. Mais ce n'est pas lui que je cherche.

— Non ? Je regrette, mais ma maîtresse n'est pas non plus disponible.

— Dis-moi, depuis combien de temps es-tu au service de Capito ?

Il fronça les sourcils, comme s'il se demandait si ma question était un piège.

— Pas depuis longtemps.

— Depuis que la maison a changé de mains, n'est-ce pas ? En d'autres termes, tu étais compris dans la propriété.

— C'est exact. Mais, dois-je dire à mon maître...

— Non, écoute-moi : le père de ton ancien maître avait deux esclaves à son service, Félix et Chrestus. Tu vois qui je veux dire ?

— Oui, prononça-t-il en examinant mes pieds, qui semblaient le fasciner.

— Ils étaient en sa compagnie quand le vieil homme a trouvé la mort. Où sont-ils à présent ?

— Ils sont revenus ici quelque temps pour servir Sextus

Roscius, tant qu'il était l'hôte de mon nouveau maître, Capito.

— Et après le départ de Sextus Roscius ? Les a-t-il emmenés avec lui ?

— Pas du tout. Ils sont restés là.

— Et ensuite ?

— Je crois – bien entendu, je n'en suis pas sûr...

— Que dis-tu ? Parle plus fort.

— Je crois que tu devrais voir avec mon maître.

— Je ne pense pas que Capito tienne beaucoup à s'entretenir avec moi. Comment t'appelles-tu ?

— Carus.

Il sursauta et tendit l'oreille, comme s'il avait entendu un bruit dans la maison. Mais cela venait du dehors. On entendait distinctement Capito tempêter, bientôt rejoint par une grosse voix de femme. Cela ne pouvait être que la maîtresse de maison. Apparemment, ils se disputaient devant les esclaves.

— Encore une chose. Sextus Roscius était-il un meilleur maître que Capito ?

Il avait l'air mal à l'aise, comme un homme à la vessie trop pleine. Il eut un hochement imperceptible.

— Accepterais-tu de m'aider si je te disais que je suis un ami de Sextus ? Peut-être le seul ami qu'il lui reste ? Il faut absolument que je le sache : où sont Félix et Chrestus ?

Il eut l'air encore plus malheureux comme s'il allait m'annoncer leur mort. Il regarda derrière lui.

— À Rome. Mon maître les a échangés avec son associé, celui qui a pris possession de la fortune de Sextus Roscius.

— Tu veux dire Magnus ?

— Non, l'autre. (Il baissa la voix.) Le richissime. Félix et Chrestus sont à Rome. Ils appartiennent à la maisonnée d'un homme du nom de Chrysogonus.

En grec, cela veut dire « recouvert d'or » ! Un instant, le nom flotta à mes oreilles et revint soudain me frapper de plein fouet. Sans le vouloir, l'esclave m'avait remis une clef, une clef en or pour ouvrir le mystère du meurtre de Sextus Roscius.

Capito continuait à brailler et sa femme à crier en retour.

– Ne dis rien à ton maître. Tu m'entends ? Pas un traître mot.

Je remontai en selle. Croyant que nous étions arrivés à destination, Vespa s'ébroua et broncha en signe de rébellion. Je lui parlai à l'oreille et chevauchai en surveillant mes arrières. Il ne fallait pas que Capito me voie. Nul ne devait savoir que j'étais passé par ici, ni où j'allais. Chrysogonus, me répétai-je, consterné par l'énormité de la chose. Je tremblai de peur. Certes, le danger me menaçait depuis le début, mais j'avais maintenant des yeux pour le voir.

Je retrouvai la route qui menait chez Titus Megarus. Dans le ciel assombri, le tortillon de fumée s'élevait comme une promesse de confort et de repos. Je pris une petite montée et vis soudain deux cavaliers arriver de la voie Flaminia. Leurs montures allaient au pas, elles paraissaient aussi fourbues que la mienne. Les hommes semblaient somnoler. Ils relevèrent la tête l'un après l'autre à mon approche, et je vis leurs visages.

C'étaient deux grands gaillards, dont la tunique légère laissait à découvert les épaules musclées. Ils avaient le menton rasé. Celui de droite avait les cheveux bruns, des yeux sombres et une bouche cruelle. Il tenait les rênes dans la main gauche. L'autre avait une tignasse couleur paille et l'allure pesante d'une grosse brute. Sur une de ses joues apparaissaient trois griffures rouges parallèles.

Mon cœur se mit à cogner si fort dans ma poitrine que j'eus peur qu'ils ne l'entendent. Ils me regardèrent passer froidement. Je réussis à leur faire un timide salut. Ils ne répondirent pas, gardant les yeux sur la route. Je hâtai le pas. Quand j'osai me retourner en haut de la côte, je vis qu'ils prenaient le chemin de la maison de Capito.

## 3

– Le brun, dit mon hôte, oui, ça doit être Magnus. Il boite depuis des années ; personne ne sait pourquoi au juste. Il en a donné différentes versions : parfois, c'est une catin prise de folie qui l'a attaqué, parfois un mari jaloux, ou encore un ivrogne. Mais il prétend toujours avoir tué le coupable. C'est sans doute la vérité.

– Et l'autre, le grand blond hideux ?

– Mallius Glaucia. Son ancien esclave, devenu son bras droit. Magnus passe beaucoup de temps à Rome, tandis que Capito se consacre à sa propriété ; Glaucia court de l'un à l'autre comme un chien après un os.

La nuit foisonnait d'étoiles. Le clair de lune teintait les collines d'argent à perte de vue. Nous étions assis sur la terrasse de Megarus. Au-delà des hauteurs qui marquaient l'horizon, quelque part coulait le Tibre. Plus près de nous, des lumières disséminées signalaient la ville d'Ameria. À travers les arbres, on devinait l'étage supérieur, pas plus gros que l'ongle, de la maison où Capito, Magnus et Glaucia s'étaient rassemblés pour la nuit. Une unique fenêtre brillait, d'une pâle lumière ocre.

Sans être mondain, Titus Megarus était un hôte parfait. Il était venu m'accueillir en personne, et s'assura immédiatement que Vespa trouverait place à l'écurie. Il évita toute discussion à table, prétendant qu'elles étaient mauvaises

183

pour la digestion. En revanche, chacun de ses enfants chanta à tour de rôle. La nourriture était copieuse et fraîche, le vin excellent. Au fur et à mesure, je me détendis, tant et si bien que je me retrouvai à moitié allongé sur le divan de la terrasse. Dans le péristyle en bas, les femmes et les enfants s'étaient réunis. La fille de Titus chantait aux accents de la lyre. De doux échos montaient jusqu'à nous, portés par la brise du soir. Lucius nous écoutait en silence, à l'invitation de son père.

J'étais si courbatu que je pouvais à peine me mouvoir. Une coupe de vin chaud à la main, je luttai contre le sommeil en contemplant cette vallée paisible où se cachaient de terribles secrets.

— C'est Mallius Glaucia qui est entré chez moi hier après-midi ; les griffes du chat ne laissent aucun doute. Celui-là même qui a chevauché toute la nuit pour prévenir Capito du meurtre de Sextus Roscius. Sans doute obéissait-il au même maître.

— Glaucia ne fait rien sans l'assentiment de Magnus. Il est comme ces marionnettes dans un théâtre d'ombres.

Je fermai les yeux et m'imaginai avec Bethesda à mes côtés. Tiède comme la brise du soir, plus douce que les nuages diaphanes qui errent au clair de lune...

Titus buvait son vin à petites gorgées.

— Sextus est donc à Rome et se retrouve accusé du meurtre de son père ? Je l'ignorais ; je suppose que je devrais passer plus de temps en ville pour bavarder. Et tu es venu démêler le faux du vrai ? Je te souhaite bonne chance. Tu en auras besoin. (Il avait le regard rivé sur la fenêtre éclairée de son voisin.) Magnus et Capito veulent s'en débarrasser à tout prix. Ils n'auront de cesse qu'il soit mort.

Je regardai les étoiles et ne songeai plus qu'à dormir. Mais qui disait que mon hôte serait aussi loquace au matin ?

— Raconte-moi, Titus Megarus...

Entre le vin et la fatigue, je n'avais plus la force d'articuler.

— Te raconter quoi, Gordien ?

— Tout ce que tu sais sur la mort du vieux Roscius, sur la querelle de famille, sur les événements qui ont suivi.

— Un vrai scandale, gronda-t-il. Tout le monde sait qu'il y a quelque chose de pourri dans cette affaire, mais personne n'y peut rien.

— Commençons par le commencement. À quand remonte la brouille entre Sextus et ses cousins ?

— Ils en ont hérité à la naissance. Ils sont tous trois issus du même grand-père : le père de Sextus Roscius était l'aîné de trois garçons. Naturellement, à la mort du grand-père, presque toutes les propriétés sont allées à l'aîné. Tu connais la chanson, parfois on trouve un règlement à l'amiable avec le reste de la famille, sinon, on coupe les ponts. Qui sait les détails sordides de cette succession ? Ce qui est sûr, c'est que la querelle s'est transmise à la seconde génération. Capito et Magnus n'ont cessé de combattre le vieux Sextus, afin de récupérer tout ou partie des biens familiaux. Et d'une manière ou d'une autre, ils ont réussi. À Ameria, quelques naïfs pensent que la Fortune leur a souri. Mais il suffit d'avoir un peu de jugeote pour comprendre qu'ils ont trempé les mains dans le sang, même s'ils ont eu la prudence de se les laver ensuite.

— D'accord. Le père du vieux Sextus hérite de la fortune familiale et laisse les miettes aux autres. Sextus est son héritier direct – un aîné lui aussi ?

— Le seul enfant mâle. Les Roscius ne sont pas prolifiques.

— Bien. Le vieux Sextus hérite, au désespoir des cousins pauvres, Magnus et Capito. Étaient-ils si pauvres que ça ?

— Le père de Capito s'est accroché toute sa vie à une ferme, dont il tirait de modestes revenus. C'est Magnus qui a le plus souffert. Son père a perdu l'unique ferme qu'il possédait, et s'est suicidé. C'est pourquoi Magnus est parti à la ville, pour faire son chemin.

— Des hommes aigris. Si Magnus est allé apprendre la

185

vie à Rome, le crime aura été sa première leçon. Ensuite, dis-moi si je me trompe : le vieux Sextus se marie deux fois, la première union engendre notre ami Sextus. À la seconde, Gaïus naît, tandis que son épouse meurt en couches. Le jeune Sextus prend la responsabilité des terres, tandis que le père s'installe à Rome avec Gaïus. Là-dessus, il y a trois ans, à la veille du triomphe de Sylla, Sextus fait venir son père et son frère à Ameria, et durant leur séjour ici, le petit frère meurt empoisonné. Qu'en ont dit les bonnes langues d'Ameria ?

— Gaïus nous était à peu près inconnu, même si tout le monde pensait qu'il était charmant. Personnellement, je le trouvais un peu trop frivole et précieux. C'est sans doute l'éducation qu'il a reçue, entre les précepteurs et les fêtes...

— Mais son décès – a-t-on accepté la thèse de l'accident ?

— Nul n'en a douté.

— Dans le cas contraire, Magnus et Capito pourraient-ils y être pour quelque chose ?

— Ce serait tiré par les cheveux. À quoi cela aurait-il servi, sinon à faire enrager le vieux ? S'ils voulaient tuer quelqu'un, pourquoi pas Sextus lui-même ? Ou un autre membre de la famille ? Il est vrai que Capito est un homme violent. Il a battu ou poignardé à mort plus d'un esclave. Et l'on dit qu'il a jeté dans le Tibre un parfait inconnu, seulement parce qu'il refusait de lui céder le passage sur le pont, et même qu'il a plongé derrière pour être sûr de le noyer.

— Laissons cela de côté. (Était-ce la brise qui me rafraîchissait ? Je me sentis soudain parfaitement réveillé.) Reprenons en septembre. Sextus Roscius est assassiné à Rome. Des témoins ont vu le meurtrier : un grand type en cape noire, qui boite de la jambe gauche.

— Magnus, évidemment.

— Il semble connaître sa victime. Il est gaucher. Plutôt fort.

— Toujours lui.

– Deux hommes l'accompagnent. Un géant blond.

– Mallus Glaucia.

– Oui. Et l'autre ? L'épicier a parlé d'un barbu. La veuve Polia pourrait les identifier, mais elle refuse de témoigner. De toute façon, c'est Glaucia qui arrive le lendemain matin à l'aube pour porter la nouvelle. Il est en possession d'un glaive sanglant.

– Tiens ? C'est la première fois que j'entends ce détail.

– D'après le tavernier de Narnia, sur la grand-place du marché.

– Ah oui ! Celui qui a un père aveugle. Ils sont aussi débiles l'un que l'autre. Des dégénérés.

– Peut-être. Il paraît que Glaucia est allé tout droit prévenir Capito. Qui donc a le premier informé Sextus Roscius de la mort de son père ? demandai-je en levant un sourcil vers mon hôte.

– C'est moi, en effet. Je l'ai appris le matin, à la fontaine d'Ameria. Quand j'ai rencontré Sextus Roscius, l'après-midi, je ne pouvais pas imaginer qu'il n'était pas au courant. Mais cet air, quand j'ai exprimé mes regrets... Comment dire ? Non pas du chagrin ; tu sais qu'il y avait peu d'amour entre le père et le fils. De l'épouvante, voilà ce que j'ai lu dans ses yeux.

– De la surprise ? Un choc ?

– Pas exactement. Non, plutôt la peur, l'égarement.

– Bref. Le lendemain, un messager officiel arrive de sa maison à Rome.

– Et le surlendemain, la dépouille est acheminée. Les Roscius sont enterrés dans un petit cimetière derrière la villa ; par temps clair, on peut voir les stèles d'ici. Sextus porte son père en terre au huitième jour, et prend le deuil de sept jours – sans en voir le bout.

– Pourquoi ?

– Entre-temps, des soldats sont venus – probablement de Volterra, au nord, où Sylla faisait campagne contre les derniers partisans de Marius. Ils ont proclamé que Sextus Ros-

187

cius père était déclaré ennemi de l'État, qu'il avait été exécuté légalement à Rome, au nom de notre estimé Sylla. Tous ses avoirs seraient vendus aux enchères – les terres, les maisons, les bijoux. Ils ont précisé la date et le lieu de la vente, quelque part à Rome.

– Comment a réagi Sextus fils ?

– Nul ne le sait. Il s'est enfermé dans sa villa, refusant toute visite. Les gens ont commencé à jaser, à dire que c'était peut-être vrai, que son père était bel et bien proscrit. Qui connaissait ses activités à Rome ? Peut-être espionnait-il pour le compte de Marius, peut-être avait-il été démasqué dans un complot contre Sylla.

– Mais les proscriptions avaient officiellement pris fin le 1er juin. Et Roscius est mort en septembre.

– Tu parles comme un avocat. Si Sylla souhaitait sa mort, qu'est-ce qui l'empêchait d'être légale, si la décision venait du dictateur ?

– La vente a-t-elle attiré du monde ?

– Non. Tout le monde savait qu'elle serait truquée. Un ami de Sylla emporterait tous les biens pour une bouchée de pain, et tout autre acquéreur serait refoulé à l'entrée. Crois-moi, nous étions stupéfaits le jour où Magnus et sa bande ont frappé à la porte de Sextus avec un commandement écrit, lui enjoignant de céder sa propriété et de vider les lieux.

– Et il s'est laissé faire si facilement que ça ?

– Il n'y avait pas de témoins. Sauf les esclaves, bien entendu. Tu sais comme les gens adorent broder. D'aucuns racontent que Magnus est arrivé en pleine cérémonie funèbre, qu'il lui a arraché l'encensoir des mains et l'a chassé du sanctuaire à la pointe du glaive. D'autres, qu'il l'a dépouillé de ses habits et a lancé ses chiens à ses trousses sur la route. Sextus ne me l'a jamais confirmé. Il refusait d'en parler, et je n'ai pas insisté.

« En tout cas, Sextus et sa famille ont passé la nuit chez un marchand d'Ameria, tandis que Capito emménageait. Tu imagines les commentaires. Finalement, Capito a mis à la

disposition de Sextus une petite maison qu'on utilise généralement pour les travailleurs saisonniers, durant la moisson.

— Et cela s'est arrêté là ?

— Pas tout à fait. J'ai demandé que l'assemblée des notables d'Ameria se réunisse. Il a fallu beaucoup d'énergie, je
t'assure, pour persuader ces vieilles barbes de faire quelque
chose. Et ce, sous le regard furibond de Capito. Nous avons
pris la décision de protester contre la proscription de Sextus
Roscius, dans l'espoir de laver son honneur et de rétablir
son fils dans ses biens. Capito n'a fait aucune objection.
Sylla avait toujours son campement à Volterra ; nous avons
envoyé dix hommes en délégation pour plaider notre cause,
moi-même, Capito et huit autres...

— Et qu'a dit Sylla ?

— Nous ne l'avons jamais vu. Pour commencer, on nous
a fait patienter pendant cinq jours, comme si nous étions
des barbares en quête de faveurs, et non des citoyens
romains chargés d'une pétition. Mes compatriotes gromme-
laient et s'impatientaient. Chacun serait rentré chez soi si
je n'avais pas insisté. Au bout du compte, on nous a permis
de voir le représentant de Sylla, un Égyptien appelé Chrysogonus. Tu en as entendu parler ? demanda Titus en
voyant ma réaction.

— Oh oui ! Un jeune homme d'une grande beauté, paraît-
il, avec assez d'intelligence et d'ambition pour en tirer
avantage. Il a commencé comme esclave dans les jardins
de Sylla. Mais notre dictateur a le sens de l'esthétique et
ne souhaite pas gâcher la marchandise. Chrysogonus est
devenu son favori. C'était à l'époque où sa première femme
était encore en vie. Le vieil homme a fini par se lasser
du corps de l'esclave, et l'a récompensé par la liberté, les
honneurs et les richesses.

— Je me disais bien qu'il y avait anguille sous roche. On
nous l'a simplement présenté comme un homme influent
qui avait l'oreille de Sylla. J'ai voulu voir le dictateur en
personne, mais ses nombreux aides de camp ont fait non de

la tête, comme si j'étais un enfant, et nous ont conseillé de gagner d'abord ce Chrysogonus à notre cause, lequel intercéderait pour nous.

— Et l'a-t-il fait ?

— Écoute plutôt : une audience nous est accordée, et nous voilà introduits en rang d'oignons devant Sa Grandeur, qui condescend à baisser son regard bleu vers nous. Puis à esquisser un sourire. Je jure que tu n'as jamais vu un sourire pareil ; comme si Apollon lui-même était descendu sur terre. Distant, mais sans froideur, un peu comme s'il avait pitié de nous, pauvres mortels.

« Il incline la tête, il regarde, il sourit, et nous avons le sentiment qu'un être supérieur nous fait l'honneur de reconnaître notre existence. Il écoute notre pétition, puis chacun y va de son couplet, sauf Capito qui se tient en retrait, silencieux comme une tombe. À la suite de quoi, Chrysogonus se lève, écarte une boucle dorée de son front et se met à réfléchir. C'en est presque gênant, pour nous, hommes du commun, de partager la pièce avec la perfection faite homme !

« Il déclare que nous sommes de braves citoyens épris de justice. Le cas que nous décrivons est rarissime, mais hélas, trois fois hélas, il s'est trouvé une poignée d'hommes proscrits par erreur. À la première occasion, il présentera notre requête au grand Sylla lui-même. En attendant, nous devons faire preuve de patience. Le dictateur de la République a d'autres soucis, dont le moindre n'est pas d'éradiquer les derniers vestiges de la conspiration de Marius. Dix têtes opinent comme un seul homme, dont la mienne. Je me souviens avoir pensé : que serait-ce devant Sylla, si son porte-parole nous intimide à ce point ?

« Je ne sais comment, je prends mon courage à deux mains pour exiger des éléments de réponse avant notre départ. Chrysogonus pose les yeux sur moi et hausse un sourcil, comme on regarde un esclave assez impertinent pour vous interrompre pour un détail. "C'est entendu", laisse-t-il tomber, en assurant qu'il veillera personnellement à ce que le nom de Sextus Roscius soit effacé des listes et que ses propriétés soient regroupées et léguées à son fils. "Il faudra être patient, répète-t-il, car la justice suit son cours lentement à Rome, mais jamais contre la volonté du peuple."

« Puis il regarde Capito, sachant apparemment qu'il a récupéré une partie des biens confisqués. Il lui demande s'il ne s'opposera pas à une telle décision de justice, allant contre ses intérêts. Capito se récrie qu'il est attaché au droit romain et qu'il sera heureux de restituer les biens acquis à l'héritier légitime, s'il apparaît que feu son cousin Sextus Roscius n'a jamais été l'ennemi de l'État ni du bien-aimé Sylla.

« Ce soir-là, nous avons dîné d'un agneau rôti dans une auberge de Volterra, nous avons bien bu et bien dormi, et nous sommes rentrés le lendemain à Ameria. »

— Que s'est-il passé ensuite ?

— Rien. Sylla et son armée ont regagné Rome peu de temps après.

— Aucune nouvelle de Chrysogonus ?

— Aucune. (Titus haussa les épaules d'un air coupable.) Tu sais ce que c'est. Je suis un fermier, pas un homme politique. On a laissé pourrir la situation. J'ai écrit une lettre en décembre, une autre en février. Sans réponse. Peut-être Sextus lui-même aurait-il obtenu quelque chose ? Mais il était plus sauvage que jamais. Il se terrait chez lui avec les siens. Personne n'entendait plus parler d'eux, comme si Capito les avait faits prisonniers dans cette petite maison. Que veux-tu, si un homme n'est pas capable de se défendre, ses voisins ne vont pas le forcer.

— Combien de temps a duré cette situation ?

— Jusqu'en avril. Quelque chose a dû casser entre Sextus et Capito. Au milieu de la nuit, Sextus est arrivé chez moi avec sa femme et ses deux filles, dans un vulgaire char à bœufs, leurs affaires à la main, sans même un esclave pour les aider. Il m'a demandé l'hospitalité pour la nuit. Je la lui ai accordée, bien sûr, et même plus, puisqu'ils sont restés quatre ou cinq nuits, je crois.

— Trois, fit une voix.

C'était Lucius dont j'avais presque oublié la présence. Il était assis contre le muret de la terrasse, les genoux relevés contre la poitrine. Un vague sourire errait sur ses lèvres.

— Mettons trois. Cela m'a paru plus long. Sextus Roscius traînait son désespoir avec lui. Ma femme se plaignait qu'il nous porterait malheur. Sans parler de la jeune Roscia... (Il baissa la voix.) Sa fille aînée. Pas exactement une bonne fréquentation pour des jeunes gens.

Il jeta un regard à Lucius, qui contemplait la lune.

— Puis Servius est parti pour Rome, disant que la protectrice de son père aurait peut-être de l'influence sur Sylla. Il n'a pas mentionné de procès. Je me suis dit qu'il était suffisamment désespéré pour aller solliciter ce Chrysogonus lui-même.

— Tu ne seras pas étonné d'apprendre que Chrysogonus a personnellement bénéficié du dépecage des terres de Sextus.

— Par les dieux ! Quelle infamie ! Et comment le sais-tu ?

— Un esclave nommé Carus me l'a appris tout à l'heure. Il habite chez Capito.

— Ce qui veut dire qu'ils étaient tous trois de mèche dès le départ, Capito, Magnus et Chrysogonus.

— On dirait.

— C'était donc ça ! Et quiconque prenait la défense de Sextus se heurtait à un mur. C'est encore pire que je ne pensais. Et maintenant ils accusent Sextus du meurtre de son père ! Ils ont perdu la tête. Ils vont trop loin. C'est absurde, d'une cruauté incroyable !

La lune était déjà blanche et grasse ; dans six jours elle serait pleine et Sextus passerait en jugement. Je tournai mes yeux fatigués vers la fenêtre de la villa de Capito. Pourquoi veillaient-ils ? Magnus et Glaucia devaient être aussi harassés que moi. Que complotaient-ils encore ?

— Quand bien même, dis-je (j'avalais mes mots en bâillant), quand bien même, il manque un élément. Quelque chose qui empêche que cette histoire ait un sens. Quelque chose d'encore plus infâme que ce que tu crois.

## 4

J'ouvris l'œil en suffoquant de chaleur ; il faisait nuit noire. Malgré ma bouche sèche, je me sentais frais et dispos. J'avais dormi d'un sommeil sans rêves. Je restai un moment allongé sur le dos, jouissant de sentir la vie couler à l'intérieur de mes membres. Je réussis péniblement à m'asseoir et à poser les pieds par terre. Je payai le prix de la chevauchée de la veille.

La porte de ma petite chambre grinça. Lucius passa la tête.

— Ce n'est pas trop tôt, dit-il comme un enfant qui imite ses parents, par deux fois j'ai essayé de te réveiller, sans même te faire pousser un grognement. On est debout depuis des heures.

— Est-il si tard que ça ?

— Midi pile. Je rentre d'une course en ville et j'ai vu le cadran solaire dans le jardin. Je suis monté voir si tu dormais encore.

Je regardai autour de moi.

— Mais comment suis-je arrivé ici ? Et qui m'a déshabillé ?

Je me baissai en gémissant pour ramasser ma tunique tombée par terre.

— Père et moi t'avons porté, tu ne te souviens pas ? Un vrai sac de briques. Et impossible d'arrêter tes ronflements.

— Je ne ronfle jamais. (C'est Bethesda qui me l'avait dit.)

195

– Passons. La vieille Naia a lavé tes habits avant de se coucher. Il fait tellement chaud qu'ils sont déjà secs.

Une fois habillé, je retournai à la fenêtre. Pas un souffle de vent. Des esclaves travaillaient aux champs. La cour en bas était déserte, excepté une petite fille qui jouait avec un chaton.

– C'est impossible. Jamais je ne serai de retour à Rome dans la journée...

– Bonne nouvelle !

C'était Titus Megarus, dont la silhouette austère se découpait derrière son fils.

– Je suis allé voir ta jument ce matin. Est-ce dans tes habitudes de monter jusqu'à ce que mort s'ensuive ?

– Ce n'est pas dans mes habitudes de monter tout court.

– Ça se voit. Un cavalier digne de ce nom ménage sa monture. Tu ne penses pas sérieusement à reprendre Vespa aujourd'hui ?

– Si.

– Je ne saurais le permettre.

– Et je repars comment ?

– Tu prendras l'un de mes chevaux.

– Le maître de poste sera furieux.

– J'y ai pensé. Tu m'as dit hier soir que le procès de Sextus était prévu pour les ides ? Je viendrai à Rome un jour plus tôt, et la lui ramènerai. Si cela peut aider, j'irai trouver cet avocat, Cicéron, pour lui raconter ce que je sais. S'il veut m'appeler à la barre des témoins, je suis prêt à comparaître, même devant Sylla. Et avant que j'oublie, prends ceci.

Il sortit un rouleau de parchemin de sa tunique.

– Qu'est-ce que c'est ?

– La pétition que l'assemblée des notables d'Ameria a présentée au dictateur – à Chrysogonus en fait – pour protester contre la proscription de Sextus Roscius. L'original doit être quelque part au Forum, mais tu sais la tendance qu'ont ces documents à disparaître, quand ils deviennent gênants. C'est une copie officielle, qui porte toutes nos signatures, y compris celle de Capito. Elle sera plus utile entre les mains de Cicéron que dans mon coffre.

« Le cheval que je te prête ne vaut pas le tien ; mais il suffira d'aller deux fois moins vite. J'ai un cousin à mi-chemin entre ici et Rome. Tu pourras y passer le nuit. Il me doit un service, alors n'hésite pas à te rassasier à sa table ! Si tu es si pressé, tu pourras toujours le convaincre d'échanger un cheval contre un autre et d'aller à bride abattue jusqu'à Rome. »

Je haussai les sourcils, puis acquiesçai. Titus se détendit. C'était un vrai Romain, habitué à donner des leçons et à faire la loi chez lui. Son devoir accompli, il sourit en ébouriffant les cheveux de son fils.

— Et toi, va te laver la figure et les mains avant de passer à table !

La famille au complet s'était rassemblée à l'ombre d'un grand figuier pour le déjeuner. En plus du fils et des deux filles de Titus, deux beaux-frères, l'un d'eux accompagné de sa femme et ses enfants, les deux grands-mères et un grand-père assistaient au repas ce jour-là. Les enfants couraient en tous sens, les femmes étaient assises dans l'herbe, et deux esclaves circulaient pour faire le service. La femme de Titus, adossée contre le tronc, donnait le sein au petit dernier, tandis qu'une sœur chantait une comptine qui s'égrenait comme le murmure du ruisseau à proximité.

Titus me présenta aux autres hommes, assis sur des chaises. Ils semblaient au courant de ma visite : après quelques sarcasmes à propos de Capito, Magnus et leur acolyte, Glaucia, ils me laissèrent entendre que je pouvais compter sur leur discrétion. Bientôt, la conversation roula sur les semailles et les moissons. Titus se rapprocha de moi.

— Si tu comptais faire un tour chez Capito avant de partir, tu risques d'être déçu.

— Comment cela ?

— J'ai envoyé Lucius en ville ce matin. Il les a croisés tous trois en rentrant. Il semblerait qu'ils partent à la chasse dans une autre propriété de Capito près du Tibre. Ils ne seront certainement pas de retour avant la nuit.

— La femme de Capito est donc seule chez elle.

— Lucius a entendu dire qu'ils s'étaient horriblement disputés hier et qu'elle a quitté le domicile pour rejoindre sa fille à Narnia. Ce qui veut dire qu'il n'y a personne, à part un vieux régisseur que Capito a hérité de Sextus. Il boit toute la journée et déteste son nouveau maître. Je te dis ça au cas où tu aurais affaire là-bas. Évidemment, cela tombe mal que Capito, sa femme et ses amis se soient absentés !

À vrai dire, je quittai Titus Megarus sans l'intention de m'arrêter chez Capito. J'avais appris ce que je voulais savoir en venant à Ameria ; je repartais même avec une pétition pour soutenir Sextus. Mes pensées étaient tournées vers Rome, vers Bethesda ; Cicéron et Tiron ; la rue de la Maison aux Cygnes. Je me remémorai avec un sentiment de malaise la veuve Polia, et souris en pensant à Electra, la prostituée ; puis soudain je tournai bride et me dirigeai vers la maison de Capito.

Carus fit la grimace en me revoyant à la porte, comme si j'étais un démon venu le tourmenter.

— Quelque chose ne va pas ? fis-je en m'introduisant directement dans le vestibule.

Les murs étaient nouvellement badigeonnés de rose. Sur le damier noir et blanc au sol, on voyait des traînées de sciure, et toute la pièce résonnait des échos d'une maison en cours de rénovation.

— Tu devrais te sentir en vacances, en l'absence de tes maîtres !

Son visage se tordit comme s'il allait mentir, mais il se ravisa.

— Qu'est-ce que tu veux ?

— J'aimerais savoir ce qu'il y avait ici, dis-je en m'approchant d'une niche qui contenait une très mauvaise copie d'un buste d'Alexandre, ridiculement prétentieuse — le genre de chose qu'un bandit de grand chemin dérobe dans les villas des gens riches dénués de goût.

— Un bouquet de fleurs, répondit Carus. Il y avait un vase en argent que ma maîtresse remplissait de fleurs du jardin. Ou quelquefois au printemps, les filles rapportaient des brassées de fleurs sauvages...

— Le régisseur est-il déjà soûl ?

Il me jeta un regard soupçonneux.

— Analeus est rarement à jeun.

— Alors devrais-je demander : est-il encore conscient ?

— Oui, il l'est, je suppose. Il y a une petite maison au coin de la propriété où il aime à se réfugier, quand il en est encore capable.

— Celle qu'habitait Sextus et sa famille après leur éviction ?

Le regard vira au noir.

— Exactement. J'ai vu Analeus qui se dirigeait de ce côté-là après le départ du maître. Il a emmené une bouteille et une jeune esclave qui travaille dans les cuisines. Ça devrait l'occuper toute la journée.

— Parfait.

Je passai dans la pièce suivante. Elle était jonchée de détritus. Sans doute y avait-on donné une fête, du genre de celles que trois rustauds donneraient en l'absence de leur femme. Une esclave timide tâchait de mettre de l'ordre dans le chaos indescriptible qui régnait. Elle évita de croiser mon regard.

Un portrait de famille était accroché bien en évidence sur le mur. Je reconnus Capito à ses cheveux blancs et à son expression hargneuse. Il était flanqué d'une matrone à l'air sévère, affublée d'un gros nez. Des rejetons montés en graine les entouraient avec leurs conjoints.

— Comme je les hais, chuchota Carus. Il n'y en a pas un pour racheter l'autre. C'est la première chose qu'ils ont faite en arrivant ; ils ont fait venir le peintre de Rome ; si pressés qu'ils étaient de fixer leur triomphe pour la postérité.

Je le regardai avec surprise. Ses lèvres se mirent à trembler comme s'il avait la nausée.

— Je ne peux pas te dire ce que j'ai vu depuis. L'avarice, la vulgarité, la cruauté gratuite. Sextus Roscius n'était peut-être pas le meilleur des maîtres, et la maîtresse avait ses humeurs, mais ils ne m'ont jamais craché au visage. Et si Sextus Roscius était un père terrible pour ses filles, cela ne me regardait pas. Ah, les demoiselles étaient toujours si gentilles. Comme j'avais pitié d'elles !

— Un père terrible ? Que veux-tu dire ?

Carus ignora ma question et se détourna du tableau.

— Que cherches-tu ici ? Qui t'envoie ? Sextus Roscius, ou sa protectrice à Rome ? Pourquoi es-tu venu ? pour les tuer pendant leur sommeil ?

— Je ne suis pas un tueur.

— Alors que fais-tu ici ?

De nouveau, il prenait peur.

— Je suis venu te poser une question.

— Oui ?

— Sextus Roscius père fréquentait une prostituée à Rome. Il s'y était attaché. Une jeune fille aux cheveux de miel, charmante, elle s'appelait...

— Elena.

— Oui.

— Ils l'ont ramenée ici peu de temps après le meurtre du vieux.

— Qui ça, *ils* ?

— Je ne me rappelle plus bien. On n'y comprenait plus rien avec ces histoires de proscription. Magnus et Mallius Glaucia, je suppose.

— Et qu'ont-ils fait d'elle ?

— Que n'ont-ils pas fait d'elle, tu veux dire.

— Est-ce qu'ils l'ont violée ?

— Oui. Pendant ce temps-là Capito regardait. Et riait. Il avait fait venir des boissons et de la nourriture des cuisines. Les servantes étaient folles de terreur. J'ai proposé de faire le service ; il m'a frappé avec un fouet et a juré qu'il me couperait les couilles. Sextus était furieux quand je lui ai raconté. À l'époque, il était encore reçu à la maison. Il se disputait constamment avec Capito, ou bien s'enfermait là-bas dans sa petite maison. Je sais qu'Elena était un sujet de discorde.

— Sa grossesse se voyait-elle ?

Il avait l'air choqué que j'en sache autant sans être l'un des leurs.

— Bien sûr, jeta-t-il. En tout cas quand elle était nue. Ne vois-tu pas ? C'était tout l'intérêt. Magnus et Glaucia se vantaient de la faire avorter s'ils la prenaient tous les deux en même temps.

— Et l'ont-ils fait ?

— Non, après ça, ils l'ont laissée tranquille. Peut-être que Sextus est intervenu, je ne sais pas. On l'a mise en cuisine à travailler avec les autres. Mais elle a disparu juste après son accouchement.

— Quand était-ce ?

— Il y a environ trois mois.

— L'auraient-ils emmenée à Rome ?

— Peut-être. Ou alors ils l'ont tuée. Elle ou son bébé. Ou les deux.

— Qu'est-ce qui te fait dire ça ?

— Viens, je vais te montrer.

Sans un mot, il me conduisit à travers champs et prit un chemin à travers les vignes où des esclaves dormaient à l'ombre. Un sentier menait au cimetière de famille au sommet d'une petite colline.

— Voici. La terre est encore fraîche. Le vieux Roscius est enterré à côté de son fils.

Il désignait deux tombes. La plus ancienne était ornée d'un bas-relief délicat, représentant un berger entouré de satyres et de nymphes ; je lus les mots « Gaïus, fils bien-aimé, don des dieux ». La plus récente portait une simple plaque qui avait l'air provisoire.

201

— On voit bien comme son père chérissait Gaïus. C'est magnifique, n'est-ce pas ? Quant au vieux, il n'a rien qu'une tombe de vagabond. Sextus avait l'intention de lui commander une stèle, avec son portrait. Tu peux être sûr que Capito ne va pas faire la dépense.

Il porta les doigts à ses lèvres et sur chaque pierre, en signe de respect pour les morts, puis me désigna un endroit plus loin.

— Et voilà la tombe qui est apparue après la disparition d'Elena.

Il n'y avait rien qu'un monticule de terre et une pierre pour marquer l'emplacement.

— Nous l'avons entendue qui accouchait la nuit précédente, hurlant de douleur. Peut-être Magnus et Mallius lui avaient-ils fait subir des sévices, après tout. Au matin, Sextus a forcé l'entrée de la maison et coincé Capito dans son bureau. Ils se sont enfermés. Je les ai entendus qui criaient, puis ils ont discuté longuement sans faire de bruit. Ce jour-là, Elena a disparu je ne sais où. La fosse est petite, non ? Mais un peu grande pour un bébé. Elena était menue. Qu'en penses-tu ? Peut-on y mettre une fille et son bébé ?

— Je n'en sais rien.

— Moi non plus. Et personne ne va nous l'apprendre. Mais à mon avis, l'enfant est mort-né. Ou ils l'ont tué.

— Et Elena ?

— Ils l'auront emmenée chez Chrysogonus. C'est du moins le bruit qui courait parmi les esclaves.

— Ou bien Elena est morte et enterrée, alors que l'enfant vit.

Carus se contenta de hausser les épaules et tourna les talons.

C'est ainsi que je quittai Ameria encore plus tard que prévu. Je suivis le conseil de Titus Megarus et passai la nuit chez son cousin. En chemin, je ne pus m'empêcher de repenser à ma conversation avec Carus, et curieusement, les paroles qui me chiffonnaient ne concernaient ni Elena et son bébé, ni Capito et sa famille, mais ce qu'il avait dit de son ancien maître, qu'il était « un père terrible pour ses filles ». J'étais perturbé et me creusais la cervelle en y songeant, quand le sommeil me surprit.

## 5

J'atteignis Rome en début d'après-midi et fonçai chez Cicéron. Malgré la température, il faisait frisquet dans son bureau.

— Où étais-tu passé ? lança-t-il en arpentant la pièce, les yeux fixés sur l'atrium où un esclave accroupi désherbait.

Tiron était assis à une table couverte de parchemins déroulés, tenus par des poids. Rufus réfléchissait dans un coin, le menton dans la main. Ils me jetèrent un regard de sympathie, montrant par là que je n'étais pas le premier à essuyer la colère de Cicéron. Il ne restait que quatre jours avant le procès. Pour son coup d'essai, les choses ne se présentaient pas bien.

— Tu n'es pas sans savoir que je suis parti pour Ameria. J'avais prévenu Tiron.

— C'est cela. Tu disparais en nous laissant toute l'affaire sur les bras. Tu devais rentrer hier.

Il eut un petit renvoi et grimaça en se tenant le ventre.

— J'avais dit à Tiron que je serais absent pour la journée, peut-être plus. Tu te moques peut-être de savoir que ma maison a été saccagée depuis notre dernière entrevue, que je n'ai pas pris la peine de passer voir si ces brigands étaient revenus, qu'ils ont molesté mon esclave et trucidé ma chatte — ce qui te paraîtra un détail, mais dans un pays civilisé comme l'Égypte, constitue un mauvais présage.

Tiron était horrifié, Cicéron avait l'air d'avoir mal à l'estomac.

— Ta maison a été saccagée, la veille de ton départ ? Mais cela n'a aucun rapport avec ce que tu fais pour moi. Comment aurait-on appris... ?

— Je n'en sais rien, mais le message en lettres de sang est clair : « Tais-toi ou meurs. Que la justice romaine suive son cours. » C'était de bon conseil. J'ai dû incinérer ma chatte, cacher mon esclave et engager un garde pour surveiller ma maison. Quant à cette escapade, je t'invite à faire l'aller retour en deux jours à Ameria pour voir si cela améliore ton humeur. Je souffre tellement du dos que je ne tiens plus debout, j'ai des coups de soleil sur les bras et l'impression qu'un Titan m'a envoyé rouler comme une paire de dés.

Le menton de Cicéron tremblait. Il allait répliquer. Je lui imposai le silence d'un geste de la main.

— Attends, ne te donne pas la peine de me remercier pour les sacrifices que je fais pour toi. Asseyons-nous calmement et discutons auparavant de mes dernières découvertes. Je t'engage à nous faire servir quelque chose de désaltérant, ainsi qu'un repas consistant pour un homme qui a un estomac d'autruche et qui voyage depuis l'aube. Tu me remercieras après.

Ce qu'il fit avec effusion, une fois mon récit achevé. Son indigestion était terminée. Il alla même jusqu'à trinquer avec nous. Question finances, je le trouvai parfaitement disposé : non seulement il réglerait les frais supplémentaires en tout genre, mais il se proposait d'engager un garde professionnel pour veiller sur mon domicile, et ce jusqu'à la fin du procès. Quand je produisis la pétition, je crus qu'il ferait de moi son héritier.

Tout au long de mon discours, j'observais Rufus. Sylla était son beau-frère après tout, et il pouvait en prendre ombrage, même si l'épisode de Volterra concernait surtout Chrysogonus. Si j'avais pu penser une seconde que Rufus m'avait trahi, ses yeux noisette et son air innocent m'en dissuadèrent. Que Sylla apparaisse sous un mauvais jour ne semblait pas lui déplaire.

Au moment d'élaborer une stratégie, Rufus était impatient de se rendre utile. Maintenant que j'avais découvert la vérité, je suggérai qu'il m'accompagne chez Cæcilia Metella pour une seconde confrontation avec Sextus Roscius. Je voulais percer sa coquille, et trouvai plus approprié d'arriver chez la protectrice non en inquisiteur solitaire, mais comme un humble visiteur en compagnie de son jeune ami.

Tiron consignait les grandes lignes de mon compte rendu. Il dressa l'oreille au nom de Cæcilia, et essaya de trouver un prétexte pour nous accompagner. Naturellement, il pensait à la jeune Roscia et semblait de plus en plus agité au fur et à mesure que le moment du départ arrivait, mais il ne dit pas un mot.

– À propos, j'aimerais pouvoir emmener Tiron, dis-je. J'ai besoin de me rafraîchir la mémoire sur certains détails relatifs à notre enquête de l'autre jour, sur la Maison aux Cygnes, notamment.

Le visage de Tiron s'illumina.

– Ah, je voulais justement prendre des notes et faire quelques observations sur ton compte rendu, répliqua Cicéron, je me débrouillerai sans lui.

Dans son exaltation à la perspective d'une victoire à la tribune du Forum, Cicéron mordit dans un quignon de pain.

J'avais menti ; je n'avais rien à dire à Tiron. C'est avec Rufus que je discutai en chemin, tandis qu'il traînait derrière, le regard dans le vague.

J'avais à peine remarqué Rufus la première fois que je l'avais rencontré. Les personnes qui se trouvaient là l'éclipsaient : appartenant à la noblesse, Cæcilia avait plus de prestige ; Cicéron le surpassait en érudition ; pour l'exubérance de la jeunesse, personne n'égalait Tiron. Au cours de ce tête à tête avec Rufus, je fus impressionné par sa réserve, ses manières et la vivacité de son esprit. Apparemment, Cicéron s'était déchargé sur lui de toute la procédure judiciaire. En traversant le Forum, Rufus saluait ses connaissances, témoignait de la déférence à l'égard de ses aînés, était moins guindé avec ceux de son âge ou d'une classe inférieure. Bien que n'ayant pas revêtu la toge virile, il était visiblement connu et respecté de maints notables.

À Rome, on mesure l'importance d'un homme à celle de sa suite. Le train de Crassus est légendaire, il circule accompagné de gardes, d'esclaves, de secrétaires, d'augures et de gladiateurs. Nous sommes en République, après tout, et la quantité plus que la qualité attire l'attention.

Je compris tout à coup qu'on nous prenait, Tiron et moi, pour l'escorte de Rufus. Cela me fit bien rire.

Rufus semblait lire dans mes pensées.

— Mon beau-frère a pris l'habitude de se déplacer sans la moindre suite, pas même un garde du corps. En prévision de sa retraite, dit-il, et de son retour à la vie privée.

— Est-ce bien sage ? demandai-je.

— Sylla estime que sa gloire est telle qu'il n'a plus besoin d'impressionner les autres. Ses compagnons pâlissent à ses côtés, comme des chandelles à la lumière du soleil.

— Et tandis qu'on peut souffler une chandelle, nul ne peut éteindre le soleil...

— ... qui se passe de garde du corps. Sylla se proclame Favori des dieux — comme s'il avait épousé la déesse elle-même. Il se croit béni des dieux. Qui ne serait pas d'accord ?

Rufus avait pris l'initiative de parler franchement de l'époux de sa sœur.

— Tu ne sembles pas le porter dans ton cœur, commentai-je.

— J'ai le plus profond respect pour lui. C'est un grand homme, assurément. Je préfère ne pas être dans la même pièce que lui, voilà tout. Je ne sais ce que Valeria lui trouve ; mais elle l'aime sincèrement. Elle est impatiente de porter son fils ! Elle ne fait qu'en parler au gynécée. Étant la favorite du Favori des dieux, elle devrait arriver à ses fins !

— Tu as appris à le connaître.

— Exactement.

— Et son entourage ?

— Tu veux me parler de Chrysogonus.

— Oui.

— Tout ce qu'on raconte est vrai. Bien entendu, il n'y a plus que de l'amitié entre eux deux. On dit que Sylla est volage en amour, mais il n'abandonne jamais ses amants ; il ne retire pas son affection une fois qu'il l'a donnée. Sylla est avant tout constant, comme ami ou comme ennemi. Quant à Chrysogonus, si tu le voyais, tu comprendrais. Parfois, les dieux se plaisent à mettre l'âme d'un lion dans le corps d'un agneau.

— Un agneau féroce alors ?

— Oublie l'agneau. Sylla lui a tondu la toison ; il lui en est repoussé une nouvelle d'or pur. Elle sied à Chrysogonus. Il est très riche, très puissant, et sans pitié. De plus, il est beau comme un dieu.

— Tu sembles apprécier le protégé encore moins que le maître.

— Ai-je dit que je n'appréciais pas Sylla ? Ce n'est pas si simple. C'est un grand personnage. L'attention qu'il me porte est flatteuse, même si c'est inconvenant venant du mari de ma sœur. (Il me coula un regard en coin, il avait l'air beaucoup plus vieux que son âge.) Crois-tu que Cæcilia plaisantait ou divaguait quand elle me suggérait de lui faire du charme pour tirer d'affaire Sextus Roscius ? (Il pinça les narines.) Avec Sylla ? Tu imagines !

Nous croisâmes un groupe de sénateurs. Rufus s'arrêta pour faire la conversation. On lui demandait des nouvelles de ses études ; ils avaient appris par Hortensius qu'il travaillait à une affaire jugée devant les Rostres. Rufus était parfait : charmant et serviable, à la fois modeste et sûr de lui. Cependant je le sentais observateur, critique, comme s'il prenait ses distances par rapport aux convenances. Cicéron avait bien raison d'être fier de son protégé ; je me demandais même si les rôles n'étaient pas inversés – Cicéron prenant des leçons de comportement auprès du jeune noble pour sortir de l'anonymat de sa naissance campagnarde.

Rufus continua, comme si nous n'avions jamais été interrompus :

– Justement, je suis invité demain soir chez Chrysogonus. Il habite le Palatin, non loin de chez Cæcilia. Sylla et son cercle d'intimes y seront ; Valeria, non. J'ai reçu un message du dictateur encore ce matin, qui m'engage à venir : « Il est temps que ton éducation d'homme commence. Que ce soit parmi l'élite de Rome. » Le croirais-tu, il s'agit de ses amis de la scène, tous acteurs, comédiens ou acrobates ! Ou des esclaves qu'il a fait citoyens, pour remplacer ceux qu'il a fait décapiter... Mes parents me pressent d'y aller ; Valeria et Hortensius trouvent que ce serait idiot de rater cette occasion.

– Moi aussi, fis-je tranquillement, prenant ma respiration pour commencer l'ascension du Palatin.

– Et parer les avances de Sylla toute la nuit ? Pour cela, il faudrait être au moins acrobate ou acteur !

– Fais-le pour Sextus Roscius et sa défense. Fais-le pour Cicéron.

À ce nom, son visage redevint sérieux.

– Que veux-tu dire ?

– J'ai besoin d'aller chez lui. Je cherche les anciens esclaves de Sextus Roscius. Je voudrais les interroger. Ce serait plus facile si j'avais un ami dans la place. Est-ce un hasard si cette fête coïncide avec nos besoins ? Une déesse veille sur nous.

– Fortune, et non Vénus, j'espère.

— Si c'est la vérité, dis-je en regardant Sextus droit dans les yeux, si l'histoire de Titus Megarus est authentique, pourquoi nous l'avoir cachée ?

Nous étions assis dans la même pièce sordide que la dernière fois, sauf que Cæcilia Metella nous accompagnait. L'idée que son cher Sextus ait été proscrit était grotesque, disait-elle. Elle tenait à entendre ce que le fils de son ancien ami avait à dire sur le sujet.

Sextus soutint mon regard jusqu'au bout, sans ciller une seule fois. Je crus voir l'ombre d'un sourire quand il finit par cligner des yeux. Je commençai à me demander si je n'avais pas affaire à un dément.

— C'est la vérité, mot pour mot.

— Pourquoi ne pas en avoir informé Cicéron ? Avais-tu prévenu Hortensius ?

— Non.

— Mais comment ces hommes peuvent-ils te défendre si tu ne les mets pas au courant ?

— Je ne leur ai rien demandé. C'est elle, fit-il en désignant avec insolence Cæcilia Metella.

— Préfères-tu te passer d'avocat ? coupa Rufus. Crois-tu avoir une chance, seul devant les Rostres, face à un accusateur tel que Gaïus Erucius ?

— Je n'ai pas plus de chances maintenant. Si je leur échappe au tribunal, ils me retrouveront et arriveront à leurs fins, comme ils y sont parvenus avec mon père.

— Pas nécessairement, objecta Rufus. Pas si Cicéron arrive à dévoiler les mensonges de Magnus et de Capito au tribunal.

— Pour ce faire, il lui faudrait impliquer Chrysogonus, n'est-ce pas ? On ne peut pas attraper les puces sans attraper le chien, ni tenir en main la laisse du maître. Le chien peut mordre, et le maître n'acceptera pas d'être publiquement mis en cause par un avocaillon. Même s'il gagne le procès, ton précieux « Pois Chiche » finira la tête sur une pique. Ne me dis pas qu'il existe un seul avocat à Rome prêt à cracher à la figure de Sylla ! Et s'il existe, il est bien trop bête pour assurer correctement ma défense...

Rufus et Tiron étaient exaspérés : comment pouvait-on traiter Cicéron de la sorte, leur Cicéron ? Mais Sextus n'avait pas tort. C'était une cause dangereuse, sinon perdue. J'avais reçu des menaces de mort (que j'avais passées sous silence exprès sous le toit de Cæcilia). S'ils avaient épargné Cicéron, c'est qu'il n'était pas en première ligne dans l'enquête, et qu'il avait des relations plus haut placées que moi.

Reste que les paroles de Roscius manquaient de sincérité. Certes, son cas était désespéré. Mais qu'est-ce que cela pouvait bien faire, puisque l'autre solution était une mort hideuse ? En se battant, en nous armant des preuves pour démontrer son innocence et la culpabilité de ses persécuteurs, il avait tout à gagner : sa vie, son équilibre mental, peut-être même la révocation de la proscription et la restitution de ses terres. Avait-il touché le fond du désespoir pour être paralysé à ce point ? Un homme peut-il être démoralisé au point de souhaiter la défaite et la mort ?

— Sextus Roscius, aide-moi à comprendre. Tu apprends la mort de ton père peu après l'événement. La dépouille est acheminée à Ameria et tu procèdes aux rites funéraires. Sur ce, des soldats arrivent et annoncent qu'il a été proscrit, qu'il s'agit d'une exécution et non d'un meurtre, que ses propriétés sont confisquées. Tu es chassé avec ta famille et tu te réfugies chez des amis au village. Une vente aux enchères a lieu à Rome ; Capito, ou, plus vraisemblablement, Chrysogonus rachète les biens. Connaissais-tu alors les assassins de ton père ?

— Non.

— Tu devais bien avoir des soupçons ?

— Oui.

— Bon. Une fois Capito dans la place, il t'invite à revenir et t'offre une masure dans un coin du domaine. Comment as-tu pu supporter une telle humiliation ?

— J'étais impuissant. La loi est la loi. Titus Megarus et

les représentants des notables étaient partis en délégation auprès de Sylla. Il ne me restait plus qu'à attendre.

– Pour finir, Capito t'expulse définitivement. Pour quelle raison ?

– Je crois qu'il ne me supportait plus. Peut-être se sentait-il coupable.

– Mais tu avais compris, sans l'ombre d'un doute, que Capito était impliqué dans le meurtre de ton père. L'as-tu menacé ?

Il détourna les yeux.

– Nous n'en sommes jamais venus aux mains, malgré des discussions violentes. Je l'ai prévenu qu'il était stupide de s'installer dans ma villa, qu'on ne lui permettrait jamais de la garder. Il répliqua que je n'étais qu'un mendiant, que je devrais lui baiser les pieds pour l'aumône qu'il me faisait. (Ses mains se crispèrent si fort sur les accoudoirs que les jointures étaient toutes blanches.) Je crèverais avant de retrouver mes terres, m'assura-t-il. J'avais de la chance d'être encore en vie. Il m'a chassé ; c'est ce qu'on aurait pu croire ; à vrai dire, c'est moi qui ai fui ! Même chez Titus j'avais peur, je les sentais qui m'observaient la nuit venue. C'est pourquoi j'ai gagné Rome. Mais je n'étais pas plus en sécurité dans les rues. Cette pièce est mon seul refuge. Mais on ne me laissera pas en paix ! Jamais je n'aurais imaginé qu'on me traînerait au tribunal. Ne voyez-vous pas qu'ils sont les plus forts ? Qui sait ce qu'Erucius va encore inventer ? Au bout du compte, ce sera sa parole contre celle de Cicéron. Quel parti prendront les juges, d'après vous, si l'on attente au dictateur ? Il n'y a rien à faire !

Brusquement, il fondit en larmes.

Cæcilia prit l'air dégoûté. Sans mot dire, elle se leva et se dirigea vers la sortie. Je fis signe à Rufus de rester.

Roscius se tenait la tête entre les mains.

– Tu es un homme étrange, commençai-je. Tu es misérable, et pourtant, tu n'inspires pas la pitié. Tu frôles une mort horrible ; à ta place, d'autres diraient n'importe quoi pour se sauver. Toi, tu nous refuses la vérité qui seule peut t'aider. Maintenant que nous savons les faits, tu n'as plus aucune raison de mentir. Tu me fais douter de mes propres instincts. Je suis déconcerté, comme un chien d'arrêt qui flaire un renard dans un terrier de lapin.

Il releva lentement la tête. Il était défiguré par la haine, la méfiance, la peur.

— Parler avec toi m'épuise. J'en ai la migraine. J'espère que Cicéron a la tête plus solide. Encore une chose, dis-je en faisant mine de partir, un détail. À propos de cette jeune prostituée, Elena. Tu vois qui je veux dire ?

— Évidemment. Elle a vécu à la maison quand Capito s'est installé.

— Quelles étaient les raisons de sa présence ?

Il prit le temps de réfléchir. Au moins, les larmes avaient cessé.

— Magnus et Glaucia sont allés la chercher à Rome. Je crois que mon père l'avait rachetée auparavant, et laissée à la garde du tenancier du lupanar. Après la vente de ses biens, Magnus a fait valoir ses droits sur elle.

— Elle était enceinte, si j'ai bien compris.

— C'est exact.

— De qui ?

— Quelle question ! Ce n'était qu'une catin, après tout.

— Certes. Et qu'est-elle devenue ?

— Comment veux-tu que je le sache ?

— C'est-à-dire, après son accouchement.

— Comment veux-tu que je le sache ? répéta-t-il en colère. Que ferais-tu d'une esclave et de son nouveau-né, si tu étais Capito ? Voilà longtemps qu'on les a vendus, tous les deux !

— Non. L'un d'eux au moins est enterré près de la tombe de ton père à Ameria.

Je l'observais attentivement, mais n'obtins pas de réponse.

Nous rejoignîmes en silence les appartements de Cæcilia.

Tiron traînait des pieds, de plus en plus anxieux à mesure qu'on s'éloignait. J'étais trop obsédé par Sextus Roscius pour m'occuper de lui. Il fallait tout de même lui trouver une excuse pour le laisser rejoindre Roscia.

Tiron prit les devants. Il s'arrêta net et se tâta.

— Par Hercule, j'ai égaré mon stylet ! J'en ai pour une minute – à moins que je l'aie oublié lors de l'entretien avec Roscius, et qu'il me faille le chercher ailleurs.

— Tu le tenais à la main, observa Rufus avec une pointe d'agacement.

— Ce n'est pas grave, Tiron, vas-y. Prends ton temps ; le soleil tape trop fort pour retourner chez Cicéron. Je crois que je vais abuser de l'hospitalité de notre hôtesse et me rafraîchir au jardin en compagnie de Rufus.

L'eunuque Ahausarus vint nous expliquer que Cæcilia était épuisée après cette confrontation. Elle délégua ses serviteurs, qui apportèrent des boissons. Rufus était contrarié et taciturne. Je revins sur la fête que donnait Chrysogonus le lendemain.

— Si vraiment cela t'ennuie d'y aller, ne te force pas. Je pensais seulement que tu pourrais m'introduire, peut-être par l'entrée de service...

— Oui, oui, fit-il comme si j'interrompais une rêverie. J'irai. Je te montrerai la maison en partant ; c'est à côté.

Il appela un serviteur et redemanda du vin. Déjà, il me semblait qu'il avait trop bu. Il vida sa coupe d'un trait et en réclama une autre.

Je fronçai les sourcils.

— De la modération en toutes choses, Rufus : une maxime que ne désavouerait pas Cicéron.

— Cicéron ! répéta-t-il comme si c'était une malédiction, puis sur un ton moqueur : Cicéron !

Il quitta son tabouret pour aller s'affaler sur un divan. Une douce brise faisait frissonner le feuillage desséché des papyrus. Rufus ferma les yeux. Il n'était qu'un enfant, malgré son rang et ses manières, un garçon engoncé dans sa tunique, semblable à celle de Roscia, que Tiron venait peut-être d'arracher.

— Que font-ils en ce moment ? demanda Rufus brusquement, en ouvrant l'œil pour observer ma surprise.

Je feignis de ne pas comprendre et haussai un sourcil interrogateur.

— Tu sais bien de qui je parle. Tiron met un temps fou à retrouver son stylet. Son stylet !

Il rit de l'association d'idées, d'un rire bref et amer.

— Tu étais donc au courant ?

— Évidemment ! Depuis la première fois qu'il est venu avec Cicéron. Et à chaque fois depuis. Je me demandais si tu avais remarqué. Tu aurais été bien médiocre enquêteur autrement. Cela saute aux yeux.

Il avait l'air fâché. Il était vrai que Roscia était une belle fille. Moi-même, je ressentais une pointe de jalousie. Je tentai de le consoler.

— Ce n'est qu'un esclave, tu sais, son avenir n'est guère réjouissant...

— Justement ! Qu'un simple esclave puisse jouir du plaisir qui m'est refusé, ça je ne l'accepte pas ! Chrysogonus était esclave, et il a obtenu ce qu'il voulait. Sylla a obtenu ce qu'il voulait avec Chrysogonus, avec Valeria et avec toutes ses nombreuses conquêtes. Parfois, j'ai l'impression que chacun s'y retrouve, sauf moi qui reste exclu. La seule personne qui me désire n'est autre que Sylla – c'est une plaisanterie des dieux ! (Il ne riait pas du tout.) Sylla m'aime et ne m'aura pas, j'en aime un autre, qui ignore jusqu'à mon existence. Gordien, as-tu jamais aimé sans être payé de retour ?

— Bien entendu. Comme tout le monde.

Rufus regardait fixement sa coupe sur la table. Il me semblait que la jeune Roscia ne méritait pas que l'on souffre pour elle ; il est vrai que je n'avais plus seize ans.

— Cela crève les yeux ! En ont-ils encore pour longtemps ?

216

– Cæcilia est-elle au courant ? Ou Sextus Roscius ?

– De ce que font les tourtereaux ? Certainement pas. Cæcilia vit sur un nuage, et je préfère ignorer ce qui se passe dans la tête de Roscius. Je suppose qu'il manifesterait un semblant d'indignation s'il voyait sa fille faire des cabrioles avec un esclave.

J'attendis un moment, évitant de l'accabler de questions. Je réfléchissais au danger que courait Tiron. Rufus était jeune et en colère. Il était de haute naissance, et Tiron commettait l'impensable chez une personne de la noblesse. D'un mot, Rufus pouvait le détruire.

– Et Cicéron, le sait-il ?

Rufus me regarda droit dans les yeux, d'un air plus qu'étrange.

– Cicéron ? chuchota-t-il. (La crise passa ; il sembla soudain très las.) Non, bien sûr que non. Il ne remarque pas ce genre de choses. Il est au-dessus des passions.

Rufus se laissa retomber sur sa couche.

– Je comprends, tu sais. Aussi étonnant que cela te paraisse, je comprends. Il est vrai, Roscia est une belle fille, mais considère sa situation. Tu n'aurais aucun moyen de la courtiser dans l'honneur...

– Roscia ? (Il roula les yeux au ciel.) Qu'ai-je à faire de Roscia ?

– Je vois, dis-je, ne voyant rien du tout. Mais alors, c'est Tiron que tu...

Tout se compliquait.

Soudain je compris. La révélation ne venait pas de ses paroles, ni de son expression, mais d'une inflexion isolée, de souvenirs que je rapprochai dans ma mémoire.

Comme c'était absurde et touchant à la fois ! Comment rester insensible à cette souffrance ? Cicéron – rassis, tatillon, hypocondriaque – était bien la dernière créature à pouvoir répondre au désir de Rufus ; le garçon ne pouvait plus mal choisir l'objet de ses vœux. Rufus, si jeune, formé à l'idéalisme grec, se voyait évidemment en Alcibiade auprès de son Socrate. Rien d'étonnant à ce que le plaisir qu'éprouvaient en cet instant Tiron et Roscia le mît hors de lui ; lui qui brûlait d'une passion inavouée, et de toute l'énergie contenue de la jeunesse.

Je n'avais malheureusement aucun conseil à lui donner. Je frappai dans mes mains et fis signe à la servante de nous rapporter du vin.

## 6

Le propriétaire des écuries ne fut pas content de voir arriver un cheval de ferme au lieu de sa chère Vespa. Une poignée de pièces et l'assurance qu'il serait largement dédommagé l'apaisèrent. Quant à Bethesda, m'informa-t-il, elle avait boudé pendant quarante-huit heures, cassé trois plats à la cuisine, bâclé ses travaux de couture et poussé le cuisinier en chef à la crise de nerfs. Conformément à mes recommandations, il avait interdit qu'on la batte malgré les supplications de son régisseur. Il cria à un esclave d'aller la chercher.

— Bon débarras, ajouta-t-il, tout en ne pouvant la quitter des yeux quand il la vit traverser la cour avec fierté.

Je fis l'indifférent ; elle joua la froideur. Elle tint à s'arrêter au marché pour acheter des provisions pour le soir. Pendant ce temps, je m'imprégnais des odeurs qui flottaient dans Subure, heureux d'être de retour chez moi. Même le tas d'excréments dans notre raidillon ne put altérer mon humeur.

Scaldus, l'esclave des écuries, était adossé à la porte. Au début, je crus qu'il dormait. Mais le colosse bougea et se leva d'un bond. Voyant que c'était moi, il me fit un sourire niais. Il s'était relayé avec son frère, m'expliqua-t-il, et personne n'était venu. Je le congédiai d'une pièce et le vit s'éloigner d'un pas rapide.

Je rassurai Bethesda qui me regardait avec inquiétude : Cicéron nous payait un garde jusqu'à la fin du procès, j'irais chercher un professionnel plus tard dans la soirée. À la moue qu'elle faisait, je vis qu'elle allait me décocher une remarque sarcastique. Je couvris ses lèvres de baisers et rentrai, fermant la porte du pied. Elle se pendit à mon cou et m'entraîna par terre avec elle.

Elle était ravie de me revoir et me le fit savoir. Elle m'en voulait de l'avoir abandonnée à des inconnus, et me le fit savoir également : elle me laboura les épaules de ses ongles et me frappa le dos de ses poings, elle me mordilla le cou et les oreilles. Je la dévorai comme un homme affamé. Jamais l'on n'aurait cru que je n'étais parti que pour deux nuits.

Elle s'était baignée le matin. Sa chair avait un goût différent ; un parfum nouveau – chipé dans la cache de la maîtresse de maison, m'avoua-t-elle ensuite – imprégnait sa gorge et les recoins les plus secrets de son corps. Les derniers rayons du soleil nous trouvèrent nus et pantelants sur le tapis usé du vestibule, où notre sueur laissait des empreintes obscènes. C'est alors que mes yeux tombèrent sur l'inscription griffonnée avec du sang sur le mur : « Tais-toi ou meurs... »

Un courant d'air vint soudain me glacer l'échine. Un instant, tout sembla suspendu entre la chaleur de sa chair et ce message de mort. Mon cœur cessa de battre, le monde s'éloigna, les mots résonnèrent à mes oreilles, comme si une voix les prononçait. J'aurais pu y lire un avertissement, fuir la maison, fuir Rome et la justice romaine. Je préférai mordre l'épaule de Bethesda, qui soupira, et la nuit reprit son cours fatal.

Ensemble, nous allumâmes les lampes – et bien qu'elle ne manifestât aucun signe de peur, Bethesda voulut que toute les pièces fussent éclairées. Je la pressai de m'accompagner pour trouver un garde, mais elle tint à préparer le dîner. J'éprouvais de l'appréhension à l'idée de la laisser seule, ne fût-ce qu'une petite heure. Je voyais bien qu'elle se forçait à être brave. Dès que j'aurais le dos tourné, elle brûlerait un bâton d'encens en faisant quelque incantation apprise de sa mère. Sur le seuil, je m'assurai qu'elle verrouillait de l'intérieur.

La lune montante jetait une lumière bleue sur les toits, dont les tuiles ressemblaient à des écailles de cuivre. Je descendis la colline et arrivai dans Subure où régnait, même la nuit, une activité fiévreuse.

J'aurais pu trouver un homme de main à n'importe quel coin de rue, mais je voulais un lutteur professionnel, un esclave de confiance appartenant à la suite d'un homme riche. Je me rendis dans une petite taverne nichée derrière le lupanar le mieux achalandé du quartier, pour y trouver Varus l'Entremetteur. Il vit que j'étais en fonds et compris sur-le-champ mes desiderata. Il disparut après avoir bu une coupe à mes frais, et revint accompagné d'un géant.

Le contraste était saisissant. Varus lui arrivait au coude ; son crâne chauve et ses doigts couverts de bagues luisaient dans la lumière tamisée, qui adoucissait encore ses formes arrondies. La bête à ses côtés était à peine domptée ; une lueur fauve brillait dans ses yeux. Il dégageait une impression de force surnaturelle, comme s'il avait été taillé dans le granit ou le bois ; l'homme avait un visage buriné. Sa longue chevelure et sa barbe étaient soigneusement brossées, sa tunique était de qualité – le maître devait être fort respectable. Et surtout, il avait l'air capable de tuer un homme à mains nues.

C'était exactement ce que je voulais. Il s'appelait Zoticus.

– L'esclave préféré de son maître, m'assura Varus. Il ne sort jamais sans lui. Un tueur confirmé – qui a tordu le cou à un cambrioleur pas plus tard que le mois dernier. Puissant comme un taureau. Sens-tu cette haleine ? Son maître le nourrit d'ail. C'est un truc de gladiateurs, pour leur donner

de la force. Son maître possède trois lupanars, deux tavernes, et une maison de jeu, toutes par ici. C'est un personnage pieux et respectable, sans un ennemi au monde, j'en
suis sûr, mais qui souhaite se garder de l'imprévu. Qui n'en
ferait autant ? Il ne se sépare jamais de son fidèle Zoticus !
Mais spécialement pour moi, car il me doit un service, il
consent à louer cette créature – pour quatre jours, pas un
de plus. Uniquement pour s'acquitter d'une dette à mon
égard. Quelle chance tu as, Gordien, d'avoir un ami tel que
Varus l'Entremetteur !

Nous avons pinaillé sur le prix ; il s'en tira mieux que
moi, pressé que j'étais de retourner auprès de Bethesda.
Mais l'esclave en valait la peine. Dans la rue, j'observai les
passants qui nous cédaient le passage, terrifiés en apercevant l'imposante silhouette derrière moi. Zoticus parlait
peu, ce qui me convenait. Tout au long du sentier désert,
sa présence me réconfortait comme si c'était un esprit protecteur. En vue de la maison, je sentis son souffle s'accélé-
rer ; il posa une main de plomb sur mon épaule. Un homme
attendait sur le seuil. Il nous cria d'arrêter en sortant un
poignard de sa manche. En un éclair, je me trouvai derrière
Zoticus, qui brandissait un glaive, tandis que le monde basculait d'avant en arrière.

La porte s'ouvrit en grinçant et j'entendis la voix amu-
sée de Bethesda. Il semblait qu'il y eût un malentendu :
Cicéron avait dépêché un garde. À quelques minutes
de mon départ, Bethesda avait entendu cogner à la porte.
L'homme m'avait réclamé ; et Bethesda avait répondu que
j'étais présent, mais indisposé. C'est alors qu'il s'était présenté au nom de Cicéron, qui l'envoyait garder la maison,
comme convenu avec le maître des lieux. Il avait pris son
poste sans un mot de plus.

– Deux précautions valent mieux qu'une, rappela
Bethesda, dont le regard fasciné allait de l'un à l'autre.

Je ressentis un soupçon de jalousie. J'aurais eu du mal à
les départager : ils étaient aussi grands, aussi laids l'un que

l'autre. À part la barbe rousse, le garde envoyé par Cicéron aurait pu être le frère de Zoticus ; tous deux empestaient l'ail. Ils se toisèrent comme le font les gladiateurs, mâchoires serrées, prunelles d'acier.

– D'accord, gardons-les pour ce soir et nous examinerons la question demain matin. L'un pourra patrouiller à l'extérieur, l'autre à l'intérieur.

Il me semblait pourtant que Cicéron m'avait dit de me débrouiller de mon côté. Peut-être, tout excité par les nouvelles que je lui apportais, avait-il oublié ses instructions ? Mais je ne pensais plus qu'au délicieux fumet qui s'exhalait de la cuisine, et à la perspective d'un long sommeil réparateur.

En quittant le vestibule, j'aperçus l'homme à la barbe rousse, assis contre le mur, face à la porte d'entrée. Je ne pus m'empêcher de relire l'inscription au-dessus de sa tête : « Tais-toi ou meurs. » Ces mots me donnaient la nausée ; au matin, je demanderais à Bethesda de tout effacer. J'adressai un sourire à Barberousse, qui resta de marbre.

Je me réveillai tout à coup, sans transition entre le sommeil et la conscience, dans cette atmosphère étrange qui règne entre minuit et l'aube. J'étais seul dans ma chambre à coucher. Bethesda m'y avait mené après un copieux repas de poisson arrosé de vin blanc ; elle m'avait bordé d'une couverture de fine laine et embrassé sur le front comme un enfant.

Je me levai. L'air était lourd ; un rayon de lune tombait de la lucarne. Je me dirigeai vers le pot de chambre dans un coin. Mais Bethesda avait dû le vider et oublier de le remettre. Qu'à cela ne tienne. À la faveur de la nuit, le pot pouvait bien disparaître, ou se transformer en champignon ! J'éprouvais la même sensation étrange que lorsque j'étreignais Bethesda par terre dans le vestibule. Je voyais ce qui m'entourait avec une lucidité exceptionnelle, et pourtant j'avais l'impression d'être en territoire inconnu, mystérieux, comme si la lune l'avait transfiguré, comme si les dieux l'avaient déserté, laissant la terre à sa torpeur et les hommes à leurs propres ressources. N'importe quoi pouvait arriver.

Je me rendis dans l'atrium comme en rêve. Le clair de lune inondait le jardin, devenu une forêt de squelettes aux ombres acérées. Çà et là, des lumignons brillaient dans le péristyle. Une lampe dessinait l'arête du mur, comme des feux de camp dessinent la ligne d'horizon.

J'allais au bout du jardin et relevai ma tunique, visant les touffes d'herbe en faisant le moins de bruit possible. Je terminai ; un nuage voila la lune, je me crus parmi les ruines à Carthage, je sentis des odeurs d'urine et de jacinthe, puis des relents d'ail. La lumière dans le vestibule bougea, projetant une ombre mouvante sur le mur de la chambre de Bethesda.

Je me dirigeais, comme un somnambule, et avais l'impression d'être invisible. Une lampe était posée à terre, traçant des ombres au plafond. Barberousse se tenait devant le mur barbouillé, scrutant la surface où il passait la main. Cette main était enveloppée d'un chiffon taché de rouge, d'où gouttait un liquide noir. Dans l'autre, il y avait un poignard. La lame était couverte de sang.

La porte était grande ouverte. J'aperçus le corps massif de Zoticus appuyé tout contre elle. Il avait la gorge tranchée si profondément que sa tête pendait, à moitié arrachée. Une mare de sang s'était formée à ses pieds. Barberousse recula d'un pas et s'accroupit pour y tremper son chiffon, sans quitter des yeux le mur, comme un artiste qui juge de son effet. Il se remit au travail.

Puis, très doucement, il tourna la tête et me vit.

Alors son horrible bouche édentée me rendit mon sourire. Il dut se jeter sur moi, mais il me sembla qu'il se déplaçait avec une lenteur et une pesanteur incroyables. J'eus le temps de le voir brandir son arme, de respirer la puanteur de l'ail, d'observer son rictus et de me demander bêtement pour quelle raison il me manifestait tant de haine.

Mon corps réagit plus rapidement que mon cerveau. Je réussis à détourner le coup, et m'en tirai avec une balafre à la joue, que je ne sentis que beaucoup plus tard. Je me retrouvai plaqué contre le mur, le souffle coupé, si brusquement que je crus être tombé avec tout le poids de son corps sur ma poitrine.

En zigzaguant comme des acrobates, nous roulâmes par terre. Nous nous débattions comme des hommes qui se noient, roulés par les vagues, de sorte que je ne distinguais plus le haut du bas. La pointe du poignard réapparaissait sous ma gorge, et chaque fois je la repoussais. Il possédait une force inimaginable. On aurait dit un ouragan. Je me sentais comme un petit garçon, sans aucun espoir de le battre.

Je pensai soudain à Bethesda, qu'il avait dû tuer comme Zoticus. Pourquoi m'avait-il gardé en dernier ? C'est alors que le madrier s'abattit sur son crâne.

Tandis qu'il basculait sur moi, étourdi, j'aperçus Bethesda par-dessus son épaule. Elle tenait entre ses mains le madrier qui barrait la porte. Il était si lourd qu'elle pouvait à peine le manœuvrer. Barberousse reprenait ses esprits. Le sang coulait de l'occiput jusque dans sa barbe et dans sa bouche, il avait l'air d'une fauve ou d'un homme-loup gorgé de sang. Il s'agenouilla et pivota, le poignard dressé. Je lui assenai un coup sur la poitrine mais je n'avais aucun recul.

Il attaqua Bethesda, qui tenait le madrier verticalement. Il ne déchira que sa robe. Il prit alors le tissu à pleines mains et tira d'un coup sec. Bethesda tomba à la renverse, le madrier s'abattit de l'autre côté. Il atteignit Barberousse au milieu du front, et tandis que celui-ci s'affalait sur moi, je saisis son bras armé du poignard et le lui tordis en direction de sa poitrine.

La lame s'enfonça jusqu'à la garde dans le cœur. Sa tête était au-dessus de la mienne, ses yeux étaient révulsés, la bouche grande ouverte. La puanteur de l'ail et de ses dents

225

pourries me répugnait. Il eut un soubresaut, comme si quelque chose explosait en lui. L'instant d'après, le sang jaillit de sa bouche.

J'entendis Bethesda pousser un cri. Le cadavre m'écrasa de sa masse gluante. Il crachait son venin, inondait de sang ma bouche, mes narines, jusqu'à mes oreilles. Je luttai en vain pour me dégager quand je sentis Bethesda pousser avec moi. Le corps roula sur le dos, les yeux au plafond, la mâchoire pendante.

Je me mis à genoux. Nous restâmes accrochés l'un à l'autre, tremblant si fort que nos corps ne s'emboîtaient plus. Je crachai du sang et m'essuyai sur sa robe d'une blancheur immaculée. Nous étions là à échanger des caresses, à bégayer des mots de réconfort, comme les survivants d'une catastrophe.

La lampe continuait à crachoter et à projeter des ombres sinistres qui animaient les cadavres. La nuit régnait sans partage : nous étions les amants du poème, l'un nu, l'autre à demi vêtu, nous étreignant, agenouillés près d'un lac. Mais c'était un lac de sang, si profond que je pouvais me mirer dedans.

Je me vis et repris brutalement conscience. Ce n'était pas un cauchemar, j'étais au cœur de Rome, l'immense cité assoupie.

## 7

— De toute évidence, c'est un avertissement à *ton* intention, Cicéron.

— Mais s'il comptait en finir avec toi et ton esclave, pourquoi ne pas avoir achevé la tuerie d'abord, et rédigé le message ensuite ?

Je haussai les épaules.

— Parce qu'il avait versé assez de sang comme ça, après avoir égorgé Zoticus. Parce que tout était calme et qu'il ne pensait pas que je me réveillerais. Parce qu'une fois le message écrit, si une complication survenait ou si nous poussions des hurlements, il pourrait toujours prendre la fuite. Ou peut-être attendait-il un complice ? Je ne sais pas, Cicéron, je ne peux pas parler pour un mort. Mais il avait la ferme intention de me tuer, c'est sûr. Et le message t'est destiné.

Il n'y avait plus de lune. Nous étions à l'heure la plus sombre de la nuit, mais l'aube ne pouvait être éloignée. Bethesda était dans l'aile réservée aux esclaves, j'espérais qu'elle dormait. Rufus, Tiron et moi-même étions réunis dans le bureau de Cicéron, entourés de brasiers crépitants. Notre hôte arpentait la pièce en se frottant le menton.

Il avait l'air hagard, était mal rasé, mais ses yeux brillaient avec éclat. C'est ainsi que nous l'avions trouvé en échouant à sa porte, Bethesda et moi, après notre fuite à travers la ville : parfaitement réveillé dans une maison illuminée. Un esclave aux paupières gonflées nous avait menés à son bureau. Là Cicéron, un parchemin à la main, déclamait tout en lapant un bouillon de poireau fumant – recette secrète d'Hortensius pour adoucir la voix.

Avec Tiron pour secrétaire, il avait presque terminé la première version de sa plaidoirie, qu'il essayait sur son auditoire, quand nous fîmes notre entrée, grelottant et couverts de sang.

L'intendant s'était chargé de Bethesda et m'avait fourni de quoi me laver et me changer. J'avais fait de mon mieux, mais à la lumière des lampes, je ne pouvais m'empêcher de remarquer des particules de sang séché sur mes ongles et mes pieds nus.

— Nous voilà donc avec deux cadavres sur les bras, fit Cicéron. Bon, il va falloir que j'envoie quelqu'un demain. Encore des frais ! Et il faudra dédommager le propriétaire de Zoticus. Tu me ruines, Gordien !

— Ce message, interrompit pensivement Rufus. Que dit-il exactement ?

Je fermai les yeux et revis chaque mot en lettres écarlates : « Le sot a désobéi. Il en est mort. Plus sage est celui qui prend congé, lors des ides de mai. » Il me semble aussi qu'il avait retouché l'ancien message avec du sang frais.

— Un perfectionniste.

— Oui, et meilleur en orthographe que Mallius Glaucia. Il formait bien ses lettres et travaillait de mémoire. L'esclave d'un maître des plus distingués.

— Il paraît que les gladiateurs de Chrysogonus savent lire et écrire.

— C'est vrai, dommage que tu aies occis ce Barberousse. Il aurait pu nous apprendre qui l'envoyait.

— Justement, Cicéron, il venait de ta part.

— Épargne-moi ton ironie, Gordien. Nous étions convenus que tu engagerais quelqu'un de ton côté. À la vérité, je n'y ai même plus pensé après ton départ. Je me suis mis à travailler à mon discours, et le reste m'est sorti de la tête.

– Pourtant, il s'est présenté comme venant de ta part. C'était une ruse délibérée pour me tromper ; celui qui l'a envoyé était donc au courant de notre arrangement, à savoir que tu paierais un professionnel pour garder ma maison. Comment est-ce possible, Cicéron ? Les seuls témoins de notre discussion sont les mêmes que ceux ici présents.

Je fixai Rufus qui baissa les yeux. L'amour frustré peut se changer en haine et les désirs inassouvis appellent la vengeance. Quelle vipère, pensai-je. Tout au long, Cicéron lui avait confié sa stratégie, et il avait comploté pour la combattre. Comme quoi, il ne faut jamais faire confiance à un noble, aussi jeune et innocent qu'il paraisse. Les ennemis de Sextus le manipulaient. Il avait failli me sacrifier pour humilier Cicéron. Cela semblait impossible à voir son nez en trompette et ses taches de rousseur, mais les Romains sont ainsi faits !

J'allais l'accuser tout haut et exposer ses secrets – sa passion cachée pour Cicéron, sa trahison – lorsque le dieu qui m'avait sauvé la vie cette nuit-là décida de sauver mon honneur aussi, et de m'éviter de me couvrir de ridicule devant un client généreux et son admirateur bien né.

Dans le silence général, Tiron fit entendre un bruit singulier, comme s'il étouffait. Nos regards convergèrent sur lui : il clignait des yeux, il se mordait les lèvres, il rougissait jusqu'aux oreilles, comme s'il était coupable.

– Tiron ? fit Cicéron d'une voix éraillée malgré le bouillon de poireau.

Pour l'instant, le visage du maître n'exprimait que la contrariété et l'attente d'une explication satisfaisante.

Rufus me jeta un regard de reproche, comme pour dire : Et c'est *moi* que tu soupçonnais ?

– Oui, Tiron, fit-il en abaissant les yeux dédaigneusement vers l'esclave, aurais-tu quelque chose à nous dire ?

Tiron fit craquer ses phalanges, des larmes apparurent.

– La fille, compris-je soudain. Roscia.

Il se cacha le visage et éclata en sanglots.

Cicéron était hors de lui et tournait dans la pièce comme un lion en cage. Je craignais qu'il ne frappe au passage le pauvre Tiron, qui, effondré dans son coin, se tordait les mains en reniflant. Mais il se contentait de lancer les bras au ciel en tonitruant de toute la puissance de sa voix.

Rufus tenta de s'interposer, en aristocrate clément et généreux. Il n'était pas à l'aise dans le rôle.

– Allons, Cicéron, ce genre de choses arrive constamment. Et Cæcilia n'est pas forcée de l'apprendre.

Il voulut saisir la main de l'orateur, qui se dégagea d'un geste brusque, insensible à la réaction peinée de Rufus.

– Alors que tout le monde rit dans son dos ? Non, non, Cæcilia a pu être abusée, tout comme je l'ai été, mais tu penses bien que tous ses esclaves sont au courant. Il n'y a rien de pire qu'un scandale qui se déroule sous le nez d'une matrone romaine, tandis que les ragots vont bon train ! Et dire que c'est moi qui suis responsable...

Je me curais les ongles et ressentais les premières atteintes d'un violent mal de tête.

– Fais-le fouetter, Cicéron, ou étrangler si tu veux. C'est ton droit, après tout, et nul ne s'y opposera. Mais je t'en prie, ménage ta voix pour le procès.

Cicéron se figea et me fusilla du regard. Au moins, j'avais mis un terme à sa marche forcenée.

– Tiron a fait quelque chose de stupide, d'immoral même. Ou il a simplement agi en jeune homme assoiffé d'amour. Mais il n'y a aucune raison de penser qu'il t'a trahi, qu'il nous a trahis, du moins consciemment. On l'a dupé. C'est une très vieille histoire.

Il y eut un instant de répit. Puis Cicéron explosa de nouveau.

– Combien de fois ? répéta-t-il en agitant les mains en l'air. Combien ?

Visiblement la question de la fréquence l'irritait tout spécialement.

— Cinq fois, je crois. Peut-être six, répondit humblement Tiron.

— Dès ma première visite à Cæcilia Metella ? Comment as-tu pu faire une chose pareille ? Et par la suite, continuer en secret, derrière mon dos, en te cachant de son père et de la protectrice de son père, sous son propre toit ! N'as-tu aucun sens de la décence ? De la correction ? Et si l'on t'avait découvert ? Je n'aurais pas eu d'autre choix que de te punir sur place ! Le père de Roscia aurait pu me faire un procès, ruiner ma carrière...

Sa voix était devenue si rauque que l'entendre était une véritable torture.

— C'est peu probable, bâilla Rufus, étant donné les circonstances...

— Les circonstances n'ont rien à y voir ! Les châtiments que Tiron encourt sont si sévères que j'en tremble. Mais je n'ai pas le choix.

— Tu peux toujours lui pardonner, suggérai-je en me frottant les yeux.

— Non ! Non, non et non ! S'il était un ignorant, un esclave de basse caste, un galérien à peine différent d'une bête, on aurait pu excuser son comportement – cela ne le dispenserait pas d'être puni, mais son crime serait compréhensible ! Or Tiron a de l'éducation ; il connaît les lois mieux que bien des citoyens. L'acte qu'il a commis avec la jeune Roscia n'est pas le fait d'une créature impulsive, mais le choix d'un esclave cultivé, dont le maître est évidemment trop indulgent et malheureusement beaucoup, beaucoup trop confiant.

— Au nom de Jupiter, arrête, Cicéron !

Rufus n'en pouvait plus. Je rendis grâce aux dieux invisibles qu'il ait parlé avant moi, car je me mordais la langue jusqu'au sang depuis un bout de temps.

— Quelle que soit la faute de Tiron, à part les esclaves

qui en ont vu d'autres, nous sommes les seuls à être au courant – c'est-à-dire, tant que la fille tiendra sa langue. C'est une affaire entre toi et lui. Tu la régleras après le procès. En attendant, il suffit de veiller à le tenir éloigné d'elle. Comme dit Gordien, garde ton souffle et ta colère pour ce qui en vaut la peine : la défense de Sextus Roscius, par exemple. La seule chose qui importe maintenant, c'est de savoir ce que Tiron lui a dit et comment l'information est passée à nos ennemis.

– Et pourquoi la fille a choisi de trahir son père, soupirai-je. Tu en as peut-être une idée, Tiron ?

Le jeune homme regardait son maître comme pour solliciter la permission de parler ou même de respirer. Cicéron parut sur le point de faire un nouvel éclat. Il se contenta de sortir dans l'atrium, les bras croisés comme pour contenir sa rage.

– Eh bien, Tiron ?

– Je n'arrive toujours pas à y croire, murmura-t-il. J'espère encore me tromper. C'est seulement quand tu as dit que quelqu'un ici même avait trahi, je me suis dit : « Ce n'est pas moi, je n'ai rien dit à personne », et puis j'ai pensé à Roscia...

– ... à qui tu avais parlé de moi la première fois que j'avais interrogé Sextus Roscius.

– Oui.

– Et le lendemain, Glaucia et une autre brute à la solde de Magnus arrivaient chez moi pour m'intimider, tuer ma chatte, et me laisser un message en lettres de sang. Oui, il semble que ta Roscia soit à l'origine des fuites.

– Mais pourquoi ? Elle adore son père. Elle ferait n'importe quoi pour lui venir en aide.

– C'est ce qu'elle t'a dit ?

– Oui. Et c'est pourquoi elle me pressait de questions sur l'enquête. Sextus Roscius l'oblige à quitter la pièce lorsqu'il discute affaires. Il ne fait aucune confidence à sa mère ni à sa fille. Elle ne supportait plus de rester dans l'ignorance.

232

— De sorte qu'avant, après ou pendant vos petits intermèdes, elle t'interrogeait sur la défense de son père.

— Oui. Mais tu présentes nos relations sous un jour si artificiel et sinistre.

— Oh, non, je suis sûr que Roscia est douce comme de l'or poli.

— Tu en parles comme d'une actrice. (Il coula un regard vers Cicéron.) Ou d'une prostituée.

— Elle n'a rien d'une prostituée, Tiron, tu devrais savoir la différence !

Je ris de le voir rougir, comme s'il s'attendait à ce que je mentionne Electra, pour couronner le tout. Non, les motivations d'une prostituée sont toujours transparentes, claires dans leur noirceur même, elles ne trompent qu'un imbécile, ou qui veut être trompé. (J'allai lui poser la main sur l'épaule.) Mais il arrive que le sage se laisse tromper par les apparences, par la jeunesse, l'innocence et la beauté. Surtout s'il est jeune et innocent lui-même.

Tiron loucha vers l'atrium. Cicéron était loin.

— Est-ce *tout* ce qu'elle voulait de moi, Gordien ? Me tirer les vers du nez ?

Je me rappelai l'air de la fille dans la réserve et son corps arqué par le désir. Je me rappelai l'étincelle dans les yeux de Lucius Megarus au souvenir de son séjour dans la maison d'Ameria.

— Non, ce n'était pas tout. Si tu veux dire qu'elle n'a *rien* ressenti auprès de toi, j'en doute fort. La loyauté n'est jamais entièrement pure, ni la tromperie.

— Ces renseignements, intervint Rufus, peut-être les a-t-elle communiqués innocemment elle-même. Elle peut avoir un confident, un esclave que Chrysogonus aurait placé là et qui la questionne comme elle a questionné Tiron.

— Je ne pense pas. Arrête-moi si je me trompe, Tiron. Jusqu'à présent, tu n'as réussi à la voir qu'en accompagnant l'un d'entre nous au cours d'une visite chez Cæcilia Metella. Correct ?

— Oui... fit-il d'une petite voix, comme s'il anticipait la question suivante.

— Mais quelque chose me dit que Roscia t'a proposé un rendez-vous — demain ?

— Oui.

— Et demain est déjà là, dis-je en regardant le jardin où Cicéron reprenait le contrôle de lui-même.

La lumière avait viré du rose à l'ocre et blanchissait à vue d'œil. Déjà, la fraîcheur de la nuit s'évaporait.

— Où et quand ce rendez-vous, Tiron ?

Il regarda à nouveau son maître, qui, apparemment, ne faisait pas attention à lui, et soupira profondément.

— Sur le Palatin. Près de la maison de Cæcilia se trouve un terrain avec des arbres et de l'herbe, un parc ouvert entre deux maisons. Je dois la rejoindre à trois heures de l'après-midi. Je ne savais pas si ce serait possible. Elle m'a dit que je trouverais bien un moyen de vous semer.

— Tu n'auras même pas à le faire. Car je viens avec toi.

— Quoi ? (C'était Cicéron, scandalisé, qui rentrait dans la pièce.) C'est hors de question. Ils ne se verront plus.

— Si, rétorquai-je. Car j'en ai décidé autrement. À chaque minute, d'ici à la fin du procès, je joue ma vie. Je n'abandonnerai aucune piste susceptible de mener à la vérité.

— Mais nous connaissons la vérité.

— Vraiment ? Comme nous la connaissions il y a une heure, avant la confession de Tiron ? Il reste toujours plus de vérité à découvrir, encore et toujours. Entre-temps, je suggère que nous allions tous prendre du repos. Une dure journée nous attend. Rufus a de quoi faire au Forum, Tiron et moi avons rendez-vous avec la jeune Roscia. Et ce soir, tandis que toi, Cicéron, tu peaufineras ta plaidoirie en prenant du bouillon de poireau, nous trois assisterons à une petite fête donnée par l'aimable Chrysogonus dans sa résidence du Palatin... Ainsi donc, bonne journée, Cicéron, et si tu veux bien m'indiquer un endroit où dormir, bonne nuit !

## 8

À quel moment notre hôte trouva le sommeil, s'il le trouva, je l'ignore ; mais la première chose que j'entendis quand Tiron vint doucement me réveiller dans ma petite alcôve en face du bureau fut Cicéron qui déclamait de sa voix rauque en arpentant le jardin.

— Veuillez considérer, chers citoyens, l'histoire d'un certain Titus Clœlius de Tarracina, plaisante bourgade sise à une soixantaine de milles au sud, sur la voie Appienne. Un soir après souper, il va se coucher dans la même chambre que ses deux garçons. Au matin, on le trouve la gorge tranchée. L'enquête ne découvrit aucun suspect ; les fils n'avaient rien entendu. Ils furent pourtant accusés de parricide – avouons que les circonstances ne plaidaient pas en leur faveur. Comment avaient-ils pu dormir alors qu'on commettait chez eux un tel crime ? Pourquoi n'avoir pas volé au secours de leur père ? Et quel meurtrier serait assez fou pour pénétrer chez trois hommes avec l'intention d'en tuer un seul et de disparaître ?

« Or, les bons juges acquittèrent les deux frères et les lavèrent de tout soupçon. Et quelle meilleure preuve donnèrent-ils de leur innocence ? Au matin, les fils dormaient *profondément*. Était-ce possible, argumenta la défense, si tant est qu'ils étaient coupables ? Quel homme serait capable de commettre un crime aussi répugnant aux yeux de la loi humaine ou divine, et de s'endormir paisiblement ensuite ? Ceux qui auraient perpétré un tel outrage à la face du ciel et de la terre ne pourraient fermer l'œil dans la même pièce, ni ronfler auprès du cadavre encore chaud de leur père. C'est ainsi, chers concitoyens, que les deux fils de Titus Clœlius furent acquittés... »

— Ce passage est excellent, vraiment excellent. Pas un mot à changer.

— Dois-je ouvrir les rideaux ? demanda Tiron.

J'étais assis sur le divan, les yeux bouffis, les lèvres sèches. L'alcôve était une fournaise sans un souffle d'air.

— Absolument pas. Je n'ai pas besoin de le voir. C'est assez de l'entendre. Et je crains de ne pas supporter la luminosité. Aurais-tu quelque chose à boire ?

Il se dirigea vers une petite table et me versa de l'eau contenue dans une aiguière d'argent.

— Quelle heure est-il, Tiron ?

— La neuvième heure du jour – deux heures après midi.

— Ah, il nous reste une heure avant notre rendez-vous. Rufus est-il levé ?

— Rufus Messalla est au Forum depuis longtemps.

— Et mon esclave ?

Tiron esquissa un sourire. Que lui avait fait Bethesda ? Lui avait-elle donné un baiser sur la joue, lui avait-elle lancé une œillade ?

— Je ne sais pas où elle est passée. Cicéron a donné instruction qu'elle soit réservée à ton service, mais elle s'est offerte pour aider en cuisine. Jusqu'à ce que le chef la renvoie.

— Je comprends. Si tu vois l'intendant, dis-lui qu'il peut la confiner dans ma chambre si nécessaire. Qu'elle reste ici à entendre Cicéron déclamer tout le jour. La punition sera amplement suffisante pour quelque bris de vaisselle.

Tiron prit un air désapprobateur ; il n'approuvait pas mon sarcasme. Une légère brise écarta les rideaux, et nous apporta des bribes de la plaidoirie :

– L'énormité même du crime de parricide requiert qu'il soit irréfutablement prouvé, avant qu'un homme raisonnable puisse croire qu'il a été commis. En effet, quel insensé, quel dépravé, quel rebut de l'humanité attirerait sur sa tête et sur sa descendance la malédiction, non seulement de la populace, mais des dieux ? Vous le savez, bons Romains, je dis la vérité : telle est la force du sang qui lie l'homme à sa propre chair qu'en répandre une seule goutte crée une souillure indélébile. Elle pénètre le cœur du parricide et distille la folie et la rage dans une âme déjà pervertie... Oui, c'est ça, c'est exactement ça, par Hercule !

– Au cas où tu voudrais te laver, fit Tiron en désignant la petite table où se trouvaient une bassine d'eau et une serviette. Et puisque tu es venu sans rien, j'ai rassemblé quelques affaires qui devraient t'aller.

Il déposa les tuniques une à une sur le divan pour mon inspection. Elles ne pouvaient appartenir à Cicéron, dont le torse était plus long et plus étroit que le mien : elles semblaient avoir été faites pour Tiron. La plus simple était de meilleure facture et de plus belle qualité que ma toge d'apparat.

Pendant que je me préparais, Tiron m'apporta du pain et une corbeille de fruits. Je dévorai le tout et le renvoyai en chercher d'autres. J'étais affamé, et ni la chaleur ni le ronronnement du discours de Cicéron ne pouvaient me couper l'appétit.

Je finis par soulever le rideau et pénétrai dans le jardin. Cicéron leva le nez de son texte au moment où Rufus entrait derrière lui.

– Cicéron, Gordien, écoutez : c'est incroyable, c'est scandaleux. Ce ne sont que des rumeurs, mais nous devrions pouvoir les vérifier : savez-vous la valeur globale des propriétés de Sextus Roscius ?

Je calculai :

– Un chapelet de fermes, certaines environnées de terres fertiles au confluent du Tibre et du Nar ; une villa luxueuse

237

dans le domaine principal d'Ameria ; une maison en ville – au moins quatre millions de sesterces.

– Plutôt six. Et combien croyez-vous que Chrysogonus, oui, Sa Grandeur elle-même et non Capito ou Magnus, aura payé pour l'ensemble ? Deux mille sesterces en tout. *Deux mille* !

Cicéron était visiblement choqué.

– C'est impossible. Crassus même n'est pas si avide.

– Qui t'a donné cette information ?

Rufus s'échauffa.

– C'est bien là le problème. Je le tiens d'un des commissaires de la vente. Celui-là même qui a conduit les enchères.

Cicéron jeta les bras au ciel.

– Jamais il ne voudra témoigner !

– Évidemment non, fit Rufus un peu vexé. Mais il a consenti à me parler. Je suis sûr qu'il n'exagère pas.

– Cela ne suffit pas. Il nous faut le dossier de la vente. Et bien sûr le nom de Sextus Roscius sur les listes de proscription.

– J'ai fouillé toute la journée sans résultat. Les documents officiels sont dans un état pitoyable. On voit qu'ils ont été marqués, trafiqués, et pour autant qu'on sache, volés. Avec les guerres civiles et les proscriptions, les archives de l'État sont dans un désordre épouvantable.

Cicéron se caressait le menton d'un air pensif.

– Nous savons que si le nom de Sextus Roscius est inscrit sur les listes, il l'est illégalement. D'un autre côté, s'il y figure, cela disculpe son fils.

– S'il n'y figure pas, de quoi Capito et Chrysogonus pourraient-ils arguer pour conserver ses propriétés ? demanda Rufus.

– Voilà pourquoi, intervins-je, Chrysogonus et ses complices souhaitent si ardemment la mort de Sextus Roscius, si possible par des moyens légaux. Une fois la famille anéantie, personne ne viendra les attaquer en justice, et cette histoire de proscription et de meurtre ne sera plus qu'un cas d'école. Le scandale est tellement flagrant que n'importe quel observateur peut s'en rendre compte ; c'est ce qui explique qu'ils en soient arrivés à ces extrémités, à cette brutalité. Leur stratégie consiste à réduire au silence tous ceux qui savent, ou sympathisent avec Roscius.

— Pourtant, continua Cicéron, je suis frappé de voir qu'ils ne se soucient guère de l'opinion publique, ni même d'une décision de justice. Non, ils souhaitent avant tout que Sylla ne soit pas informé. Par Hercule ! Je suis persuadé que notre dictateur ignore tout de ce scandale, et qu'ils tentent désespérément d'éviter qu'il n'éclate.

— Peut-être, admis-je. Ils doivent compter aussi sur ton propre instinct de conservation, pour ne pas lever un lièvre. Mais tu n'as aucun moyen d'atteindre la vérité sans faire allusion à Sylla. Au mieux, tu indisposeras notre dictateur ; au pire, tu l'impliqueras. Tu ne pourras pas accuser l'affranchi sans offenser son ami et ancien maître.

— Vraiment, Gordien, sous-estimerais-tu mes talents d'orateur ? Certes, je marcherai sur le fil du rasoir ; mais Diodotus m'a enseigné les ressources de la diplomatie. Seuls les coupables ont quelque chose à craindre des armes de la rhétorique ; un orateur digne de ce nom ne les tourne pas contre lui.

J'avisai le cadran solaire : il restait une demi-heure avant que la jeune Roscia ne s'impatiente. Je pris congé de Rufus et de Cicéron et emmenai Tiron. Derrière moi, j'entendis Cicéron se replonger immédiatement dans son discours et régaler Rufus de ses morceaux préférés.

Tiron garda le silence pendant tout le chemin. Au fur et à mesure que nous nous approchions du lieu de rendez-vous sa nervosité augmentait. En vue du petit parc, il s'arrêta.

— Peux-tu me laisser seul avec elle un instant ? S'il te plaît ? fit-il la tête inclinée, comme un esclave qui demande la permission.

— D'accord, mais pas longtemps. Et ne dis rien qui la fasse fuir.

Je me mis à l'ombre d'un saule et le vis s'éloigner à grands pas entre les hauts murs de deux maisons voisines. Il disparut dans la verdure.

Ce qu'il lui dit, je l'ignore. Je n'avais pas à le savoir et Tiron ne me raconta rien. Peut-être Cicéron l'interrogea-t-il par la suite, mais c'est peu probable. Même un esclave a le droit de posséder un secret, quand le monde lui dénie toute autre possession.

Mon attente fut brève ; à chaque instant, j'imaginais la fille fuyant par la sortie opposée. Le moment ne serait jamais tout à fait propice pour lui extorquer la vérité, mais c'était l'occasion ou jamais. N'y tenant plus, je sortis de ma retraite.

Le parc était ombragé, mais il y avait beaucoup de poussière. Elle se collait aux pétales, aux feuilles, au lierre qui grimpait sur les murs. L'herbe sèche crissait sous mes pieds. Des brindilles craquaient ; ils m'entendirent arriver malgré mes précautions. Je les vis à travers le feuillage, assis sur un banc de pierre, et l'instant d'après, j'étais près d'eux. La fille aurait bondi si Tiron ne l'avait retenue par le poignet.

– Qui es-tu ? fit-elle en essayant de se dégager.

Elle se tint absolument immobile, mais je vis la terreur dans son regard.

– Je vais crier, fit-elle tranquillement. Les gardes de Cæcilia viendront s'ils m'entendent.

– Non, dis-je en reculant d'un pas pour l'apaiser. Tu ne vas pas crier, tu vas parler.

– Qui es-tu ?

– Tu le sais bien.

– Oui. Celui qu'on appelle Gordien, l'enquêteur.

– C'est exact. Et c'est toi que j'ai trouvée, Roscia Majora.

Elle se mordillait la lèvre et plissait les yeux. C'était remarquable à quel point cette jolie fille pouvait rendre sa figure déplaisante.

– Je ne vois pas ce que tu veux dire. Je suis en compagnie de cet esclave – c'est bien celui de Cicéron ? Il m'a attirée ici sous prétexte de me remettre un message de son maître pour mon père.

Elle n'avait pas le ton hésitant de celle qui imagine un alibi, mais semblait inventer la vérité à mesure qu'elle parlait. Elle avait visiblement une grande expérience du mensonge. Tiron détournait obstinément les yeux.

– S'il te plaît, Gordien, puis-je m'en aller ?

– Certainement pas. J'ai besoin de ta présence pour vérifier ses dires. Tu es mon témoin. Laisse-moi seul avec elle, et elle est capable d'inventer des horreurs sur moi.

– Un esclave ne peut être témoin, fit-elle sèchement.

– Bien sûr que si ! N'enseigne-t-on point le droit romain aux filles de ferme d'Ameria ? Le témoignage d'un esclave est parfaitement valide, du moment qu'il est acquis sous la torture. C'en est même la condition légale. Aussi, ne te mets pas à crier ou à nous jouer un tour, Roscia. Même si tu n'as que mépris pour Tiron, tu ne voudrais pas le voir supplicié et brûlé au fer rouge.

Elle darda les yeux sur moi.

– Tu es un monstre, voilà ce que tu es. Comme tous les autres. Je vous méprise, tous autant que vous êtes.

La réplique vint automatiquement à mes lèvres. J'attendis un temps avant de la prononcer, sachant que mes paroles étaient irréversibles.

– Et ton père encore plus que les autres.

– J'ignore de quoi tu parles, fit-elle d'une voix entrecoupée.

Toute la colère qui défigurait son visage laissa place à la douleur. Ce n'était qu'une enfant, après tout, malgré ses stratagèmes. Elle se troubla, essayant sans grand succès de se protéger. Quand elle reprit la parole, elle semblait à moitié nue, son agressivité voilait à peine sa vulnérabilité.

– Que veux-tu ? Que viens-tu faire ici ? Tu ne peux pas nous laisser tranquilles ? Dis-lui, Tiron !

Elle attrapa le bras qui la tenait prisonnière et le caressa, l'œil implorant. Puis elle baissa timidement la tête. Il y avait quelque chose d'à la fois sincère et de calculé dans son attitude ; elle quémandait un geste de tendresse. Tiron rougit jusqu'à la racine des cheveux. À ses phalanges blanches, à la grimace de Roscia, je compris qu'il lui serrait douloureusement le poignet.

— Dis-lui, souffla-t-elle, et nul n'aurait pu savoir si les larmes dans sa voix étaient feintes ou non.

— Tiron m'en a dit suffisamment, repris-je d'une voix que je voulais froide et dure. Qui rencontres-tu quand tu t'échappes de la maison de Cæcilia – qui d'autre que Tiron ? Est-ce en ces lieux que tu dévoiles les secrets de ton père aux rapaces qui veulent le voir dépecer vivant ? Dis-moi, jeune écervelée, par quelle séduction a-t-on pu te convaincre de trahir ta propre chair ?

— Ma propre chair ! cria-t-elle. Je n'ai pas de chair. Ceci est la chair de mon père !

Elle arracha sa main à l'étreinte de Tiron, remonta sa manche et s'empoigna le bras.

— Cette chair, c'est sa chair à lui ! répéta-t-elle en soulevant sa robe, pinçant la chair blanche et nue de ses jambes, comme si elle pouvait se l'arracher des os. Et ça, et ça aussi ! hurlait-elle en tirant sur ses joues, ses mains, ses cheveux.

Quand elle voulut montrer ses seins, Tiron l'en empêcha. Il aurait bien aimé l'entourer de ses bras, mais elle le repoussa d'une gifle.

— Comprends-tu ?

Elle était secouée comme par des sanglots, mais aucune larme ne coulait.

— Oui, dis-je.

Tiron assis contre elle secouait la tête de confusion.

— Est-ce que tu comprends vraiment ?

Une larme jaillit et coula sur sa joue. J'avalai ma salive et fis signe que oui.

– Quand a-t-il commencé ?

– Quand j'avais l'âge de Minora. C'est pourquoi...

Elle se mit à pleurer, incapable de continuer.

– Minora, la petite, ta sœur ?

Elle hocha la tête. Tiron comprit enfin, ses lèvres trem-
blèrent.

– C'est donc ta revanche – d'aider ses ennemis par tous
les moyens.

– Non ! Tu disais avoir compris ! Je ne me venge pas...

– C'est pour sauver ta petite sœur, alors ?

Elle se tut, détournant la tête de honte. Tiron la regardait,
impuissant. Ses mains bougeaient comme s'il voulait la toucher, mais il n'osait pas. Je ne supportai plus de voir leur
peine à tous les deux, et levai mon regard vers l'immensité
brûlante et vide.

Dans le silence, on entendait la rumeur de la ville. Un
oiseau passa tout là-haut, coupant le ciel en deux.

– Comment t'ont-ils approchée ? Comment le savaient-
ils ?

– Un homme... Ici... Un jour... (Elle n'avait plus qu'un
filet de voix.) Je venais chaque après-midi depuis notre arrivée. C'est le seul endroit qui me rappelle la campagne...
Une fois, un homme est venu – ils devaient surveiller la
maison de Cæcilia, ils savaient que j'étais sa fille. Il a commencé par me faire peur. Puis, nous avons parlé. « Bavardé », disait-il, comme s'il n'était qu'un voisin innocent et
curieux. Il devait se croire très malin, ou penser que j'étais
idiote. Il m'a offert un collier ridicule, le genre de collier
que Cæcilia jetterait directement aux ordures. Je lui ai dit
de se le garder, que je savais exactement ce qu'il voulait.
Oh, non, non, faisait-il avec tant de simagrées que je me
suis retenue de lui cracher à la figure. Je savais qu'il venait
de la part de Capito et de Magnus. Il a nié, prétendant qu'il
n'en avait jamais entendu parler. Peu importe, ai-je dit, moi,
je les connais, et je suis prête à faire tout mon possible pour
t'aider. Il a fini par comprendre. Tu aurais dû voir sa tête !

Mon regard se perdit dans les fourrés, dans l'obscurité poussiéreuse, domaine des escargots, des araignées, et des myriades d'insectes qui s'entre-dévorent.

— Et tu revenais chaque après-midi ?

— Oui.

— Lui aussi ?

— Oui. Après ça, je le renvoyais pour être seule.

— Et tu lui racontais tout ?

— Tout. Ce que mon père avait mangé au petit déjeuner. Ce qu'il disait à ma mère quand j'écoutais aux portes. Je mentionnais chaque visite de Cicéron ou de Rufus, et rapportais leurs paroles.

— Plus les petits secrets que tu soutirais à Tiron.

Elle hésita une fraction de seconde.

— Oui, cela aussi.

— Mon nom, par exemple, et pourquoi Cicéron m'avait engagé.

— Oui.

— Et qu'il devait payer un garde pour surveiller ma maison.

— Oh oui, pas plus tard qu'hier. Il voulait savoir très précisément ce qu'avait dit Tiron, dans tous les détails.

— Et comme de juste, tu excelles à te procurer les détails et à te les rappeler.

Elle me regarda droit dans les yeux. Son visage s'était à nouveau durci.

— Parfaitement. J'ai une excellente mémoire. Je n'oublie rien. *Rien.*

— Mais qu'as-tu à y gagner au fond ? Songes-tu à ta propre vie ? Quel avenir t'attend sans un père ?

— Il ne peut être pire que le passé, que toutes ces années où il m'a... où j'étais sa...

Tiron fit un geste vers elle, elle le repoussa de nouveau.

— Même si tu éprouves pour lui une haine implacable, quelle vie prépares-tu à ta mère, à ta sœur, si ta trahison aboutit ? Sans personne vers qui vous tourner, réduites à la mendicité.

— Nous le sommes déjà.

— Mais ton père peut encore être acquitté. Si c'est le cas, nous avons une chance de vous restituer vos propriétés.

Elle pesa mes paroles, me regardant fixement dans les yeux, puis dit ce qu'elle avait sur le cœur :

— Peu importe. Si c'était à refaire, je recommencerais. Je le trahirais par tous les moyens. Je ferais n'importe quoi pour aider ses ennemis à le mettre à mort. Déjà, il fait des avances à ma sœur. Je l'observe chaque fois que notre mère quitte la pièce. Ses yeux... Parfois, il regarde Minora, puis me regarde, et sourit. Tu te rends compte ? Il sourit pour me montrer qu'il sait que je comprends. Il sourit pour me rappeler les moments où il a pris son plaisir avec moi. Il sourit à l'idée de tout le plaisir que Minora lui réserve. Alors même qu'il est en danger de mort, il ne peut s'empêcher d'y penser. C'est peut-être tout ce à quoi il pense ! Jusqu'à présent, j'ai réussi à la préserver – par la ruse, par le mensonge ; une fois même, je l'ai menacé d'un couteau. Sais-tu ce dont j'ai peur ? S'ils le condamnent, c'est la dernière chose qu'il fera. Même devant ses bourreaux, il trouvera moyen de lui arracher ses habits et de la violer.

Elle frissonnait et vacillait comme si elle allait s'évanouir. Tiron l'entoura doucement. Sa voix se fit lointaine et creuse, comme si elle tombait de la lune.

— Il sourit, car quelque chose en lui refuse de croire qu'ils le tueront. Il se croit immortel, et si c'est le cas, je ne peux plus espérer l'arrêter...

— Tu le hais si fort que tu oublies les innocents que tu détruis au passage. Par deux fois, j'ai failli mourir à cause de toi.

Elle pâlit, mais cela ne dura pas.

— Nul homme qui aide mon père n'est innocent, reprit-elle d'un air las.

Tiron relâcha son étreinte.

— Et tout homme qui peut t'être utile est digne de ton corps.

— Oui ! Oui, et je n'en ai pas honte ! Mon père a tous les droits sur moi. C'est la loi ; je ne suis qu'une fille. Je ne suis rien, je suis la crasse sous ses ongles, à peine mieux qu'une esclave. De quelles armes puis-je disposer pour protéger Minora ? Je n'ai que mon corps. Et mes pensées. J'en fais bon usage.

— Même si cette stratégie signifie ma mort ?

— Oui, si c'est le prix. Si d'autres doivent y passer... (Elle se remit à pleurer, prenant conscience de ses paroles.) Mais je n'aurais jamais cru, je ne savais pas... C'est seulement lui que je déteste !

— Et qui aimes-tu, Roscia Majora ?

Elle tentait de calmer ses pleurs.

— Minora, chuchota-t-elle.

— Personne d'autre ?

— Personne.

— Et ce garçon d'Ameria, Lucius Megarus ?

— Comment le connais-tu ?

— Et son père, le bon fermier Titus, le meilleur ami de ton père ?

— C'est faux ! coupa-t-elle. Il ne s'est rien passé entre nous.

— Tu veux dire que tu t'es offerte et qu'il n'a pas voulu de toi ?

Devant son silence révélateur, je fus presque aussi surpris que Tiron. Il se sépara d'elle complètement, sans qu'elle ait l'air de le remarquer.

— Qui d'autre a connu tes faveurs, Roscia ? D'autres esclaves chez Cæcilia, en échange d'un peu d'espionnage ? Celui qui te rencontre ici ? Que se passe-t-il avec lui, une fois que tu as livré tes renseignements ?

— Ne sois pas stupide, fit-elle en se renfrognant.

Je soupirai.

— Tiron n'est-il donc rien pour toi ?

246

– Rien.

– Tu t'es seulement servie de lui ?

Elle me fixa intensément.

– Oui. Rien de plus. Il n'est qu'un esclave. Un jeune imbécile. Qui m'a servi, oui.

Elle coula un regard vers Tiron, puis détourna les yeux.

– Je t'en prie, commença Tiron.

– Oui, tu peux t'en aller, Tiron. Je t'accompagne. Tout est dit.

Il n'essaya plus de la toucher, et partit sans se retourner. Nous passâmes sous les arbres pour émerger en plein soleil. Tiron donnait des coups de pied dans la poussière.

– Pardonne-moi, Gordien...

– Chut ! pas maintenant. Je crains que notre petit rendez-vous ne soit pas tout à fait terminé. On nous surveille en ce moment même. Non, regarde devant toi et fais comme si de rien n'était. Chaque après-midi, a-t-elle dit. Il attend que nous partions. Suis-moi jusqu'au saule près de chez Cæcilia. Nous pourrons observer son arrivée sans être vus.

En effet, un moment plus tard, un homme en tunique noire quitta la rue et s'enfonça dans le passage. Je fis signe à Tiron de me suivre. Nous retournâmes sur nos pas. À portée de leurs voix, je tendis l'oreille et aperçus Roscia entre deux ifs. Manque de chance, elle me vit aussi. Je crus un instant qu'elle allait se taire. Mais elle avait choisi son camp et resta fidèle jusqu'au bout aux ennemis de son père.

– Va-t'en ! cria-t-elle. Cours ! Ils sont revenus !

Dans un bruit de branches écrasées, l'homme débaula sur nous à l'aveuglette.

– Non ! De l'autre côté !

Il était trop tard. Il tomba sur moi, sa tête heurta la mienne, et il me renversa. Il repartit en bousculant Tiron qui se lança à sa poursuite. En vain. Je retrouvai Tiron plus loin sur la route, l'air défait et en nage. Il avait l'avant-bras lacéré par des épines.

– Je n'ai pas pu l'attraper.

247

— Cela vaut mieux, Tiron. Il t'aurait sans doute enfoncé un couteau dans les côtes. De toute façon, j'ai réussi à le voir de près. Je le connais.

— Ah bon ?

— Un visage familier de Subure, et du Forum d'ailleurs. Une créature de Gaïus Erucius, le procureur. Je m'en doutais. Erucius ne recule devant rien pour obtenir ses informations.

Nous descendîmes lentement le Palatin. Bien qu'en pente, le chemin nous parut long et difficile. J'étais honteux d'avoir conduit l'entretien avec tant de brutalité. Mais je l'avais fait pour Tiron. Il aimait Roscia. La révélation de sa souffrance n'avait fait que renforcer son amour. Je l'avais vu s'épanouir sous mes yeux. Une telle passion ne lui apporterait que chagrin et regret. En le rejetant, Roscia pouvait le libérer. J'avais fait exprès de la pousser dans ses retranchements. Je me demandais à présent si Roscia n'avait pas conspiré avec moi pour le bien de Tiron. À cause de ce dernier regard qu'elle m'avait jeté. À cause de ces dernières paroles, où elle exposait si crûment son mépris pour lui. C'était peut-être la vérité, ou l'ultime manifestation de la tendresse qu'elle éprouvait à son égard.

## 9

Nous retournâmes à la maison sur le Capitole. Rufus était parti. Cicéron se reposait, mais avait donné l'ordre de me conduire à sa chambre dès mon arrivée.

Elle était aussi austère que celle qu'il m'avait attribuée, à l'exception du petit jardin sur lequel elle donnait ; au milieu, une minuscule fontaine jaillissait, éclatante de lumière, et, tout près, veillait une Minerve dont le visage pensif se reflétait dans les eaux tremblantes du bassin. Pour Cicéron, se reposer c'était travailler allongé sur son lit. À mon arrivée, il feuilletait une liasse de parchemins.

Je lui exposai en termes simples et avec objectivité ce que je savais sur la trahison de Roscia. La nouvelle ne sembla pas le surprendre. Il posa quelques questions pour que je lui précise certains points, m'indiqua d'un signe de tête qu'il avait compris, puis reprit sa lecture après m'avoir congédié sans cérémonie.

Je restai près de lui, déconcerté, et me demandai si ce que je lui avais révélé sur la personnalité de Roscius le laissait totalement indifférent.

— Tout cela n'a donc aucune importance pour toi ? dis-je au bout d'un moment.

— Écoute-moi bien, Gordien. Pour l'instant, je ne m'intéresse pas à la personnalité de Sextus Roscius et je ne cherche pas à juger ses faiblesses. Dans les informations que tu m'as apportées, il n'y a aucun élément qui puisse me servir à préparer sa défense. Elles sont inutiles. Je n'ai pas le temps de prêter attention à ce qui m'éloigne de la construction simple et logique que je m'efforce de mettre au point pour assurer cette défense. Ton devoir, Gordien, c'est de m'aider à bâtir cet édifice, et non pas de saper ses fondations ou de démolir ce que j'ai déjà mis en place. Tu comprends ?

Il ne se donna même pas la peine de voir si j'acquiesçais. En soupirant, il me fit signe de partir et retourna à ses notes.

Je trouvai Bethesda dans ma chambre. Elle était occupée à se peindre les ongles avec une nouvelle teinture à base de henné, qu'elle avait trouvée dans un marché près du cirque Flaminius. Elle souriait et remuait les orteils comme une enfant.

Je m'approchai d'elle et lui caressai les cheveux du revers de la main. Elle leva la tête et la peau douce de sa joue m'effleura les doigts. Soudain je sentis monter en moi un désir animal. J'en avais assez de penser et souhaitai m'enivrer de sensations.

Au lieu de cela, je me trouvai dans le plus grand embarras. L'image de Roscia ne cessait de surgir aux confins de ma conscience, elle m'excitait, j'avais les joues en feu. Ce n'était pas seulement le désir ou la honte mais les deux à la fois. Je laissai ma main s'égarer sur le corps de Bethesda, fermai les yeux et vis la jeune fille nue, frémissante, coincée entre le mur et Tiron qui donnait des coups de boutoir. Je posai mes lèvres sur l'oreille de Bethesda ; elle soupira et je tressaillis parce que je crus l'entendre murmurer le nom de la petite fille : « Minora, Minora ». J'avais sûrement vu l'enfant la première fois que j'avais interrogé Sextus Roscius, mais je ne me souvenais plus de son visage. Je ne revoyais que l'air angoissé de Roscia quand je lui avais posé des questions ; l'expression qu'elle avait eue quand Tiron l'avait possédée.

Le désir, la honte, l'extase, l'angoisse, tout cela ne faisait qu'un, et même mon corps perdit son identité quand il se fondit dans celui de Bethesda. Mon sexe s'était faufilé entre ses cuisses fraîches et elle le serrait en riant doucement. Je me souvins du jeune Lucius qui rougissait et arborait un petit sourire satisfait, alors que nous nous rendions à Ameria. Je me représentai Roscia, les cuisses encore toutes humides du sperme de Lucius, en train de s'offrir au père du jeune homme. Titus Megarus l'avait repoussée. Était-ce avec un soupir de regret, un frémissement de dégoût, ou bien lui avait-il donné une bonne gifle comme l'aurait fait un père de famille ? Je vis les mains de Sextus Roscius, des mains brutales, durcies par les travaux des champs se glisser entre les cuisses de la jeune fille, ses cals écorcher sa peau douce. Je fermai les yeux. Ceux de Sextus, pareils à des braises, me brûlaient. Bethesda m'enlaça, roucoula dans mon oreille et me demanda pourquoi je frissonnais.

Juste avant l'orgasme, je me retirai d'elle et éjaculai entre ses jambes, inondant les draps déjà froissés et mouillés de sueur. Je me sentais complètement vidé, puis la sensation disparut au bout de quelques instants. Ma tête reposait entre ses seins, qui se soulevaient doucement comme un navire au gré de la houle.

La réception chez Chrysogonus ne commença qu'après le coucher du soleil. À cette heure-là, Cicéron avait déjà dîné et mis ses vêtements de nuit. La plupart des esclaves dormaient et la maison était plongée dans l'obscurité, à l'exception des pièces où Cicéron mettait au point son discours avant d'aller se coucher. Comme je le lui avais vivement conseillé, il avait posté, mais à regret, quelques-uns de ses esclaves les plus vigoureux sur le toit pour surveiller les abords et l'entrée. Il paraissait peu probable que nos ennemis osent frapper Cicéron directement, mais ils s'étaient déjà montrés capables de cruautés inimaginables.

Tout d'abord j'avais cru que Tiron et moi pourrions accompagner Rufus, comme si nous étions ses esclaves, mais c'était hors de question maintenant. Il y avait toutes les raisons de croire que, parmi les invités, quelqu'un pourrait reconnaître l'un de nous ou même nous reconnaître tous les deux. Rufus irait donc seul à la réception. Tiron et moi, nous resterions à attendre dans l'ombre, à l'extérieur.

La maison de Chrysogonus se trouvait à une courte distance de la demeure de Cæcilia et tout près du lieu où Tiron avait donné rendez-vous à Roscia. Je le vis jeter un coup d'œil furtif en passant, comme si elle était peut-être là à l'attendre. Il ralentit le pas et s'arrêta pour scruter les ténèbres. Je le laissai faire quelques instants, puis le tirai par la manche. Il sursauta, me regarda l'air penaud, et m'emboîta le pas.

À l'entrée de la demeure de Chrysogonus, c'était le branle-bas général. Des torches fichées dans des appliques ou tenues par des esclaves éclairaient le porche. Tout près, des esclaves jouaient de la lyre, des cymbales et de la flûte, tandis que les invités se succédaient en un flot ininterrompu. La plupart venaient en litière portée par des esclaves, tout essoufflés d'avoir gravi le raidillon. Ceux qui habitaient sur le Palatin arrivaient modestement à pied, mais ils étaient escortés d'une suite d'esclaves.

Les porteurs de litières, une fois que leurs maîtres avaient mis pied à terre, allaient attendre derrière la maison. Les esclaves se dispersaient. Il faisait chaud. De nombreux invités s'attardaient près de l'entrée pour écouter la musique. Dans le crépuscule, elle paraissait plus douce que le chant des oiseaux. Chrysogonus avait les moyens de s'offrir les meilleurs musiciens.

— Allez, dégagez ! cria quelqu'un derrière nous, dont la voix nous parut familière.

Tiron et moi nous écartâmes d'un bond pour laisser passer une énorme litière. À l'intérieur se trouvait Rufus accompagné de son demi-frère Hortensius. C'était Rufus qui avait crié. Il semblait bien s'amuser, riait aux éclats et nous adressa un sourire complice. Ses joues étaient toutes rouges. Sans doute avait-il déjà bu pour se donner du courage.

Heureusement Hortensius regardait de l'autre côté et ne nous vit pas. Sinon il m'aurait certainement reconnu. Je me rendis compte tout à coup que nous étions bien trop visibles et entraînai Tiron dans un endroit plus sombre sous les branches d'un figuier. L'invité d'honneur n'était pas encore arrivé.

J'entendis enfin un piétinement. Je me retournai et vis approcher dans la nuit une sorte de coffre entouré d'un voile jaune. Il semblait flotter dans les airs sans aucun moyen de propulsion et, pendant quelques instants, l'illusion fut complète. En fait tous les porteurs étaient des Nubiens. Leur peau était d'un noir d'ébène, ils portaient un pagne noir et des sandales noires. Dans la pénombre on les voyait à peine. Au clair de lune, ils semblaient absorber la lumière, seules luisaient leurs épaules massives. Ils étaient au nombre de douze, six de chaque côté, plus nombreux qu'il ne le fallait pour transporter un seul passager, mais cela leur permettait de se déplacer en souplesse. Une cohorte d'esclaves, de serviteurs, de secrétaires, de gardes du corps et de parasites les suivait. Il était sans doute vrai, comme le prétendait Rufus, que Sylla traversait seul le Forum en plein jour, mais la nuit il se déplaçait toujours dans les rues en grande pompe, en prenant toutes les précautions indispensables pour un dictateur de la République.

Enfin Chrysogonus vêtu d'une toge jaune, brodée d'or, s'avança sous le porche. Jusqu'ici je ne l'avais jamais vu, j'avais seulement entendu parler de lui. C'était en effet un fort bel homme, grand, bien bâti. Il avait des cheveux dorés, une mâchoire puissante et des yeux bleus étincelants. Il fit un geste de la main. Soudain les musiciens, qui ne jouaient plus avec autant d'entrain, retrouvèrent leur brio.

La litière s'arrêta. Les Nubiens déposèrent leur fardeau. Sylla se leva, souriant, impressionnant. Son visage rougeaud brillait à la lumière des torches. Il portait une robe recherchée de style asiatique. Les broderies d'argent rehaussaient les différentes nuances de vert. Ses cheveux, jadis aussi blonds que ceux de Chrysogonus, étaient épais et ternes, couleur filasse.

Chrysogonus s'avança pour l'accueillir, en inclinant légèrement la tête. Ils se donnèrent l'accolade, échangèrent quelques mots en riant et disparurent dans la maison. De l'intérieur nous parvinrent des acclamations et des applaudissements atténués par la distance. Le héros de la fête était arrivé.

Deux jours plus tôt, Rufus m'avait montré l'extérieur de la demeure de Chrysogonus, il m'avait indiqué chaque entrée et expliqué de son mieux, d'après ses souvenirs, l'emplacement de toutes les pièces à l'intérieur. Au nord, après avoir dépassé l'angle de la maison, on découvrait, cachée par une rangée de cyprès, une petite porte en bois dans un renfoncement du mur. Par là, pensait Rufus, on arrivait dans un office qui jouxtait les vastes cuisines à l'arrière de la maison. Nous devions attendre que Rufus vienne nous chercher, à moins qu'il ne parvienne à trouver tout seul les esclaves de Sextus Roscius père, Félix et Chrestus, auquel cas il nous les enverrait.

Nous eûmes l'impression d'attendre très longtemps. Enfin la porte s'ouvrit. Je m'aplatis contre l'arbre, prêt à fuir, mais ce n'était qu'une esclave avec un seau d'eau sale. Elle le jeta à l'aveuglette dans le noir, fit demi-tour et claqua la porte derrière elle. Je mis la main dans ma manche pour m'assurer que mon couteau s'y trouvait bien, celui-là même que m'avait donné le fils de Polia dans la rue qui mène à la Maison aux Cygnes, il y avait une éternité, me semblait-il.

Je somnolais quand la porte s'ouvrit à nouveau. Je serrai le couteau dans ma main et me redressai.

— Gordien ? murmura une voix.

— Viens ici, Rufus. Ferme la porte derrière toi.

Il la referma en faisant le moins de bruit possible, puis resta immobile, clignant des yeux, ne voyant rien dans l'obscurité malgré le clair de lune.

— Tu les a trouvés ? demandai-je.

— Oui, ils sont dans la maison. Du moins il y a deux esclaves qui s'appellent Félix et Chrestus, des nouveaux venus, m'a dit une esclave. Mais je ne les ai pas vus. Ils ne servent pas les invités. Ils n'ont aucun contact avec l'extérieur. Chrysogonus les utilise pour son service personnel. La jeune fille m'a dit qu'ils ne quittent presque jamais le premier étage.

— Elle pourrait leur porter un message, suggérai-je.

— Je le lui ai déjà demandé. Impossible, dit-elle. Chrysogonus serait dans une colère noire s'ils descendaient pendant la réception. Mais elle accepte de vous conduire auprès d'eux.

— Où se trouve cette jeune fille ?

— Elle m'attend à l'office. Elle a trouvé une excuse pour aller chercher quelque chose.

— Ou bien elle pourrait en ce moment même aller voir Chrysogonus.

Rufus regarda la porte d'un air inquiet, puis secoua la tête.

— Je ne crois pas.

— Pourquoi ?

— Tu sais ce qui se passe. Il est facile de savoir si une esclave accepte de jouer un sale tour à son maître derrière son dos. Cette jeune fille n'apprécie pas beaucoup Chrysogonus. On dit toujours que les esclaves détestent travailler pour un affranchi. L'ancien esclave n'est-il pas le maître le plus cruel ?

Je regardai la porte. La mort pourrait facilement rôder de l'autre côté. Je respirai à fond et décidai de m'en remettre au jugement de Rufus.

— Montre-nous le chemin.

Il acquiesça et ouvrit la porte sans faire de bruit. Le linteau était si bas que je dus baisser la tête. Tiron me suivit. Il n'avait aucune raison de venir, et j'avais l'intention de le laisser dehors, mais quand je regardai par-dessus mon épaule et vis son air décidé, j'acceptai. La porte grinça légèrement quand il la referma derrière nous.

La fille était jeune et belle, elle avait de longs cheveux noirs et son teint clair prenait des reflets dorés à la lumière de la lampe qu'elle tenait à la main. Chez une courtisane, on n'aurait pas remarqué sa beauté, mais dans le cas d'une simple servante, elle était exceptionnelle. Chrysogonus avait la réputation de s'entourer de jolies frimousses.

– Voici les hommes, expliqua Rufus. Peux-tu les emmener au premier sans faire de bruit, pour ne pas attirer l'attention ?

La jeune fille acquiesça d'un signe de tête et sourit, comme si cela allait sans dire. Puis elle ouvrit la bouche, haleta légèrement et pivota sur les talons. La porte derrière elle avait commencé à s'ouvrir.

La pièce, basse de plafond, était étroite, les murs étaient couverts d'étagères où s'entassaient bouteilles, amphores, bols et sacs. Des tresses d'ail pendaient du plafond, une odeur de farine moisie flottait dans l'air. Je me dissimulai tant bien que mal dans un angle de la pièce et poussai Tiron derrière moi. Au même instant, Rufus enlaça la jeune fille, la pressa contre lui et l'embrassa sur la bouche.

La porte s'ouvrit pour de bon. Rufus continua d'embrasser la jeune fille, puis ils s'écartèrent l'un de l'autre.

L'homme qui se trouvait à la porte était grand et large d'épaules, si imposant qu'il remplissait presque tout l'encadrement. La lumière venant de derrière formait une auréole dorée chatoyante autour de son visage demeuré dans l'ombre. Il gloussa de rire et s'avança un peu plus. La lampe de la jeune fille, qui tremblait dans sa main, éclaira le visage de l'homme. Je vis le bleu de ses yeux et la fossette de son large menton, les pommettes hautes, le front lisse et serein. Il était à quelques pas de moi et m'aurait sûrement vu entre les pots de terre et les amphores, s'il n'avait pas fait si sombre. La jeune fille s'était placée de sorte que la lumière ne nous éclaire pas et l'éblouisse avec sa lampe.

— Rufus, dit-il enfin en faisant siffler le *s*, comme s'il soupirait et non pas comme s'il prononçait un nom, Sylla te demande. Sorex s'apprête à danser. Le thème est une méditation sur la mort de Didon. Sylla serait fâché que tu ne sois pas présent.

Il y eut un long silence. Je crus voir rougir les oreilles de Rufus, mais c'était peut-être un effet de lumière.

— Bien sûr, si tu es occupé, je dirai à Sylla que tu es parti te promener.

Chrysogonus parlait lentement, comme s'il avait tout son temps. Il se tourna vers la jeune fille, l'examina, puis tendit la main vers elle. Il la toucha, je ne pus voir où exactement. Elle se raidit, haleta et la lampe trembla dans sa main. Derrière moi, Tiron sursauta. Je posai ma main sur la sienne et la serrai très fort.

Chrysogonus prit la lampe et la posa sur une étagère. Il dégrafa la robe de l'esclave et la fit glisser. Elle voltigea le long de son corps, aussi légère qu'une colombe, et la jeune fille apparut toute nue. Chrysogonus recula d'un pas, pinça ses grosses lèvres charnues et s'esclaffa :

— Si tu as envie d'elle, jeune Messalla, naturellement tu peux la prendre. Je ne refuse rien à mes invités. Tous les plaisirs sont à ta disposition chez moi. Mais tu n'as aucune raison de te comporter comme un écolier en te cachant à l'office. Il y a beaucoup de chambres confortables au premier. Dis-lui de t'y conduire. Promène-la toute nue dans toute la maison, si tu le désires, chevauche-la comme un poney. Ça ne sera pas la première fois.

Il la toucha de nouveau. C'était comme si sa main traçait une marque sur ses seins. La jeune fille suffoquait et frémissait mais elle ne fit pas un mouvement.

— Presse-toi. Sylla te pardonnera si tu manques la danse, mais après, Metrobius va nous interpréter une nouvelle chanson de... un flatteur quelconque, on ne peut retenir tous leurs noms. Le pauvre imbécile est présent ce soir, il essaie de briguer quelque faveur. La chanson, je crois, rend hommage aux dieux qui ont envoyé un homme pour mettre fin à la guerre civile. Elle commence par « Sylla, le favori des Romains, le sauveur de la République ». Je suis persuadé que le reste est écrit dans le même style, à vous faire vomir, sauf que... Metrobius m'a dit qu'il a pris la liberté d'ajouter quelques vers paillards, suffisamment scandaleux pour faire décapiter le jeune poète. Ce sera le clou de la soirée, pour certains d'entre nous, du moins. Sylla sera fort déçu si tu ne te joins pas à nous pour en jouir aussi.

Avec un sourire suggestif, Chrysogonus regarda longuement les deux jeunes gens, puis se retira et referma la porte.

Personne ne bougea. Enfin la jeune fille se baissa et ramassa sa robe. Tiron l'aida à se rhabiller. Rufus regarda ailleurs.

— Eh bien, dis-je, le maître de maison nous a donné la permission d'aller fureter au premier. Allons-y.

## 10

La jeune fille nous conduisit à une porte au bout du couloir. Elle donnait sur un escalier en colimaçon.

– C'est l'escalier qu'empruntent les esclaves, murmurat-elle. Si nous croisons des gens, faites semblant de ne pas les voir, même s'ils nous regardent d'un air bizarre. Ou mieux encore, pincez-moi fort pour me faire crier, comme si vous étiez tous ivres. Ils imagineront les pires choses, mais ils nous laisseront tranquilles.

Nous ne rencontrâmes personne et le couloir au premier étage était désert. D'en bas montait le son des lyres et des flûtes, et l'on entendait de temps en temps des applaudissements et des éclats de rire. Le couloir était large et richement décoré, il donnait sur de vastes pièces, hautes de plafond, somptueusement aménagées. Partout des tapis, des tentures, des incrustations, des peintures. C'était un véritable feu d'artifice de couleurs, une profusion inimaginable de matériaux de toutes sortes, de formes variées.

Chrysogonus était un homme de goût qui avait réuni les objets et les œuvres d'art les plus raffinés et les plus coûteux qui soient. Il avait pillé les maisons des proscrits, cela ne faisait aucun doute, sinon il aurait fallu une vie entière pour entasser tant de merveilles d'origines si différentes. Son discernement était indiscutable. N'avait-il pas laissé aux autres les objets sans valeur et ne s'était-il pas réservé ce qu'il y avait de plus beau ? Il avait l'œil exercé de l'esclave qui a servi un maître fortuné et rêve d'être libre un jour et de s'enrichir à son tour.

Le couloir se rétrécit. La jeune fille souleva une lourde tenture. Quand nous fûmes passés dessous, elle la laissa retomber, et l'on n'entendit plus la musique. Le décor changea, c'était comme si nous étions soudain dans une autre maison : les murs étaient couverts de plâtre, sans aucun ornement, et les plafonds noircis par la fumée. C'étaient les pièces à usage domestique, mais du butin y avait également été entassé.

La jeune fille se faufila dans ce dédale, regarda furtivement autour d'elle, puis nous fit signe de la suivre. Elle tira un rideau.

Deux hommes assis par terre mangeaient du chou et de l'orge dans un bol fêlé. Une seule lampe éclairait la petite pièce aux murs nus. Je n'entrai pas. Tiron s'approcha de moi. Rufus était resté en arrière.

— Pour ce que vous voulez faire, Aufilia, dit l'esclave maigre et irascible, il n'y a pas assez d'espace ici. Tu ne peux pas trouver une pièce vide ailleurs avec un lit assez grand pour vous trois ?

— Félix ! s'écria son compagnon d'une voix sifflante.

Félix leva les yeux et pâlit en remarquant la bague que j'avais au doigt. Il nous avait pris tous les trois pour des esclaves qui cherchaient un endroit pour une partie de jambes en l'air.

— Pardonne-moi, citoyen, murmura-t-il en baissant la tête.

Ils gardèrent le silence en attendant que je parle. Quelques instants auparavant, c'étaient des êtres humains dont le visage rayonnait. Subitement ils étaient devenus ternes, identiques. Leur visage, qui avait perdu toute expression, était pareil à celui des esclaves qui, à Rome, servent un maître cruel.

— Regardez-moi, leur ordonnai-je, regardez-moi droit

dans les yeux ! Si vous ne voulez pas finir de manger, posez votre bol et mettez-vous debout. Le temps presse.

Après leur avoir expliqué qui j'étais et ce que je voulais, ils consentirent à me parler avec la meilleure volonté du monde. Tiron était à mes côtés, silencieux et pensif. J'avais posté Rufus à l'entrée de la chambre voisine, qui donnait sur le couloir principal, afin qu'il fît faire demi-tour à tout invité qui s'aventurerait dans les parages. Je dis à la jeune fille de rester avec lui. On comprendrait que c'était à cause d'elle qu'il s'attardait au premier étage.

— En un clin d'œil il a sorti son poignard, dit Félix.

— Oui, en un clin d'œil, répéta Chrestus.

— Nous n'avons pas eu le temps de venir au secours de notre maître. Ils nous ont écartés et jetés à terre, reprit Félix. Ils étaient forts comme des lions.

— Et ils puaient l'ail, ajouta Chrestus. Ils nous auraient tués aussi, si Magnus n'était pas intervenu.

— Alors, tu es sûr que c'était Magnus ?

— Oh oui ! dit Félix saisi d'un tremblement. Je n'ai pas vu son visage, il veillait à le dissimuler. Mais j'ai entendu sa voix.

— Et le maître l'a appelé par son nom, tu t'en souviens, juste avant que Magnus lui donne un premier coup de poignard.

— Et les deux autres assassins ? demandai-je.

— L'un d'eux aurait pu être Mallius Glaucia, bien que je n'en sois pas certain, dit Félix. L'autre avait une barbe, si mes souvenirs sont exacts.

— Une barbe rousse ?

— Peut-être. C'était difficile à voir dans la pénombre. Il était encore plus massif que Glaucia et empestait l'ail.

— Barberousse, grommelai-je. Et comment se fait-il que Magnus les ait empêchés de vous tuer ?

— Il le leur a interdit. « Arrêtez, espèce d'imbéciles ! gronda Chrestus, comme s'il jouait un rôle. Ces esclaves valent un bon prix. Si vous en blessez un, ce sera autant de moins sur vos gages ! » « Ils valent un bon prix », a-t-il dit, et voilà à quoi nous sommes réduits : nous faisons reluire les sandales de Chrysogonus et nettoyons ses pots de chambre.

— Magnus, semble-t-il, souhaitait que vous fassiez partie de l'héritage.

— Oui, acquiesça Félix. C'était ça leur plan, faire main basse sur les biens de notre maître. Qui peut imaginer comment ils s'y sont pris ? Et maintenant nous avons échoué en ville, mais la ville, nous ne la voyons jamais. Nous sommes enfermés jour et nuit dans ces pièces où il n'y a pas d'air. C'est à croire qu'on nous punit.

— La nuit du meurtre, dis-je, en essayant de les ramener au sujet, vous avez disparu, vous vous êtes volatilisés, sans crier, sans appeler au secours. Ne le niez pas, j'ai un témoin qui me l'a juré.

Félix secoua la tête.

— Je ne connais pas ton témoin, mais nous ne nous sommes pas enfuis, pas exactement, du moins. Nous avons d'abord filé à toute allure dans la rue, puis nous nous sommes arrêtés. Chrestus aurait bien continué de courir, mais je l'ai retenu.

— C'est vrai, dit Chrestus, l'air penaud.

— Nous sommes restés dans le noir à les regarder faire. Quel homme merveilleux ! Quel noble Romain ! Un esclave ne pouvait souhaiter meilleur maître. Il ne m'a pas battu une seule fois en trente ans ! Combien d'esclaves peuvent en dire autant ?

— C'était horrible ! soupira Chrestus. Il tremblait de tous ses membres quand ils l'ont poignardé, je ne l'oublierai jamais. Le sang jaillissait de son corps comme d'une fontaine. J'ai alors pensé que je devrais retourner près de mon maître, me jeter par terre à côté de lui et leur dire : « Tuez-moi à mon tour. » C'est bien ce que j'ai dit, Félix ?

Il se mit à pleurer doucement. Puis, soudain, il fronça les sourcils.

262

— Qu'y a-t-il ? demandai-je.

— Quelque chose me revient à l'esprit, quelque chose de bizarre, et qui me paraît encore plus bizarre, maintenant que j'y songe. Quand ils en ont eu fini, que notre pauvre maître était bel et bien mort, le barbu s'est mis à le décapiter.

— Quoi ?

— Il l'a empoigné par les cheveux, lui a tiré la tête en arrière et a commencé à lui trancher le cou avec une lame énorme. On aurait dit un boucher qui avait fait cela toute sa vie. Au commencement, Magnus ne l'avait pas vu, car il regardait du côté des fenêtres. Quand il a baissé les yeux, il a crié à l'homme de s'arrêter immédiatement. Il l'a repoussé et l'a giflé de toutes ses forces. Il a fallu qu'il lève le bras en l'air pour le faire.

— Il a giflé Barberousse alors qu'il était en train de décapiter un homme ? Je ne parviens pas à le croire.

— Tu ne connais pas Magnus, reprit Félix. Quand il s'emporte, il giflerait Pluton en personne et lui cracherait au visage. Son homme de main le connaissait assez pour ne pas oser lui rendre sa gifle, mais pourquoi s'était-il mis à décapiter mon maître ?

— L'habitude, dis-je. C'est ce qu'on faisait du temps des proscriptions. On coupait la tête et on la montrait pour réclamer la récompense de l'État. Barberousse était un professionnel, il avait tellement l'habitude de couper les têtes pour toucher sa prime que, par réflexe, il en a fait autant à Sextus Roscius.

— Mais pourquoi Magnus l'a-t-il empêché de continuer ? s'enquit Tiron. On faisait courir le bruit que Sextus Roscius était proscrit, pas vrai ? Alors pourquoi ne pas le décapiter ?

Tous les trois eurent les yeux rivés sur moi.

— Magnus voulait que cela passe pour un meurtre, pas pour une proscription. Parce qu'alors ils n'avaient pas encore décidé d'inventer l'histoire de la proscription, ni prévu d'accuser Roscius fils de parricide... Mais je ne suis pas sûr.

— Je ne vois pas l'intérêt de ces questions, dit Tiron. L'enfant muet nous a appris tout cela.

— Le petit Eco n'est pas un témoin valable et sa mère ne voudra jamais donner son témoignage.

— Et Félix et Chrestus ? Ils ne pourraient pas témoigner, à moins que...

Tiron s'interrompit.

— À moins que votre nouveau maître ne donne son autorisation. Nous savons tous que Chrysogonus ne la donnera jamais, aussi n'en parlons pas.

En fait, on en reparlerait. Le lendemain matin, je demanderais à Rufus de faire en sorte que le tribunal adresse une requête officielle à Chrysogonus pour qu'ils témoignent. Ce serait son droit de refuser, mais quelle impression ferait ce refus ?

Et s'il acceptait et remettait les esclaves aux mains des juges ? La loi romaine, en son infinie sagesse, exigeait que tout esclave qui donnait son témoignage fût soumis à la torture. Un témoignage donné librement par un esclave était irrecevable. J'imaginais cet homme corpulent qu'était Chrestus, tout nu, suspendu au bout de chaînes, les fesses marquées au fer rouge, et le frêle Félix lié sur une chaise, la main dans un étau.

— Et après, demandai-je pour changer de sujet, vous êtes allés servir le fils de votre maître, à Ameria ?

— Nous n'avons jamais servi le jeune Sextus Roscius, expliqua Félix. Nous ne sommes pas allés à Ameria, pour participer aux rites funéraires à la mort de notre maître. Un jour Magnus est apparu, il a prétendu que la maison de notre maître et nous-mêmes lui appartenions. C'était écrit sur le parchemin qu'il tenait à la main. Que pouvions-nous faire ?

— Notre vieux maître savait vivre et se donner du bon temps, ne vous y trompez pas, dit Chrestus, mais pour lui chaque vice avait son lieu de prédilection : les tavernes, c'était pour les beuveries ; les étuves pour la pédérastie ; les lupanars pour la fornication. Rien de tout cela chez soi et, quand on s'amusait, il y avait toujours un début et une fin. Mais chez Magnus, l'orgie était continuelle avec de temps à autre des bagarres. Nous étions écœurés de voir tous ces gens défiler et souiller la mémoire de notre maître.

– Puis la maison a brûlé, continua Félix. Il nous a envoyés chercher des objets de valeur au milieu des flammes. Deux esclaves sont morts en essayant de retrouver ses pantoufles préférées. Tu vois, il nous terrorisait ! Nous préférions affronter les flammes plutôt que sa colère.

– Alors, expliqua Chrestus, on nous a fait monter dans des charrettes et conduits à Ameria, un véritable trou, et nous avons échoué dans la grande demeure au service de Capito et de sa femme. On est tombés de Charybde en Scylla, c'est le cas de le dire. Il était presque impossible de dormir la nuit à cause de leurs disputes. Ma parole, cette femme est folle. Pas excentrique, comme Cæcilia Metella, mais folle à lier. Au milieu de la nuit, elle me faisait venir dans sa chambre et compter les cheveux qui étaient restés sur sa brosse, puis mettre les cheveux gris d'un côté et les cheveux noirs de l'autre. Elle voulait comptabiliser tous les cheveux qu'elle perdait. Il fallait faire cela au milieu de la nuit quand Capito dormait dans sa propre chambre et qu'elle était assise devant son miroir, occupée à contempler son visage. Je pensais qu'un beau jour je devrais aussi compter ses rides.

« Le plus étrange, c'est que le jeune Sextus Roscius, le fils de notre maître, venait souvent. J'avais cru qu'il était mort lui aussi, sinon nous aurions été ses esclaves. Puis je pensais qu'il nous avait peut-être vendus avec la terre pour une raison que nous ignorions. Cela n'était sans doute pas exact, car il vivait pour ainsi dire comme un prisonnier ou un miséreux dans une minuscule masure. Alors nous parvint la rumeur insensée au sujet des proscriptions. J'avais l'impression que les gens avaient perdu la raison, tout comme la femme de Capito.

« La façon dont se comportait Sextus Roscius était encore plus surprenante. Il nous connaissait à peine, je te l'accorde, car il passait peu de temps chez son père quand il venait à Rome, et après tout, nous n'étions pas ses esclaves. On aurait pu croire qu'il nous aurait pris à part, comme tu l'as fait, pour nous questionner sur la mort de son père. Nous étions présents au moment du crime, il devait le savoir. Mais quand il nous voyait, il détournait le regard. Comme s'il avait peur de nous ! Peut-être lui avait-on dit que nous étions des complices, des assassins de son père, alors que nous étions deux pauvres esclaves inoffensifs. »

Je hochai la tête, je ne savais plus que penser. Une main sur mon épaule me fit tressaillir. C'était Rufus sans la jeune fille.

— Gordien, il va falloir que je retourne à la réception. Chrysogonus a envoyé un esclave nous chercher. Metrobius ne va pas tarder à chanter. Si je ne suis pas là, cela va attirer leur attention.

— Très bien, dis-je. Vas-y.

— Tu sauras trouver la sortie ?

— Bien sûr.

Il jeta un coup d'œil dans la pièce. Il était mal à l'aise dans cette partie de la maison réservée aux esclaves. Il n'était pas fait pour être un espion ; le rôle du jeune noble honnête en plein jour au Forum lui convenait mieux.

— As-tu terminé ? Il faut déguerpir le plus vite possible. Une fois que Metrobius aura chanté, ce sera la fin du spectacle et les invités se promèneront un peu partout dans la maison. Tu ne seras pas en sécurité ici.

— Nous allons nous dépêcher, lui assurai-je, en le prenant par l'épaule et en le poussant vers la porte.

— Cela n'a pas dû être trop désagréable de t'occuper d'Aufilia pendant une heure, lui chuchotai-je.

Il fit une moue de dégoût.

– Je t'ai vu l'embrasser dans l'office.

Il se tourna brusquement vers moi, l'air furieux, puis regarda de travers les esclaves présents dans la pièce et s'éloigna jusqu'à ce qu'ils ne puissent plus le voir.

– Ne plaisante pas sur ce sujet, Gordien, murmura-t-il.

C'est à peine si je l'entendis.

– Je ne plaisantais pas, je voulais seulement dire...

– Je sais ce que tu voulais dire. Mais ne te méprends pas. Je ne l'ai pas embrassée par plaisir. Je l'ai fait parce qu'il le fallait. J'ai fermé les yeux et pensé à Cicéron.

Je le regardai soulever le rideau pour gagner le couloir. Ce que je vis ensuite me fit battre le cœur.

– Alors te voilà, jeune Messalla !

La voix était douce comme du miel, comme des perles d'ambre. L'homme venait à la rencontre de Rufus. Il était encore à vingt pas de lui. L'espace d'un instant, j'aperçus son visage et il aperçut le mien. Puis le rideau retomba.

Sa voix me parvint à travers la tenture.

– Viens Rufus, Aufilia est retournée travailler et toi, tu dois revenir te distraire, dit-il en riant à gorge déployée. Éros transforme les vieillards en marionnettes et réduit les jeunes à l'esclavage. C'est ce que prétend Sylla, expert en la matière. Mais toi, ne rôde pas ici à la recherche d'autres conquêtes pendant que Metrobius pousse sa chansonnette.

Sa voix ne trahissait aucune suspicion et, à mon grand soulagement, je cessai de l'entendre lorsqu'ils se furent éloignés dans le couloir. Quand nos regards s'étaient croisés, une ride était apparue sur son front lisse et une lueur d'étonnement avait brillé dans ses yeux bleus, comme s'il s'était demandé lequel de ses esclaves je pouvais bien être, ou bien à qui j'appartenais, et ce que je faisais au premier étage pendant la réception. Si, au même moment, on avait pu lire dans mes yeux comme j'avais lu dans les siens, s'il avait pu voir comme j'avais peur, Chrysogonus ne tarderait pas à envoyer des gardes du corps pour mener une enquête à mon sujet.

Je revins dans la pièce.

— Rufus a raison. Il faut nous dépêcher. Je voulais encore vous poser une autre question. C'était en fait pour cela que j'étais venu. Il y avait une jolie jeune esclave blonde, une prostituée, Elena, de la Maison aux Cygnes.

Je vis à leur expression qu'ils la connaissaient. Ils échangèrent un regard de connivence pour savoir lequel des deux parlerait. Félix s'éclaircit la voix.

— Oui, la jeune Elena. Notre maître l'aimait beaucoup.

— Qu'entends-tu par là ?

Chrestus prit à son tour la parole, lui qui était sensible et avait pleuré. Mais sa voix était sans timbre, étouffée, elle avait perdu toute flamme.

— Tu as mentionné la Maison aux Cygnes, tu sais donc d'où venait Elena. C'est là que notre maître l'a trouvée. Elle était différente des autres, du moins le pensait-il. Cela nous étonnait qu'il l'ait laissée là-bas si longtemps. Il hésitait, on aurait dit qu'il choisissait une épouse. Cela changerait-il vraiment sa vie s'il l'amenait chez lui, vu son âge ? Il ne savait pas exactement ce qu'il souhaitait. Il avait fini par se décider à l'acheter, mais le tenancier du lupanar était dur en affaires. Il ne cessait d'atermoyer et de changer son prix. Notre maître était au désespoir. Cette nuit-là, il n'est pas resté à la réception de Cæcilia Metella, parce qu'il avait reçu un message d'Elena.

— Savait-il qu'elle était enceinte ? Et vous ?

Ils se regardèrent d'un air pensif.

— Nous ne le savions pas à ce moment-là, dit Chrestus, mais ce ne fut pas difficile à deviner plus tard.

— Quand on l'a emmenée chez Capito ?

— Ah ! Tu es aussi au courant de cela. Alors peut-être sais-tu ce qu'ils lui ont fait la nuit de son arrivée. Ils ont essayé de lui rompre les os. Ils ont essayé de tuer l'enfant qu'elle portait en son sein, mais ils ne voulaient pas la faire véritablement avorter, Capito pensait que ce serait outrager les dieux. C'est inimaginable de la part d'un homme dont

les mains avaient si souvent trempé dans le sang ! Il crai-
gnait ceux qui n'étaient pas encore nés et les fantômes de
ceux qui étaient morts, mais cela ne le dérangeait pas
d'étrangler les vivants.

— Et Elena ?

— Ils ne sont pas parvenus à briser sa volonté. Elle a
survécu. Ils la tenaient à l'écart des autres esclaves, comme
ils le font avec nous ici, mais j'ai réussi à lui parler plusieurs fois, assez souvent pour qu'à la fin, elle se confie à
moi. Elle n'a jamais envoyé le message qui a incité notre
maître à sortir dans les rues, cette nuit-là. Elle me l'a juré.
Je ne sais pas si je dois la croire. Elle a aussi juré que
l'enfant était de lui.

J'entendis un frôlement par terre, derrière moi. Je saisis
mon couteau, juste à temps pour apercevoir la longue queue
d'un rat qui se faufilait entre deux tapis roulés, empilés
contre le mur.

— Et puis l'enfant est né, dis-je, et que s'est-il passé
après ?

— Ce fut leur fin à tous les deux.

— Que veux-tu dire ?

— La fin d'Elena et la fin de l'enfant.

— Une nuit elle a commencé à avoir des contractions,
poursuivit Chrestus. Tout le monde dans la maison savait
que son heure était venue. Les femmes étaient au courant
sans qu'on leur en parle ; les hommes étaient nerveux et
irritables. Cette nuit-là Félix et moi avons appris que Capito
nous renvoyait à Rome.

« Le lendemain matin, on nous a fait sortir au point du
jour et entassés dans un char à bœufs avec un chargement
pour la maison de Chrysogonus – des meubles, des caisses
et diverses choses. Et juste au moment où nous allions partir, on a amené Elena.

« Elle avait le teint terreux, elle était décharnée et toute
moite de sueur. C'est à peine si elle tenait debout, tant elle
était faible. Elle devait avoir accouché à peine quelques

269

heures auparavant. La place manquait pour l'allonger dans le char. Nous avons donc entassé nos vêtements pour lui faire un siège rembourré et nous l'avons adossée aux caisses. Elle tremblait, elle avait de la fièvre et ne savait même pas où elle se trouvait, mais elle ne cessait de réclamer le bébé.

« Finalement la sage-femme est arrivée en courant. Hors d'haleine, à bout de nerfs, elle pleurait à chaudes larmes. "Pour l'amour des dieux, lui demandai-je à voix basse, où est l'enfant ?" Elle a regardé Elena, craignant qu'elle n'entende ce qu'elle allait dire. Mais Elena était à peine consciente. Appuyée sur l'épaule de Félix, elle marmonnait, frissonnait et battait des paupières. "C'était un garçon, chuchota la sage-femme. – Oui, mais où est-il ? Nous allons partir d'une minute à l'autre. – Il est mort, murmura la sage-femme d'une voix à peine audible. J'ai essayé de l'empêcher de prendre l'enfant, mais je n'ai pas pu. Il me l'a arraché. Je l'ai suivi jusqu'à la carrière et je l'ai vu précipiter le bébé sur les rochers."

« Alors le charretier est arrivé, Capito le suivait et lui criait de partir immédiatement. Capito était livide. Comme c'est étrange ! Je me souviens de tout comme si nous y étions encore ! Le charretier a fait claquer son fouet, le char s'est ébranlé, et la maison s'est éloignée. Tout était mal arrimé et cahotait. Elena s'est réveillée soudain et a réclamé son bébé en geignant, trop faible pour crier. Capito nous a suivis du regard, raide comme un piquet, le teint gris comme de la cendre. La sage-femme est tombée à genoux et s'est cramponnée aux jambes de Capito en criant : "Pitié, maître !" Et juste au moment où nous nous engagions sur la route, un homme est arrivé en courant à l'angle de la maison, il haletait, puis il s'est caché sous les arbres, c'était Sextus Roscius. Ce que j'ai vu et entendu en dernier lieu, c'était la sage-femme, qui était toujours cramponnée à Capito et qui criait de plus en plus fort "Pitié, maître, pitié !" »

270

Tout tremblant, Félix reprit son souffle et tourna son visage vers le mur. Il posa la main sur l'épaule de Chrestus et continua le récit.

— Quel voyage nous avons fait ! Trois jours, non, quatre, dans un char à bœufs secoué par les cahots. Assez pour vous briser les os et vous décrocher la mâchoire. Nous avons été à pied le plus souvent possible, mais l'un de nous devait rester dans le char avec Elena. Elle ne pouvait rien avaler. Elle ne dormait pas, mais elle n'était pas éveillée non plus. Au moins nous n'avons pas eu à lui dire ce qui était arrivé au bébé. Le troisième jour elle a commencé à avoir une hémorragie. Le charretier n'a pas voulu s'arrêter avant le coucher du soleil. Nous avons trouvé une sage-femme qui a pu arrêter l'hémorragie, mais Elena était brûlante de fièvre. Le lendemain, elle est morte dans nos bras au moment où nous commencions à apercevoir la porte Fontinale.

La lampe crépita puis s'éteignit, la pièce fut plongée dans l'obscurité. Félix se pencha, prit la lampe, la posa sur un banc dans un coin de la pièce, puis versa de l'huile. Quand la lampe se ralluma, je vis Tiron dévisager les deux esclaves, les yeux écarquillés et embués de larmes.

— Alors c'est Capito qui a tué l'enfant ? demandai-je sans conviction, comme un acteur qui se trompe de réplique.

Félix était debout, les doigts croisés. Il les serrait tellement que les jointures étaient blanches. Chrestus me regarda en clignant des yeux, comme s'il s'éveillait après un cauchemar.

— Capito ? dit-il calmement. Je suppose que c'est lui. Je te l'ai dit, Magnus et Glaucia étaient à Rome. Qui d'autre aurait pu le tuer ?

## 11

Chrysogonus habitait une vaste demeure. Comme nous n'avions plus Aufilia pour nous guider, nous nous égarâmes, Tiron et moi. Nous étions partis à la recherche de l'escalier des esclaves. Soudain s'ouvrit devant nous une étroite galerie qui débouchait sur un balcon d'où l'on pouvait apercevoir notre cachette à proximité des cyprès.

Dans la maison quelqu'un chantait d'une voix qui paraissait particulièrement haute pour un homme, à moins que ce ne fût une femme dont le registre était plutôt grave. Nous nous rapprochâmes. Le son semblait venir de l'autre côté d'un mur orné d'une tapisserie qui représentait un Priape obscène entouré de nymphes voluptueuses. Je plaçai mon oreille tout contre et pus distinguer quelques mots.

– Chut ! Tiron, lui murmurai-je en lui faisant signe de m'aider à soulever le bas de la tapisserie et à la rouler à mi-hauteur.

Alors apparut une ouverture horizontale. Elle était suffisamment large pour nous permettre de nous tenir côte à côte et de voir Chrysogonus et ses invités. Il les recevait dans une salle au sol de marbre, dont les murs s'élevaient jusqu'au toit en forme de dôme. Rien ne venait obstruer notre vue. Notre petite fenêtre était une sorte de judas.

Comme tout le reste dans la maison de Chrysogonus, le festin était somptueux. Autour d'un espace vide, au centre de la pièce, étaient disposées quatre tables basses. Chacune était entourée de neuf lits placés en demi-cercle. Cicéron ou même Cæcilia Metella aurait hésité à recevoir plus de huit convives à la fois, car chez les Romains le code des bonnes manières exige qu'un hôte puisse toujours converser avec tous les invités réunis à sa table, ce qui en limite le nombre. Chrysogonus en recevait quatre fois plus. Sur les tables il y avait abondance de mets raffinés : olives fourrées d'œufs de poisson, pâtes succulentes agrémentées de jeunes pousses d'asperges, cailles et pigeons rôtis, figues et poires confites. Les odeurs montaient jusqu'à moi. Mon estomac se mit à gargouiller.

La majorité des convives étaient des hommes ; les rares femmes présentes étalaient leurs charmes, c'étaient des courtisanes, non des maîtresses ou des épouses. Les hommes les plus jeunes étaient tous sveltes et beaux garçons ; ceux qui étaient d'un certain âge avaient l'indolence et la distinction caractéristiques des gens riches en goguette. Je scrutai de loin le visage de chacun, prêt à décamper à la moindre alerte. En réalité je ne craignais pas grand-chose, car tous avaient les yeux rivés sur le chanteur debout au milieu de la salle, et parfois regardaient furtivement Sylla ou un jeune homme qui se rongeait nerveusement les ongles à la table des hôtes les moins distingués.

Le chanteur portait une toge ample de couleur violette, ornée de broderies rouges et grises. Une abondante chevelure noire bouclée, parsemée de quelques mèches blanches, était gonflée avec un tel art qu'elle se dressait sur sa tête et en devenait ridicule. Quand il se tourna vers nous, je vis son visage couvert d'une épaisse couche de fard blanc et ocre destinée à masquer les rides et les bajoues. Je reconnus aussitôt le fameux travesti Metrobius. Je l'avais déjà aperçu plusieurs fois dans la rue et une fois chez Hortensius, lorsque ce célèbre homme de loi avait daigné me faire entrer, mais je ne l'avais jamais vu en public, ni sur scène. Sylla s'était épris de lui il y a des années, quand ils étaient jeunes.

274

Sylla était alors un inconnu et Metrobius, à ce qu'on dit, un artiste fort séduisant. En dépit des ravages du temps et des caprices de la Fortune, Sylla ne l'avait jamais abandonné. Après cinq mariages et d'innombrables liaisons, c'était à Metrobius qu'il était resté le plus fidèle.

Metrobius était autrefois un bel homme svelte. Sans doute avait-il été un chanteur de talent. Il avait maintenant la sagesse de s'exhiber seulement en privé devant des gens qui l'appréciaient et de se limiter à des parodies et des pitreries. Certes il forçait sa voix, mais on était fasciné par ses airs maniérés, ses gestes précieux et les jeux d'expression sur son visage. On n'aurait pas pu dire s'il chantait ou s'il déclamait, ou encore s'il psalmodiait un poème en se faisant accompagner à la lyre. Parfois, si le thème devenait guerrier, un tambour intervenait. Metrobius prononçait chaque mot avec le plus grand sérieux, ce qui était du plus bel effet comique. Avant notre arrivée, il avait dû modifier les paroles de la chanson, car le jeune poète qui en était l'auteur et avait sans doute cherché à flatter Sylla donnait l'impression d'être fort embarrassé.

> Qui se souvient du temps où Sylla, beau garçon,
> N'avait ni logis, ni sandales et pas un rond ?
> Comment réussit-il à forcer son destin ?
> En baisant une catin ! En baisant une catin !
> La chance lui sourit grâce à Nicopolis
> Qui, sans vergogne aucune, lui ouvrit ses belles cuisses.

L'auditoire se pâma de rire. Sylla fit une moue méprisante. Chrysogonus, qui était allongé à côté de lui, était aux anges. À la même table, Hortensius chuchotait à l'oreille de Sorex, le jeune danseur, tandis que Rufus affichait un air blasé et dégoûté. En face d'eux le poète dont les vers avaient été malmenés devint blanc comme un linge.

À chaque nouveau couplet la chanson était de plus en plus obscène et le public riait de plus en plus fort. Même Sylla fut gagné par l'hilarité. Le poète se mordait les lèvres et ne savait plus où se mettre. Un instant il se détendit : après tout il n'était pas responsable de la parodie et même Sylla la trouvait drôle. Puis il se renfrogna à nouveau, il était ulcéré d'entendre son hymne patriotique complètement massacré. À sa table, les autres jeunes gens, qui ne parvenaient pas à le dérider, lui tournèrent le dos et rirent de plus belle. Les Romains aiment l'homme fort capable de se moquer de lui-même et méprisent le faible qui se vexe inutilement. Pendant ce temps Metrobius continuait de chanter sa chanson.

Il avait déformé la vérité. Lucius Cornelius Sylla n'était pas sans logis quand il était jeune, et sans doute avait-il des sandales, mais dans tous les récits concernant ses origines, les historiens rapportent qu'il était pauvre.

Les Cornelius appartenaient à une famille patricienne qui jadis avait eu de l'influence et du prestige. L'un de ses membres, un dénommé Rufinus, avait été consul. Sa carrière se termina par un scandale : à cette époque où l'intégrité était la règle, un citoyen romain n'avait pas le droit de posséder de l'argenterie dont la valeur dépassait dix livres. Rufinus fut exclu du Sénat. La famille déclina et tomba dans l'oubli.

Jusqu'à ce qu'apparaisse Sylla. Son enfance fut gâchée par la misère. Son père mourut jeune et ne lui légua rien. L'adolescent vécut dans des logements réservés aux esclaves affranchis et aux veuves. Il avait acquis pouvoir et richesse grâce à la corruption et à la dépravation, prétendent ses ennemis. Sylla et ses alliés préfèrent insister sur sa chance, comme si une volonté divine, et non pas l'obstination et la force de caractère de Sylla, lui avait permis de remporter tant de victoires et d'écraser ses adversaires dans le sang.

Sa jeunesse ne laissait pas présager un brillant avenir. Son éducation fut le fruit du hasard. Il fréquenta les gens de théâtre : acrobates, comédiens, costumiers, poètes, dan-

276

seurs, acteurs, chanteurs. Metrobius fut au nombre de ses premiers amants, mais fut loin d'être le seul. C'est dans ce milieu bohème qu'il acquit le goût de la promiscuité.

Le jeune Sylla avait du charme. Il était trapu, bien charpenté. Ses cheveux blonds le distinguaient dans la foule et ses yeux bleu pâle avaient un éclat singulier. Son regard dominateur confondait ceux qui osaient le soutenir un instant.

La riche veuve Nicopolis fut une de ses premières conquêtes. Nul n'ignorait qu'elle accordait ses faveurs aux jeunes gens qui les recherchaient. Selon la rumeur publique elle offrait son corps à tous les hommes mais jamais son cœur. Sylla s'éprit sincèrement d'elle. D'abord elle railla son profond attachement, mais la persévérance et le charme de Sylla eurent raison de sa réticence et, à cinquante ans, elle se trouva amoureuse d'un jeune homme qui aurait pu être son fils. Quand elle mourut des suites d'une fièvre, elle légua tout ce qu'elle possédait à Sylla. La chance avait commencé à lui sourire.

Quelque temps après, la seconde femme de son père, à qui sa famille avait laissé des biens importants, mourut en faisant de Sylla son seul héritier. Il était maintenant à la tête d'une coquette fortune.

Après avoir connu les plaisirs de la chair et de l'argent, Sylla décida de se lancer dans la politique en passant par l'armée. Marius venait d'être élu consul pour la première fois. Il prit Sylla sous son aile et le nomma questeur. Pour combattre Jugurtha en Afrique, Sylla se lança dans l'espionnage et la diplomatie la plus fourbe. Ses *Mémoires*, dont les premiers volumes circulaient déjà à Rome sous le manteau, retracent en détail les intrigues tortueuses qu'il noua. Jugurtha fut vaincu et amené à Rome, nu et enchaîné. Il mourut peu de temps après dans son cachot, à demi fou à la suite des tortures et de l'humiliation qu'il avait subies. Marius avait organisé la campagne, mais c'était Sylla qui, au risque de sa vie, avait persuadé le roi de Numidie de trahir son gendre. On fit un triomphe à Marius, la rumeur laissa entendre que le mérite en revenait à Sylla.

Marius ne supportait pas les éloges que l'on faisait de Sylla. Il continua néanmoins de se servir de lui et le promut à l'issue de chaque nouvelle campagne. La jalousie du vieil homme obligea bientôt Sylla à chercher d'autres protecteurs. À la tête des troupes du consul Catulus, Sylla soumit les tribus barbares des Alpes. Quand des chutes de neige prématurées isolèrent les légions romaines dans les hautes vallées et les privèrent de tout ravitaillement, Sylla réussit à acheminer des vivres à la fois pour ses propres troupes et pour celles de Marius, qui en éprouva un vif ressentiment. Suscitée par de tels incidents, une jalousie mesquine naquit. Elle fut à l'origine de la rivalité qui allait opposer Sylla et Marius, et devait un jour provoquer le chaos à Rome.

Sylla se rendit en Cappadoce, aux confins de l'Empire, où la Fortune lui fit remporter de nouvelles victoires. Envoyé en mission diplomatique, il s'aventura jusqu'à l'Euphrate et fut le premier Romain qui, officiellement, établit des relations amicales avec les Parthes, dont le royaume couvrait le reste du monde. Son charme, ou peut-être son arrogance aveugle, avait dû exercer une fascination extraordinaire sur l'ambassadeur parthe, car celui-ci accepta de s'asseoir sur un siège plus bas que celui de Sylla, comme s'il adressait une supplique à un supérieur. Plus tard le roi des Parthes le mit à mort. Après avoir perdu la face, l'ambassadeur perdit la vie.

Marius regretta de voir Sylla rentrer à Rome. Les propos que tinrent les deux hommes, chacun de son côté, dépassèrent les bornes si bien que la rupture devint inévitable. Ils en seraient venus aux mains si la Guerre sociale entre Rome et ses alliés italiens n'avait éclaté.

Cette guerre livrée sur le sol italien fut sans précédent. Les souffrances et les dégâts qu'elle causa furent considérables. Elle se termina par un compromis, et les rebelles les plus intraitables furent châtiés sans merci. Rome survécut, mais tous les politiciens romains ne s'en tirèrent pas aussi bien. Marius avait dépassé la soixantaine, son génie militaire l'avait abandonné, sa santé était délabrée, aussi ne joua-t-il pour ainsi dire aucun rôle dans la guerre. Sylla, lui, était dans la fleur de l'âge et tout lui réussissait. On le voyait partout à la fois. Il se forgeait une réputation de héros, de libérateur et d'assassin. Il cherchait à gagner la faveur des légions et à renforcer son prestige politique.

Une fois la guerre terminée, Sylla fut consul pour la première fois. Il avait cinquante ans. Rome sortait d'une terrible épreuve et devait bientôt en subir une autre.

Le mouvement populaire de Marius avait atteint son apogée. Le bras droit de Marius était un extrémiste, le tribun démagogue Sulpicius, représentant élu du peuple. Par chacune de ses actions il narguait le pouvoir et le prestige de la noblesse. Sous l'influence de Sulpicius, on vendit aux enchères sur le Forum la citoyenneté romaine à des esclaves affranchis et à des étrangers. Folle de colère, la vieille noblesse ne lui pardonna pas cet acte impie. En secret il leva une armée privée de trois mille hommes recrutés dans la classe équestre, des jeunes gens ambitieux et cruels, prêts à tout. Parmi ceux-ci il se constitua une garde du corps de six cents hommes d'élite qui arpentaient sans cesse le Forum. Sulpicius les appelait l'Anti-Sénat.

En Orient Mithridate dévastait les possessions romaines, y compris la Grèce. Par un vote, le Sénat décida d'envoyer Sylla les reconquérir. Ce commandement lui revenait de droit puisqu'il était consul et avait précédemment rendu de grands services. Une campagne victorieuse en Orient est censée rapporter des sommes fabuleuses, grâce aux tributs, aux taxes et au pillage. De surcroît le général en chef acquiert un pouvoir immense. Jadis les armées romaines acceptaient les décisions du Sénat, maintenant elles suivaient leur chef. L'Anti-Sénat de Sulpicius décida que le commandement devait revenir à Marius. On se battit au Forum. On fit pression sur le Sénat pour qu'il transfère le commandement à Marius, et Sylla faillit être assassiné en pleine rue.

Sylla s'enfuit de Rome et en appela directement à l'armée. Quand les simples soldats apprirent ce qui s'était passé, ils jurèrent fidélité à Sylla et lapidèrent leurs officiers nommés par Marius. Les partisans de Marius réagirent en attaquant les fidèles de Sylla et en pillant leurs biens. Pris de panique, les gens passèrent d'un camp à l'autre. Le Sénat capitula, cédant aux exigences de Marius et de Sulpicius. Sylla marcha sur la capitale.

Ce qu'on n'aurait jamais pu imaginer se produisit : des Romains attaquèrent Rome.

La veille des combats, Sylla fit un rêve. Derrière lui se tenait la déesse Bellone. Son culte, célébré en Orient, avait été introduit à Rome et Sylla lui-même avait visité ses anciens temples en Cappadoce. Après lui avoir remis en main la foudre, la déesse désigna nommément ses ennemis qui apparurent au loin sous forme de minuscules silhouettes. Sur ordre de la déesse, Sylla lança la foudre qui les anéantit. D'après ses *Mémoires,* quand Sylla se réveilla, il débordait d'énergie et la victoire ne pouvait lui échapper.

Quelle sorte d'homme peut avoir ce genre de rêve ? Un fou ou un génie ? Ou simplement un enfant de Rome béni par la Fortune et à qui la puissance divine qui guide sa destinée a envoyé ce message rassurant pour lui inspirer confiance ?

Avant l'aube, quand l'armée se rassembla, un agneau fut immolé en sacrifice. À la lumière d'une torche, l'haruspice Postumius examina les entrailles. Il se précipita vers Sylla et s'agenouilla devant lui, les mains tendues, le suppliant de le mettre aux fers sur-le-champ au cas où il se serait trompé dans ses prophéties. À ses yeux le triomphe de Sylla ne faisait aucun doute. Du moins, c'est ce que rapporte la légende.

Avec une force de trente-cinq mille hommes, Sylla lança son attaque à l'est. La populace qui n'avait pas d'armes résista en jetant des tuiles et des moellons du haut des toits. Sylla fut le premier à aller de l'avant, une torche à la main, et à incendier une maison où les résistants s'étaient regroupés. Des archers lancèrent des flèches enflammées sur les toits. Des familles entières furent brûlées vives ; d'autres perdirent leur maison et furent ruinées. Les flammes ne faisaient aucune distinction entre les coupables et les innocents, les ennemis et les amis. Tous furent la proie de l'incendie.

Marius se replia dans le temple de Tellus. C'est alors que son populisme se manifesta de la façon la plus radicale. En échange de leur soutien il offrit la liberté aux esclaves de Rome. Sans doute se laissèrent-ils guider par leur intuition, à moins que Marius ait perdu son autorité. Toujours est-il que seuls trois esclaves se présentèrent. Marius et ses partisans s'enfuirent. Le tribun Sulpicius, chef de l'Anti-Sénat, fut trahi par l'un de ses esclaves et mis à mort. Sylla tout d'abord récompensa l'esclave en lui accordant la liberté. Une fois qu'il fut libre, il le châtia en le faisant précipiter du haut de la roche Tarpéienne.

Je m'étais laissé entraîner à songer au passé en écoutant la chanson de Metrobius, mais je revins brusquement à la réalité présente. La voix de Metrobius imitait celle d'un enfant et psalmodiait avec un accent grec affreusement vulgaire.

*Sylla a la figure ridée comme un pruneau,*
*Couverte de pustules, tel un vieux saligaud.*
*Sa femme est une pouffiasse aux tétons affaissés,*
*Aux yeux concupiscents et à la voix cassée.*

Les convives étaient décontenancés. Certains s'agitaient nerveusement. Chrysogonus se renfrogna. Le visage de Sylla avait perdu toute expression. Rufus paraissait choqué. Hortensius se demandait s'il devait avaler ce qu'il venait de mettre dans sa bouche. Le jeune poète dont la réputation était ruinée était livide, la sueur perlait sur son front, il semblait près de vomir, comme s'il avait mangé quelque chose d'indigeste. La lyre se tut et Metrobius resta figé un long moment. Une note aiguë retentit. Metrobius redressa la tête.

— Eh bien ! s'exclama-t-il malicieusement. Ce n'est sans doute pas du Sophocle ou même de l'Aristophane, mais cette chanson a du chic.

La tension tomba. Des rires fusèrent partout dans la salle, même Rufus sourit. Hortensius finit par avaler sa bouchée et prit sa coupe. Le jeune poète se leva avec peine et quitta précipitamment la salle en se tenant le ventre.

Le musicien joua quelques notes sur sa lyre. Metrobius respira profondément et se remit à chanter.

Sylla assuma de nouveau la charge de consul. Marius fut mis hors la loi. Quand ses ennemis furent exilés, que le Sénat eut retrouvé la sérénité et que la populace fut trop abasourdie pour se révolter, Sylla se mit en route pour la Grèce afin d'en chasser Mithridate et de revenir auréolé de gloire. Plus tard il fut l'objet de critiques : jamais campagne militaire n'avait été aussi ruineuse dans toute l'histoire de Rome.

Elle coûta encore plus cher aux Grecs. Jadis les généraux romains qui avaient conquis la Grèce et la Macédoine avaient rendu hommage aux divinités des sanctuaires et des temples en leur faisant des présents d'or et d'argent. S'ils ne respectaient pas les habitants, du moins honoraient-ils la mémoire d'Alexandre et de Périclès. Sylla se conduisit différemment. Il pilla les temples. Il fit arracher l'or qui recouvrait les statues à Épidaure. À Olympie il fit fondre les offrandes consacrées aux dieux et s'en servit pour battre monnaie. Il écrivit aux gardiens de l'oracle de Delphes et exigea leur trésor, affirmant qu'entre ses mains il serait préservé pendant la guerre et que, si d'aventure il l'utilisait, il ne manquerait pas de le remplacer. L'envoyé de Sylla,

Caphis, arriva à Delphes, pénétra dans le sanctuaire intérieur, entendit le son mélodieux d'une lyre invisible et fondit en larmes. Dans une missive adressée à Sylla, Caphis le supplia de reconsidérer la question. La réponse de Sylla fut catégorique : par le son de la lyre, Apollon ne manifestait pas sa colère mais son approbation. On emporta dans des sacs les objets précieux qui n'étaient pas trop volumineux. On brisa la grande urne en argent et on en chargea les fragments dans un chariot. L'oracle se tut.

Les Grecs, en particulier les Athéniens, avaient accueilli Mithridate à bras ouverts, trop heureux de se libérer du joug romain. Sylla les châtia. Le siège d'Athènes fut une terrible épreuve. Pour garder le moral, la population réduite à la famine composa des chansons grivoises qui raillaient Sylla. Du haut des murailles, le tyran Aristion invectivait contre les Romains, accablait d'insultes Sylla et son épouse (la quatrième, une certaine Metella). Pour se faire comprendre ils accompagnaient leurs paroles d'une mimique obscène des plus compliquées, qu'ignoraient les Romains, mais qu'ils adoptèrent par la suite. De nos jours elle est à la mode à Rome parmi les bandes de voyous et les jeunes oisifs.

Une fois les murs escaladés et les portes de la ville ouvertes, il y eut un véritable carnage. On raconte que, sur la place du marché couvert, on avait du sang jusqu'aux chevilles. Quand la folie sanguinaire fut apaisée, Sylla mit fin au pillage et se rendit à l'Acropole pour rendre un bref hommage aux anciens Athéniens et conclut par ces paroles restées célèbres : « Je pardonne à un petit nombre par amour du plus grand nombre, aux vivants par amour pour les morts. » On les cite souvent pour illustrer soit sa profonde sagesse, soit son humour caustique.

Entre-temps la guerre civile mijotait à Rome comme dans un immense chaudron. Sylla fut déclaré hors la loi. Le chaos régnait et le sang coulait. Marius fut nommé consul pour la septième fois, mais mourut dix-sept jours plus tard.

Après avoir repoussé Mithridate jusqu'au royaume du Pont, Sylla déclara que sa campagne d'Orient avait été un succès triomphal et rentra en Italie à marches forcées. La Fortune continuait de lui sourire. À Signia, Sylla fut attaqué par l'armée de Marius, le fils du consul. Vingt mille des soldats de Marius furent tués, huit mille furent faits prisonniers. Sylla perdit seulement vingt-trois de ses hommes.

Le second siège de Rome fut une opération plus délicate. Sylla et Crassus s'approchèrent de la ville par le nord, Pompée par le sud. L'aile gauche de l'armée commandée par Sylla fut anéantie. Lui-même faillit être transpercé par un coup de lance. Il dut son salut à une petite statuette dorée d'Apollon, qu'il avait volée à Delphes, prétendit-il plus tard. Il l'avait toujours sur lui pendant les batailles, il la portait à ses lèvres, lui murmurait des prières et des paroles d'amour. La rumeur de la mort de Sylla se répandit dans les deux camps. Enfin, à la nuit tombante, Sylla apprit que l'aile droite commandée par Crassus avait détruit l'ennemi.

Une fois à Rome, Sylla désarma les derniers défenseurs de la ville, six mille hommes originaires de Samnie et de Lucanie, qui furent rassemblés comme du bétail dans le Grand Cirque. Sylla convoqua les sénateurs. Au moment même où il prenait la parole, le massacre des prisonniers commença. On entendit leurs hurlements dans toute la ville. Dans la grande salle du Sénat c'était comme si des fantômes gémissaient au loin. L'assemblée était atterrée. Sylla continua son discours d'un ton aussi calme que s'il ne se passait rien d'extraordinaire. Les sénateurs étaient dans tous leurs états, tournaient en rond et murmuraient entre eux. Le calme se rétablit quand Sylla tapa du pied et leur cria d'écouter ce qu'il leur disait : « Ne prêtez pas attention à ce brouhaha. J'ai donné l'ordre de châtier des criminels. »

Avec l'accord du Sénat, Sylla se proclama dictateur. Il s'empara ainsi du pouvoir légalement, ce que personne n'avait osé faire depuis plus de cent ans. Une fois dictateur, Sylla liquida l'opposition et récompensa ses fidèles géné-

*Ils se connurent à un combat de gladiateurs*
*Là où les survivants sont toujours les meilleurs.*
*Souleva-t-elle la toge pour arracher un fil,*
*Ou pour voir de Sylla le pénis si gracile ?*

Les rires fusèrent de toutes parts. Sylla lui-même fut plié en deux et dut s'appuyer sur la table pour ne pas tomber de son lit. Chrysogonus sourit et prit un air avantageux, car il connaissait l'auteur du texte. Hortensius, par dérision, jeta une pointe d'asperge dans la direction de Metrobius. Telle une flèche, elle passa au-dessus de sa tête et alla heurter le poète en plein front. Rufus s'écarta de Sorex qui souriait et lui chuchota à l'oreille une plaisanterie qui ne lui parut pas très drôle.

*En ce jour fatidique, des corps furent transpercés.*
*Sylla tira son glaive qui n'était pas rouillé,*
*Et la dame accepta, la dame déclara...*

Le fracas d'une table qu'on venait de renverser interrompit soudain la chanson. Rufus, rouge de colère, s'était levé d'un bond. Hortensius le retint par la jambe, mais Rufus se dégagea.

— Valeria n'est peut-être que ta demi-sœur, Hortensius, mais elle est de mon sang. Je refuse d'écouter ces obscénités. Tu sembles oublier qu'elle est ta femme, dit-il en s'arrêtant soudain devant la table d'honneur et en lançant des regards furieux à Sylla. Comment peux-tu tolérer de telles insultes ?

Le silence se fit dans la salle. Pendant un long moment, Sylla resta immobile, appuyé sur un coude, les jambes allongées. Il finit par s'asseoir, le buste très droit, et leva les yeux vers Rufus. Dans son regard se mêlaient la raillerie, la tristesse et l'ironie.

— Tu es un jeune homme bien fier, remarqua-t-il. Tu es comme ta sœur : ta fierté et ta beauté sont peu communes.

Il prit une coupe de vin et en avala une gorgée.

— Mais à la différence de Valeria, tu n'as pas le sens de l'humour.

Il porta à nouveau la coupe à ses lèvres et soupira :

— Quand j'avais ton âge, beaucoup de choses dans ce bas monde ne me plaisaient pas. Au lieu de me plaindre, j'ai décidé de changer le monde. J'y suis parvenu. Si une chanson t'offusque, ne te mets pas en colère. Essaie d'en écrire une meilleure.

Rufus ne le quittait pas des yeux, il serrait les poings. J'imaginais toutes les insultes qui lui venaient à l'esprit et priais en silence les dieux pour qu'il se taise. Il ouvrit la bouche comme s'il allait parler, puis après avoir jeté un regard circulaire dans la salle, sortit d'un air digne.

Sylla s'installa à nouveau confortablement sur sa couche et parut un peu déçu d'avoir eu le dernier mot. Il y eut un silence gêné parmi les convives.

Chrysogonus n'était pas consterné. Avec un sourire angélique il s'approcha de Metrobius et le regarda avec bienveillance.

— Je suppose qu'il reste encore au moins un couplet. Sans doute as-tu réservé le meilleur pour la fin.

— Je l'espère bien, s'écria Sylla.

Il se leva en titubant à cause du vin qu'il avait bu. Ses yeux pétillaient.

— Quel splendide cadeau vous m'avez tous fait ce soir ! Grâce à vous j'ai pu revivre le passé, les jours heureux comme les mauvais jours. Mais le bon temps, c'était jadis, quand j'étais jeune. Je vivais d'espoir, je croyais aux dieux et mes amis m'aimaient. J'avais déjà le cœur trop tendre !

Alors il prit entre ses mains la tête de Metrobius et l'embrassa sur la bouche. Les convives applaudirent spontanément. Sylla relâcha son étreinte et des larmes coulèrent sur ses joues. Puis il sourit, s'affala sur son lit et fit signe au musicien de jouer de la lyre.

La chanson reprit.

*Et la dame accepta, la dame affirma...*

Tiron et moi n'entendîmes jamais la fin. Nous tournâmes tous deux la tête au même instant. Un bruit qu'on ne pouvait pas ne pas reconnaître attira notre attention : c'était le chuintement d'une lame qu'on sort de son fourreau.

Sans doute Chrysogonus avait-il envoyé un de ses gardes inspecter le premier étage de la maison ou bien, tout simplement, nous étions restés trop longtemps au même endroit. Une silhouette massive émergea de l'obscurité au fond du couloir. L'homme, qui boitait un peu, s'avança dans la partie inondée de lumière par le clair de lune. Ses cheveux ébouriffés formaient une sorte de halo aux reflets bleutés. Son regard me glaça. Dans la main gauche il tenait un coutelas dont la lame était aussi longue qu'un avant-bras. Peut-être s'était-il servi de cette lame pour transpercer de part en part Sextus Roscius.

Quelques secondes plus tard, Magnus fut rejoint par son acolyte, un géant blond, Mallius Glaucia. Dans la pénombre la balafre qu'il avait sur la figure, à la suite du coup de griffes que lui avait donné Bast, était boursouflée et affreuse à voir. Il inclinait sa lame vers l'avant comme s'il s'apprêtait à étriper un animal.

– Que fais-tu ici ? demanda Magnus en faisant tourner son coutelas si bien que la lame étincelait au clair de lune.

Je dévisageai les deux hommes. Ils ignoraient qui j'étais. Sans doute, sur ordre de Magnus, Glaucia avait-il été envoyé chez moi pour m'intimider ou me tuer, mais aucun des deux ne m'avait véritablement vu, sauf lorsque j'étais passé devant la maison de Capito. Je les avais croisés sur la route sans qu'ils sachent qui j'étais. J'allais sortir le couteau caché sous ma tunique quand je changeai d'avis, ôtai l'anneau de fer que je portais au doigt et levai les mains en l'air.

– Je vous en supplie, excusez-nous, dis-je, surpris de la facilité avec laquelle je parvenais à m'exprimer d'une voix

289

douce et humble devant les deux géants armés. Nous sommes les esclaves du jeune Marcus Valerius Messalla Rufus. On nous a envoyés le chercher avant le début du spectacle et puis nous nous sommes perdus.

– C'est ainsi que vous espionnez le maître de cette maison et ses hôtes ? s'écria Magnus.

Il s'écarta de Glaucia et tous les deux me cernèrent.

– Nous nous sommes arrêtés ici pour jeter un coup d'œil de l'autre côté du balcon et respirer un peu d'air frais, dis-je en haussant les épaules et en prenant un air aussi confus que possible. Nous avons entendu chanter, et avons découvert la petite fenêtre... Nous avons été stupides et impertinents. Notre jeune maître ne manquera pas de nous faire fouetter, c'est sûr. Mais nous n'avons pas souvent l'occasion de voir une aussi belle compagnie.

Magnus me saisit par les épaules et m'obligea à aller sur le balcon éclairé par la lune. Glaucia poussa Tiron contre moi, je trébuchai, butai contre le muret de brique et dus me rattraper au rebord pour ne pas tomber. Je jetai un coup d'œil par-dessus mon épaule en direction du vide, juste le temps d'apercevoir un tertre herbu, zébré par l'ombre des cyprès.

Magnus m'empoigna par les cheveux et enfonça la pointe de son coutelas dans le repli de chair sous mon menton, me forçant à me retourner et à lui faire face.

– J'ai déjà vu ce coquin quelque part, murmura-t-il. Dis donc, Glaucia, où est-ce que ça pouvait bien être ?

Le géant blond m'examina de la tête aux pieds, fit une moue, et fronça les sourcils. Il secoua la tête, décontenancé.

– J'sais pas, grogna-t-il.

Tout à coup son visage s'éclaira.

– Ameria ? Tu te rappelles, Magnus, l'autre jour, sur la route, juste avant d'arriver à la villa de Capito. Il était à cheval, tout seul, et venait en sens inverse.

Magnus hurla :

– Qui es-tu ? Que fais-tu ici ?

Il appuya le coutelas un peu plus fort, je sentis ma peau se déchirer. J'imaginai que mon sang coulait le long de la lame. J'avais envie de leur crier : « Peu importe qui je suis. Moi, je sais qui vous êtes, tous les deux. Toi, Magnus, tu as assassiné ton cousin de sang-froid et tu t'es approprié ses biens. Toi, Glaucia, tu as pénétré chez moi par effraction et laissé sur le mur un message sanglant. Tu aurais tué Bethesda, si tu en avais eu l'occasion, sans doute après l'avoir violée. »

Je donnai soudain un violent coup de genou dans le bas-ventre de Magnus. Instinctivement il se plia en deux. La lame déchira ma tunique et m'égratigna la poitrine. Aucune importance. Je savais que de toute façon j'étais perdu. Glaucia était à côté de lui et s'apprêtait à me transpercer de son couteau. Je me raidis en attendant le coup fatal en plein cœur. J'entendis même le bruit de l'acier qui pénétrait dans ma chair.

En réalité personne ne m'avait poignardé et Glaucia s'était affalé par terre, il avait lâché son arme et se tenait la tête à deux mains. Tiron était penché au-dessus de lui.

— Elle s'est détachée facilement du mur, expliqua-t-il, en regardant, stupéfait, la brique ensanglantée qu'il tenait à la main.

Aucun de nous deux ne pensa à s'emparer de l'arme de Glaucia, mais Magnus la saisit, recula de quelques pas, puis avança, une lame dans chaque main, en soufflant comme un taureau.

En moins de deux j'étais passé par-dessus le mur. Mon corps avait réagi à mon insu. Je plongeai dans les ténèbres, mais je n'étais pas seul. Légèrement au-dessus de moi, un autre corps tombait dans le vide, celui de Tiron. Je voyais se rapetisser à une vitesse vertigineuse le visage de Magnus furieux, penché tout là-haut au-dessus du mur, scrutant la nuit, encadré de deux lames dressées.

# Troisième partie

*Justice est faite*

# 1

Je me heurtai à une surface extraordinairement dure qui s'était précipitée vers moi : la terre ferme. C'était comme si un géant m'avait empoigné, jeté en l'air. Je fis une culbute et soudain m'immobilisai. Tout près de moi, Tiron gémissait. Il se plaignait, mais il articulait mal et je ne parvenais pas à saisir ses paroles. J'avais complètement oublié Magnus. Je revins à la réalité et levai les yeux.

Le visage menaçant de Magnus paraissait incroyablement éloigné. Comment avais-je pu sauter d'une telle hauteur ? Il n'y avait aucune chance qu'il en fasse autant. Aucun homme qui a toute sa raison ne prendrait un tel risque, excepté pour sauver sa vie. Magnus n'oserait pas non plus donner l'alarme, tant que Sylla serait dans la maison. On lui poserait trop de questions et des complications pourraient s'ensuivre. Nous étions donc hors de danger. Pendant que Magnus arpenterait les couloirs et descendrait l'escalier quatre à quatre, nous aurions largement le temps de nous fondre dans la nuit. Alors pourquoi se mit-il soudain à sourire ?

Tiron poussa un nouveau gémissement ; il était à quatre pattes dans l'herbe et tremblait de tous ses membres. Il tenta de se mettre debout, mais perdit l'équilibre et tomba la tête la première. Il recommença. En vain. Son visage était tordu par la douleur.

– Aïe ! Aïe ! ma cheville, murmura-t-il d'une voix rauque, puis il se mit à jurer.

À nouveau je levai les yeux vers le balcon. Magnus avait disparu. Je me mis debout tant bien que mal et aidai Tiron à se relever. Il serra les dents et retint un cri de douleur, à force de volonté.

– Peux-tu marcher ?

– Oui, bien sûr.

Tiron s'écarta de moi, fit un pas et s'écroula. Je le relevai, l'appuyai contre mon épaule et marchai de plus en plus vite. Il réussit à suivre mon rythme, clopin-clopant. Nous avions parcouru une trentaine de mètres quand j'entendis un bruit de pas derrière nous. Mon cœur se serra.

Je jetai un coup d'œil en arrière, Magnus courait dans la rue. Sa silhouette se détachait dans la lumière des torches qui éclairaient le portique de Chrysogonus. Il n'était pas seul, la masse imposante de Mallius Glaucia le suivait. L'espace d'un instant, j'aperçus le géant blond, éclairé par la lumière bleutée de la lune et encadré par les torches qui crépitaient. Son visage était maculé de sang, il n'avait rien d'humain. Les deux hommes s'arrêtèrent au beau milieu de la rue et scrutèrent les ténèbres. Je forçai Tiron à se dissimuler dans l'ombre d'un arbre, à l'endroit même d'où nous avions observé l'arrivée de Sylla. J'espérais que nous passerions inaperçus dans l'obscurité, mais Magnus avait dû remarquer que quelque chose bougeait. J'entendis un cri, puis un bruit de pas sur les pavés.

– Monte sur mes épaules ! lui soufflai-je.

Tiron comprit tout de suite. Je me glissai entre ses jambes, me relevai d'un coup de reins et me mis à courir, stupéfait d'avoir une telle force. Je filai comme une flèche sans peine sur les pavés bien lisses. Je respirai profondément et me mis à rire en pensant que je pourrais courir encore longtemps et semer ainsi Magnus. Je les entendais crier derrière moi, mais au loin ; j'entendais surtout le sang battre dans mes oreilles.

Puis, soudain, je manquai de souffle. Mon moral fléchit. À chaque pas, je sentais ma force diminuer. J'avais l'impression de gravir une colline, puis de patauger dans la boue. Au lieu de rire, je me mis à tousser, et bientôt, c'est à peine si je pus lever les pieds. Tiron était aussi lourd qu'une statue de bronze. Magnus et Glaucia nous talonnaient, ils étaient si près que j'eus des frissons dans la nuque, je tremblai de peur à la pensée qu'on allait me planter un couteau entre les omoplates.

Nous longeâmes un grand mur tapissé de lierre. Arrivés au bout, j'aperçus la maison de Cæcilia Metella sur ma gauche. Le portique était éclairé par un unique brasero. Les deux hommes chargés de protéger Sextus Roscius montaient la garde.

Ils ne s'attendaient pas à voir surgir de l'ombre et foncer vers eux au pas de course un citoyen romain essoufflé, portant un esclave sur son dos. Ils cherchèrent leur épée et se mirent debout d'un bond.

– Aidez-nous ! dis-je en haletant. Cæcilia Metella me connaît. On veut nous tuer !

Les soldats s'écartèrent, prêts à jouer de l'épée, mais ne s'interposèrent pas quand j'inclinai la tête pour me délester de mon fardeau. Tiron fit un pas en boitant et s'écroula sur le seuil. Il gémissait. Je passai à côté de lui et me mis à tambouriner à la porte, puis j'aperçus Magnus et Glaucia. Ils faisaient une pause à proximité du brasero.

En les voyant, les gardes reculèrent d'un pas. Magnus avait les cheveux ébouriffés, le visage balafré et les narines dilatées, Glaucia le front en sang. Tous deux brandissaient un coutelas. Je frappai de nouveau à la porte de toutes mes forces.

Magnus nous regarda de travers, abaissa son arme et invita Glaucia à en faire autant.

– Ces sont des voleurs, s'exclama-t-il en me désignant du doigt, des cambrioleurs que nous avons surpris. Ils ont forcé la porte chez Lucius Cornelius Chrysogonus. Livrez-les-nous !

Sa voix calme et posée contrastait avec son air farouche. Il n'était même pas essoufflé.

Les deux soldats se regardaient, indécis. Ils avaient reçu l'ordre d'empêcher un prisonnier de s'évader, mais pas d'empêcher quelqu'un d'entrer ou de faire la police dans la rue. Pourquoi aideraient-ils deux sinistres individus armés ? Pourquoi protégeraient-ils deux visiteurs qui arrivaient inopinément en pleine nuit ? Si Magnus leur avait dit que nous étions des esclaves fugitifs, les soldats auraient dû remplir leur devoir de citoyens et nous livrer. Mais il était trop tard pour qu'il invente une autre histoire. Voyant les gardes impassibles, Magnus glissa la main sous sa tunique et en sortit une bourse bien garnie. Les gardes regardèrent la bourse, échangèrent un clin d'œil puis nous considérèrent, Tiron et moi, sans la moindre pitié. Pendant ce temps-là, je frappai à la porte à coups redoublés.

Elle finit par s'entrouvrir et j'aperçus les yeux calculateurs de l'eunuque Ahausarus. Son regard se posa successivement sur moi, sur Tiron et sur les assassins qui étaient dans la rue. J'étais encore essoufflé et avais peine à lui fournir des explications. Il nous fit entrer et referma brusquement la porte.

Ahausarus ne voulut pas réveiller sa maîtresse. Il refusa également de nous laisser passer la nuit dans la maison. (« Impossible ! » fit-il avec une moue dédaigneuse, comme si la présence de Sextus Roscius et de sa famille était un déshonneur suffisant.) Il se pouvait que Magnus fût embusqué dehors ou, pis encore, qu'il eût dépêché Glaucia pour avoir des renforts. Mieux valait décamper au plus vite. Après des négociations menées rondement, Ahausarus fut heureux de nous voir quitter les lieux. Deux petits esclaves à moitié endormis portèrent Tiron sur une litière et des gladiateurs de la garde personnelle de Cæcilia Metella nous escortèrent.

– Je ne veux plus de vos équipées ! s'exclama Cicéron d'une voix sévère. Cela ne sert à rien. Quand, demain matin, elle apprendra ce qui s'est passé, Cæcilia sera indignée. Tiron s'est blessé. Espionner Chrysogonus dans sa propre maison, qui plus est lorsque Sylla s'y trouve, aurait pu avoir des conséquences désastreuses. Quel scandale si mon propre esclave et un acolyte de sinistre réputation – pardonne-moi, Gordien, mais c'est la vérité – étaient découverts chez un particulier qui donnait une réception en l'honneur de Sylla ! Cela pourrait facilement passer pour une atteinte à la sûreté de l'État. Que serait-il arrivé si l'on vous avait capturés et conduits devant Chrysogonus ? On vous aurait traités de voleurs, ou pis encore de criminels. Souhaitez-vous qu'on me tranche la tête et qu'on la plante au bout d'une pique ? Tout cela en vain. Tu n'as rien appris de nouveau au cours de ton escapade, pas vrai ? Ton travail est terminé, Gordien. Maintenant toute l'affaire repose sur Rufus et sur moi. Dans trois jours aura lieu le procès. Jusque-là, tu ne quitteras pas cette maison, tu entends ?

Certaines personnes ne sont pas au mieux de leur forme quand on les réveille au beau milieu de la nuit. Cicéron fut hargneux et désagréable dès l'instant où il arriva dans le vestibule. Il se mit à pérorer, surtout pour me railler, tandis qu'il couvait du regard Tiron, allongé à plat ventre sur une table. Le médecin de la maison (qui était aussi le chef cuisinier) examinait sa cheville en la tournant d'un côté, puis de l'autre. Tiron grimaçait de douleur et se mordait les lèvres. Le médecin hocha la tête d'un air grave.

– Il a de la chance, elle n'est pas cassée, elle est seulement foulée. Le mieux, c'est de lui faire boire beaucoup de vin, pour fluidifier le sang et assouplir les muscles. Plonge sa cheville dans de l'eau aussi fraîche que possible pour faire diminuer l'enflure. Bande-la très serré demain matin et veille à ce qu'il ne pose pas le pied par terre tant qu'il aura mal. Je demanderai au menuisier de lui faire une béquille.

Honteux et fatigué, je me traînai jusqu'à ma chambre. Bethesda était assise dans son lit, tout à fait éveillée. Elle m'attendait. Je m'abandonnai au sommeil et me mis à rêver.

J'avais posé la tête sur les genoux d'une déesse qui me caressait le front. Sa peau avait la blancheur de l'albâtre. Ses lèvres étaient rouge cerise. Bien que j'eusse les yeux fermés, je savais qu'elle souriait, car je sentais son sourire comme un doux rayon de soleil sur mon visage. Une porte s'ouvrit et la pièce fut inondée de lumière. Apollon d'Éphèse parut, tel un acteur qui entre en scène. Il était nu, auréolé d'une lumière dorée, et sa beauté était éblouissante. Il s'agenouilla à mes côtés et s'approcha si près de moi que ses lèvres m'effleurèrent l'oreille. Son souffle était aussi chaud que le sourire de la déesse et embaumait le chèvrefeuille. Il me murmura de suaves paroles de réconfort. Des mains invisibles jouaient d'une lyre également invisible, tandis qu'un chœur que je ne voyais pas chantait en mon honneur un chant sublime, où il n'était question que d'amour et de louanges. À un moment un géant échevelé armé d'un glaive traversa la salle en courant, comme s'il n'y voyait pas. Il était blessé à la tête et le sang ruisselait dans ses yeux.

Un coq chanta. Je sursautai et me dressai sur mon séant, croyant que j'étais de retour chez moi, sur l'Esquilin, et que j'entendais des rôdeurs. Mais ce n'étaient que les esclaves de Cicéron qui se préparaient pour la journée. À côté de moi, Bethesda dormait comme un loir, ses cheveux noirs et bouclés étaient étalés sur l'oreiller. Je m'allongeai à nouveau auprès d'elle, pensant ne pas pouvoir me rendormir. J'étais assoupi presque avant de fermer les yeux. Et puis soudain je m'éveillai.

Bethesda, assise dans un coin de la pièce, recousait l'ourlet de la tunique que j'avais portée la nuit précédente. Sans doute l'avais-je déchirée quand j'avais sauté du balcon. Elle n'avait même pas terminé sa tartine de miel qui était posée à côté d'elle.

— Quelle heure est-il ? demandai-je.

— Environ midi.

Je m'étirai. Mes bras étaient endoloris. Je remarquai un gros bleu sur mon épaule droite. Je me levai. Mes jambes étaient aussi douloureuses que mes bras. L'atrium bourdonnait comme une ruche et Cicéron déclamait d'une voix forte.

— J'ai terminé, m'annonça Bethesda d'un air satisfait en me montrant ma tunique. Je l'ai lavée ce matin. Même les taches d'herbe sont parties. Il n'y a pas du tout d'humidité dans l'air, elle est déjà sèche.

Debout derrière moi, elle leva la tunique au-dessus de ma tête pour m'habiller. J'avais du mal à l'enfiler car mes bras étaient raides.

— Tu veux manger, maître ?

J'acquiesçai d'un signe de tête. Je déjeunerai dans le péristyle derrière la maison. C'était le jour idéal pour paresser. La chaleur était agréable, pas étouffante comme la veille. Les esclaves de Cicéron évoluaient sans bruit dans la maison. Ils étaient affectés par la gravité des événements dont on parlait dans le bureau de leur maître, et ils s'efforçaient de paraître calmes et résolus. Le procès était imminent.

Bethesda ne me lâchait pas d'une semelle. Toujours prête à satisfaire mes désirs, elle se proposait d'aller chercher ce dont j'avais besoin — un rouleau de parchemin, une boisson, un chapeau de soleil. La réserve avec laquelle elle se comportait était inhabituelle. Bien qu'elle n'en parlât point, tout ce qui évoquait les dangers que j'avais courus la nuit précédente — la tunique déchirée, le bleu à mon épaule — la tourmentait et elle était contente de me voir en sécurité, tout près d'elle. Quand elle m'apporta une coupe pleine d'eau fraîche, je posai le parchemin que je lisais, la regardai au fond des yeux et lui caressai les doigts. Au lieu de me rendre mon sourire, elle parut frissonner. Je crus voir ses lèvres trembler, comme frémissent les feuilles du saule sous la brise. Puis elle retira sa main et s'éloigna quand le vieux Tiron, le portier, traversa en diagonale la cour, oubliant les règles de bienséance selon lesquelles les esclaves doivent passer sous les portiques sans se faire remarquer. Il disparut à nouveau dans la maison, secouant la tête et marmonnant entre ses dents.

Après le vieil affranchi, ce fut au tour de son petit-fils de traverser la cour. Tiron s'appuyait sur une béquille en bois et tenait en l'air sa cheville étroitement bandée. Il allait plus vite qu'il n'aurait dû et souriait d'un air bébête, aussi fier de sa claudication que peut l'être un soldat de sa première blessure. Bethesda alla chercher un fauteuil et l'aida à s'asseoir.

— Tu sembles de bonne humeur, dis-je à Tiron.

— C'est vrai.

— Tu n'as pas mal ?

— Un peu, mais qu'importe ? Il se passe tellement de choses en ce moment !

— Quoi donc ?

— Je parle de Cicéron. Il doit préparer tous les documents, recevoir les visiteurs — les amis de la défense, de braves gens comme Marcus Metellus et Publius Scipion. Il doit aussi terminer sa plaidoirie, essayer de prévoir les arguments de l'accusation, il manque de temps. C'est toujours ainsi avant un procès, d'après Rufus, même si l'avocat est un homme d'expérience.

— Alors tu as vu Rufus aujourd'hui ?

— De bonne heure ce matin, pendant que tu dormais. Cicéron l'a réprimandé parce qu'il s'est emporté contre Sylla à la réception. Il lui a reproché d'être trop impulsif et trop susceptible.

— Où se trouve Rufus à présent ?

— Au Forum. Cicéron l'a chargé de faire en sorte qu'une assignation soit adressée à Chrysogonus pour qu'il amène ses deux esclaves, Félix et Chrestus, en vue d'une déposition. Naturellement Chrysogonus n'acceptera pas, mais son attitude paraîtra suspecte, et Cicéron pourra y faire allusion dans sa plaidoirie. Il va même citer Chrysogonus nommément. Ses adversaires sont loin de s'y attendre, car ils pensent que tout le monde a peur de dire la vérité. Il va même s'en prendre à Sylla. Il faut entendre ce qu'il a écrit hier soir pendant que nous étions sortis : comment Sylla a donné carte blanche aux criminels, a encouragé la corruption et même le meurtre. Bien sûr, Cicéron ne peut pas faire allusion à tout cela, ce serait trop risqué. Il va devoir dire les choses moins crûment, mais qui d'autre a le courage de prendre fait et cause pour la vérité au Forum ?

Tiron souriait à nouveau, mais c'était un sourire différent, où l'on ne devinait pas l'orgueil d'un jeune garçon, mais un sentiment d'adoration, d'exaltation à l'idée de suivre Cicéron jusqu'au Forum.

Maintenant il allait rejoindre son maître au plus vite. Il se leva en s'aidant de sa béquille et trouva son équilibre sur une jambe.

— Excuse-moi, je dois partir, dit-il. Cicéron va de nouveau avoir besoin de moi. Il n'arrête pas une minute quand il est en plein travail. Il enverra Rufus en mission au Forum une douzaine de fois, et nous trois, nous ne dormirons pas de la nuit.

— Mais pourquoi ne restes-tu pas plus longtemps ? Repose-toi. Tu auras besoin de toutes tes forces ce soir. Et puis je n'ai personne d'autre à qui parler.

Tiron paraissait mal à l'aise.

— Non, il faut absolument que je parte maintenant.

— Je comprends. Cicéron t'a simplement envoyé pour me surveiller.

Tiron haussa les épaules, en s'appuyant sur sa béquille. Son regard devint fuyant.

303

– En fait Cicéron m'a envoyé pour te transmettre un message.

– Un message ?

– Oui, il exige que tu restes dans la maison, il t'interdit de sortir.

– Je n'ai pas l'habitude de rester enfermé nuit et jour. J'irai peut-être faire un tour au Forum avec Rufus.

Tiron rougit.

– En fait Cicéron a donné des instructions aux gardes qu'il a engagés pour protéger la maison.

– Des instructions ?

– Ils doivent t'empêcher de sortir.

Je le regardai, incrédule, jusqu'à ce qu'il baisse les yeux.

– M'empêcher de sortir ? Tout comme les gardes de Cæcilia empêchent Sextus Roscius de quitter la maison ?

– Oui, je suppose que c'est pareil.

– Je suis citoyen romain, Tiron. Comment Cicéron ose-t-il emprisonner un autre citoyen chez lui ? Que feront ces gardes si je quitte la maison ?

– En fait, Cicéron leur a enjoint de recourir à la force, si besoin était.

Je me sentis rougir comme une pivoine. Bethesda esquissa un sourire et parut soulagée. Tiron reprit la parole.

– Tu dois comprendre, Gordien. Tout ceci est du ressort de Cicéron. Il en est ainsi depuis le début. Tu as couru des risques en te mettant à son service et c'est pour cela qu'il te protège. Il t'a demandé de découvrir la vérité. Tu y es parvenu. Maintenant il appartient à la loi de juger. La défense de Sextus Roscius revêt une extrême importance pour Cicéron. Tout son avenir en dépend. Tu dois lui obéir.

Tiron s'éloigna, sans que j'aie eu le temps de répondre. La difficulté qu'il avait à marcher avec sa béquille lui servit de prétexte pour ne pas se retourner ou faire un geste d'adieu.

Je repris l'histoire de Polybe que j'avais commencé à lire, mais j'étais si énervé que les phrases semblaient n'avoir ni queue ni tête. Tout près de moi, Bethesda était assise, les yeux fermés.

– Emporte ce manuscrit, lui dis-je, il m'ennuie. Va demander à Tiron s'il peut me trouver une pièce de Plaute ou peut-être une comédie grecque de l'époque décadente.

Bethesda s'éloigna en répétant à voix basse le nom qui ne lui était pas familier afin de s'en souvenir. Quand elle eut disparu, je me retournai pour examiner le péristyle. Personne à proximité. C'était l'heure la plus chaude de la journée. Ils faisaient tous la sieste ou s'étaient réfugiés dans les coins les plus frais de la maison.

Grimper sur le toit du portique s'avéra plus facile que je ne l'aurais cru. Je me hissai jusqu'au sommet de l'une des minces colonnes, saisis le bord du toit et fis un rétablissement. Échapper aux regards du garde posté à l'angle le plus éloigné de la maison me parut un défi plus sérieux. C'est ce que je croyais jusqu'à ce que mon pied détache une tuile fêlée et qu'une multitude de fragments tombent dans la cour pavée en contrebas. Le garde ne bougea pas, il me tournait le dos et dormait debout, appuyé sur sa lance. Peut-être m'entendit-il quand je sautai dans la ruelle et renversai un pot de terre. Trop tard. Je m'échappai sans difficulté. Cette fois-ci je n'avais personne à mes trousses.

## 2

Quelle impression de liberté quand on flâne dans une ville que l'on connaît bien, sans but, sans rendez-vous, sans tâches ni obligations ! Mon seul souci était de ne pas rencontrer certaines personnes, et en particulier Magnus. Mais je savais bien où pouvait se trouver un homme comme Magnus par un si bel après-midi. Du moment que j'évitais mes lieux favoris où les gens qui connaissaient mes habitudes pourraient envoyer un inconnu à ma recherche, je me sentais relativement en sécurité. J'évoluais comme un fantôme, ou mieux encore, comme si mon corps était en cristal. Les rayons du soleil qui m'effleuraient la tête et les épaules semblaient me traverser et ne projeter aucune ombre sur le sol. Les citoyens et les esclaves que je croisais voyaient à travers moi. J'étais invisible, j'étais libre.

Cicéron avait raison ; mon rôle dans l'enquête sur le meurtre de Sextus Roscius avait pris fin. Mais tant que le procès n'aurait pas eu lieu, je ne pouvais m'occuper de rien d'autre ni rentrer chez moi sans courir de risques. N'étant pas habitué à avoir lui-même des ennemis (cela n'allait pas tarder à changer à cause de son ambition !), Cicéron voulait que je me cache jusqu'à ce que tout danger soit passé. Comme si c'était facile ! À Rome on a toujours des ennemis sur son chemin. À quoi bon se réfugier chez quelqu'un d'autre, en comptant sur la lance de son garde ? La Fortune est le seul rempart contre la mort. Sans doute protégeait-elle toujours Sylla, sinon comment expliquer qu'il ait vécu si longtemps quand tant d'autres dans son entourage, beaucoup moins coupables et certainement plus vertueux, étaient morts depuis longtemps ? Le quartier de Subure mis à part, le Forum était peut-être l'endroit le plus dangereux où je puisse m'aventurer. Sans idée précise, je m'en allai vers le nord en direction de la colline du Quirinal, où les rues sont jonchées de détritus. Je parvins à proximité du mur de Servius. La rue descendait en pente raide et les maisons de chaque côté étaient en retrait, face à un vaste terrain vague où poussaient des herbes folles et où se dressait un arbre rabougri.

Même dans la ville où l'on est né il peut y avoir des rues inconnues d'où on découvre des perspectives insolites. Or la déesse qui guide les promeneurs avait dirigé mes pas vers ce genre de lieu. Je m'arrêtai longuement et embrassai du regard l'horizon, là où Rome s'étend au-delà de ses murs, depuis la courbe majestueuse du Tibre à gauche, qui étincelait au soleil comme s'il était embrasé, jusqu'à la voie Flaminienne large et rectiligne à droite, depuis l'enchevêtrement des maisons massées autour du cirque de Flaminius jusqu'au champ de Mars que l'on distinguait mal au loin sous un nuage de poussière. Malgré ses dangers et sa corruption, sa vulgarité et sa misère, il n'est pas d'autre ville au monde qui m'enchante davantage que Rome.

Je repartis vers le sud. L'étroit sentier longeait les arrière-cours des immeubles, traversait des ruelles et serpentait à travers des espaces verts. Des femmes s'interpellaient ; un enfant pleurait et sa mère se mit à lui chanter une berceuse ; d'une voix avinée et ensommeillée, un homme réclamait le silence. La ville, que la chaleur rendait langoureuse et accueillante, semblait m'engloutir.

Je franchis la porte Fontinale et errai sans but quand, après avoir tourné à l'angle d'une rue, j'aperçus les décombres d'une maison qui avait été ravagée par un incendie.

308

Les fenêtres noircies se détachaient sur le ciel bleu et, tandis que je regardais, un grand pan de mur s'effondra. Des esclaves l'avaient fait tomber en tirant sur de longues cordes. Le sol alentour était noir de cendres et jonché de vêtements en lambeaux. Parmi les débris on apercevait un pot de fer déformé par le feu, la carcasse noircie d'un métier à tisser, un grand os déchiqueté qui aurait pu être aussi bien celui d'un chien que celui d'un homme. Des mendiants fouillaient çà et là.

Comme j'étais arrivé par un chemin que je ne connaissais pas bien, il me fallut un certain temps avant de découvrir que c'était la maison que Tiron et moi avions vue brûler quelques jours auparavant. Un autre mur noirci s'effondra et à travers l'espace à présent dégagé, je vis, debout dans la rue, les bras croisés, Crassus en personne qui donnait des ordres à ses contremaîtres.

L'homme le plus riche de Rome avait l'air gai, il souriait et bavardait avec les membres de son escorte qui avaient le privilège d'être à portée de voix. Avec précaution, je fis le tour des ruines et vins me placer à proximité du groupe. Un individu, qui avait une face de rat, n'ayant pu se faufiler dans la foule, fut bien content de lier conversation avec un passant qui se trouvait là par hasard.

— Tu prétends qu'il est astucieux ? remarqua-t-il en tournant son museau de rat vers Crassus. Le terme ne lui convient guère. Marcus Crassus a du génie. Pour ce qui est de gagner de l'argent, il n'a pas son égal à Rome. Certes, Pompée est un grand général, tout comme Sylla. Mais il est une autre espèce de généraux ici-bas. Les deniers d'argent, voilà les troupes de Marcus Crassus.

— Et ses champs de bataille ?

— Regarde devant toi. Peux-tu imaginer plus grand carnage ?

— Et qui a gagné cette bataille ?

— Le visage de Marcus Crassus te le dira.

— Et qui l'a perdue ?

— Les pauvres bougres qui, dans la rue, fouillent dans ce qui reste de leurs biens et déplorent de ne plus avoir de toit ! répliqua l'homme en éclatant de rire. Et aussi l'infortuné propriétaire de ces décombres. Je devrais plutôt dire l'ancien propriétaire. Il était en vacances au moment du drame. Il n'a pas su s'y prendre. Il se serait suicidé quand on l'a informé de l'incendie, paraît-il, car il était criblé de dettes. Crassus a eu à faire au fils éploré et l'a réduit à sa merci. Il aurait acquis la propriété pour une bouchée de pain.

L'homme, rempli d'admiration, plissa ses yeux de rat et pinça ses petites lèvres.

— Mais, bien sûr, il devra payer pour faire reconstruire la maison, remarquai-je.

L'homme arqua les sourcils.

— Pas nécessairement, le quartier est tellement peuplé que Crassus ne va pas reconstruire tout de suite pour pouvoir augmenter les loyers de la maison voisine. Un imbécile, qui a pris peur, la lui a cédée pour trois fois rien.

— Tu veux dire la maison qui a failli brûler ? Celle d'où l'on voit des tas de gens sortir, escortés par des malabars, de vrais voyous comme on en voit se bagarrer dans les rues.

— Ce sont les hommes de main de Marcus Crassus. Ils chassent les locataires qui ne veulent pas ou ne peuvent pas payer les nouveaux loyers.

Dégoûté, je m'éloignai si vite que je ne me rendis même pas compte où j'allais. Je heurtai un esclave à demi nu, couvert de suie. La corde qu'il avait passée par-dessus son épaule se détendit soudain et il me repoussa en me criant de prendre garde. Un pan de mur s'effondra à mes pieds. Si je n'avais pas heurté l'esclave, j'aurais pu me trouver au mauvais endroit et être tué sur-le-champ. Un nuage de poussière s'éleva du sol et salit le bas de ma tunique. Me sentant observé, je jetai un coup d'œil par-dessus mon épaule et vis Crassus qui avait les yeux fixés sur moi. Il ne souriait pas, mais me fit un signe de tête discret, témoignant de la chance inouïe que j'avais eue. Puis il s'en alla.

Je poursuivis ma route en marchant comme on le fait quand on est furieux, désespéré ou perplexe devant les mystères de l'existence. Je ne savais pas où j'allais, je ne prêtais attention à rien et ne regardais pas où je posais les pieds. Pourtant ce ne pouvait pas être le hasard si je repris exactement le chemin que Tiron et moi avions suivi le jour où j'avais commencé mon enquête. Je me trouvai sur la même place, je regardai les mêmes femmes puiser de l'eau à la citerne du quartier et chassai les mêmes chiens et les mêmes enfants qui traînaient dans la rue. Je m'arrêtai près du cadran solaire et sursautai quand le même citoyen passa à côté de moi, l'homme auquel j'avais demandé comment me rendre à la Maison aux Cygnes, celui qui citait des auteurs dramatiques. Je fis un geste de la main et ouvris la bouche pour le saluer. Il leva les yeux et me dévisagea d'un air singulier, puis me lança un regard noir en se penchant sur le côté, pour me faire comprendre que je l'empêchais de voir le cadran solaire. Il grogna en regardant l'heure, me dévisagea d'un air furieux et s'éloigna d'un pas rapide. En fait ce n'était pas le même homme et la ressemblance n'était qu'apparente.

Je descendis la ruelle sinueuse qui menait à la Maison aux Cygnes, longeai des murs aveugles sur lesquels étaient gribouillés des graffitis politiques ou obscènes, ou les deux à la fois.

Je laissai derrière moi l'impasse où Magnus et ses deux acolytes s'étaient embusqués, et contournai la tache de sang brunâtre, là où était mort Sextus Roscius père. Elle était encore plus sombre que le jour où je l'avais vue pour la première fois, mais facile à repérer, car la propreté du sol tout autour contrastait avec les pavés crasseux de la rue. On était venu laver la tache, on avait frotté et gratté pendant des heures pour la faire disparaître à jamais. En vain. La tache était encore plus visible qu'avant. Les pieds des passants et la suie apportée par les vents la noirciraient sans doute un jour et elle disparaîtrait de façon définitive. Mais

311

qui avait bien pu frotter ici pendant des heures, à genoux (au milieu de la journée ? de la nuit ?), avec une brosse et un seau, s'efforçant désespérément d'effacer le passé ? La femme du commerçant ? La veuve dont le fils était muet ? Magnus lui-même ? Je faillis éclater de rire en imaginant l'assassin au regard cruel à genoux, en train de laver le sol à la brosse, comme une simple servante.

Je me baissai et examinai de près les pierres plates et les minuscules particules d'un rouge noirâtre infiltrées dans chaque fissure et chaque trou. C'était cette substance qui avait donné la vie à Sextus Roscius. Le même sang coulait dans les veines de ses fils. Le même sang avait fait vibrer le corps de la jeune Roscia (dans mon souvenir, je la voyais nue, debout contre un mur sombre). Le même sang avait dû couler le long de ses cuisses quand son père l'avait dépucelée. Le même sang jaillirait de la chair de sa chair, si les juges déclaraient son fils coupable de parricide et le condamnaient à être flagellé en public puis enfermé dans un sac plein de bêtes féroces. Je regardai fixement la tache jusqu'à ce qu'elle devienne si énorme que je ne voyais plus rien d'autre. Même alors, elle ne me suggéra aucune réponse à mes questions, ne me révéla rien sur les vivants ou sur les morts.

Je me redressai en gémissant, car mes jambes et mon dos étaient encore douloureux après le saut de la nuit précédente. Je fis quelques pas pour scruter l'intérieur de la boutique. Le vieil homme était assis au fond, derrière le comptoir, la tête dans ses mains, les yeux fermés. La femme s'affairait autour des tables et des rayons à moitié vides. Un air humide et frais où se mêlaient une odeur de pourriture et un parfum de musc parvenait de la boutique.

J'entrai dans la maison d'en face. Point de veilleur au rez-de-chaussée. Son collègue en haut de l'escalier dormait, la bouche grande ouverte, il tenait à la main une coupe à demi pleine, inclinée de telle sorte qu'à chaque ronflement quelques gouttes de vin tombaient par terre.

Sous ma tunique je tâtai le manche du couteau que m'avait donné le garçon muet et je restai immobile un long moment en me demandant ce que je pourrais leur dire à tous les deux. À la veuve Polia, que je connaissais le nom des hommes qui l'avaient violée ? Que l'un d'eux, Barberousse, était mort ? Au petit Eco, qu'il pouvait reprendre son couteau, car je n'avais nullement l'intention de tuer Magnus ou Mallius Glaucia à sa place ? Sans doute Polia et son fils n'étaient-ils pas chez eux. Pourtant c'est le cœur battant que je frappai chez eux.

Une fillette ouvrit la porte en grand, ce qui me permit de voir toute la pièce. Une vieille femme était blottie dans un coin sous des couvertures. Un petit garçon agenouillé devant la fenêtre ouverte me jeta un coup d'œil, puis se remit à regarder ce qui se passait en bas dans la rue. La pièce avait les mêmes dimensions, la même forme et pourtant tout paraissait différent.

Deux yeux larmoyants apparurent entre les couvertures.

— Qui est-ce, mon enfant ?

— Je ne sais pas, grand-mère, dit la fillette en me regardant d'un air soupçonneux.

— Qu'est-ce qu'ils veulent ?

— Ma grand-mère veut savoir ce que tu veux, demanda la fillette exaspérée.

— Je veux voir Polia, répondis-je.

— Elle n'est pas ici, cria le petit garçon qui était à la fenêtre.

— J'ai dû me tromper de chambre.

— Non, dit la fillette, agacée. C'était bien sa chambre, mais elle est partie.

— Je veux dire la jeune veuve et son fils, le petit garçon muet.

— Je sais, répliqua la fillette en me regardant comme si j'étais simple d'esprit. Polia et Eco ne sont plus là. Elle est partie la première et lui ensuite.

– Tu veux dire que Polia est partie sans emmener le garçon ?

– Elle l'a abandonné, dit la vieille femme.

– Je ne le crois pas.

– Elle ne pouvait plus payer le loyer, insista-t-elle en haussant les épaules. Le propriétaire lui a donné deux jours pour s'en aller. Le lendemain matin elle était partie. Elle a pris tout ce qu'elle pouvait emporter et elle a laissé le garçon se débrouiller tout seul. Le jour suivant, le propriétaire est venu, il a pris les affaires qu'elle avait laissées et il a jeté le garçon à la rue. Eco est resté quelques jours dans les environs. Les gens avaient pitié de lui et lui donnaient des restes à manger. Et finalement les vigiles l'ont emmené.

En ce début d'après-midi les affaires marchaient bien à la Maison aux Cygnes. C'était dû au changement de temps, expliqua le propriétaire : « La chaleur les stimule, les met en ébullition, mais quand il fait trop chaud, même un homme vigoureux est flapi. Maintenant que la température est à nouveau supportable, ils reviennent en foule. Ils ont besoin d'évacuer toutes leurs humeurs... Vous êtes sûr que la jeune Nubienne ne vous intéresse pas ? C'est une nouvelle, vous savez. »

Il poussa un soupir de soulagement quand un homme grand, bien habillé, qui venait du couloir, entra dans le vestibule. Le soupir signifiait qu'Electra était disponible et pourrait me recevoir. L'inconnu, un bel homme d'une quarantaine d'années, dont les tempes commençaient à grisonner devait être son client précédent. Il fit un petit sourire de satisfaction un peu guindé en saluant notre hôte d'un signe de tête. J'éprouvai un soupçon de jalousie et je me consolai en pensant qu'il souriait en serrant les lèvres, parce qu'il n'avait pas de belles dents.

Dans un lupanar bien tenu nous n'aurions pas dû nous rencontrer, car nous étions les clients successifs de la même fille de joie, mais un lupanar idéal, ça n'existe pas. Le tenancier eut néanmoins la bienséance de se placer entre nous, de saluer d'abord l'inconnu qui s'en allait, et de se tourner ensuite vers moi. Avec sa forte corpulence, il faisait entre nous un écran impressionnant.

— Attendez un petit moment, suggéra-t-il d'une voix suave, pendant que la dame se remet de ses émotions.

Il me laissa seul quelques instants, puis revint, un sourire mielleux aux lèvres.

— La dame est prête, et il me fit signe que je pouvais aller dans le couloir.

Electra était toujours d'une beauté saisissante, mais ses yeux et sa bouche trahissaient une certaine fatigue qui en ternissait l'éclat. Elle était étendue sur son divan, un genou en l'air et le coude posé en équilibre dessus. Sa tête était rejetée en arrière sur les oreillers où s'étalait son abondante chevelure noire. Au premier abord elle ne me reconnut pas, ce qui me déçut. Puis une lueur brilla au fond de ses yeux et elle leva timidement la main comme pour se recoiffer. Je me sentis flatté à la pensée que, pour un autre, elle ne se serait pas souciée de son apparence. Mais n'était-ce pas une ruse pour aguicher les hommes ? me demandai-je, l'instant d'après.

— Encore toi ? dit-elle en continuant de jouer son rôle.

Elle s'exprima de la voix grave et sensuelle avec laquelle elle s'adressait à ses clients. Puis, se rappelant soudain pourquoi j'étais déjà venu et ce que j'avais cherché, elle reprit son ton naturel. Son regard me révéla combien elle était vulnérable et je me mis à trembler.

— Cette fois-ci, tu es venu seul ?

— Oui.

— Sans ton petit esclave timide ?

Je perçus un soupçon d'agressivité dans ses paroles.

— Pas seulement timide mais mal élevé. Du moins c'est ce que pense son maître. Et trop occupé pour m'accompagner aujourd'hui.

— Je croyais qu'il t'appartenait.

— Il ne m'appartient pas.

— Alors tu m'as menti.

— Peut-être. Mais simplement sur ce point.

Elle ramena ses deux genoux contre sa poitrine, comme pour se cacher.

— Pourquoi es-tu venu ici aujourd'hui ?

— Pour te voir.

Elle se mit à rire et leva les sourcils.

— Ce que tu vois te plaît ?

Elle avait repris sa voix sensuelle. Elle garda la même position, mais elle semblait jouer à la femme pudique plutôt qu'à la femme forte. La première fois que je l'avais vue, elle m'avait paru si vigoureuse, si robuste, presque une force de la nature. Aujourd'hui elle semblait faible, vulnérable, vieillie, sans illusions. J'avais été excité à l'idée de la revoir seul, sans être pressé par le temps ; mais maintenant sa beauté me mettait mal à l'aise.

Elle frissonna et détourna les yeux. Quand elle fit un mouvement, sa robe s'entrouvrit au niveau des cuisses. Sur la chair blanche et lisse, apparut une mince zébrure, rouge sur les bords et violette au centre, comme la marque imprimée par une canne ou une lanière de cuir rigide. Quelqu'un l'avait frappée. Je me souvins du noble au sourire compassé qui était parti, le nez en l'air.

— As-tu trouvé Elena ?

De nouveau la voix d'Electra était voilée et rauque. Elle ne me regardait pas en face, mais je voyais le reflet de son visage dans la glace.

— Non.

— Mais tu as découvert qui l'a emmenée ?

— Oui.

— Comment va-t-elle ? Est-elle à Rome ? Et l'enfant...

Elle vit que je la regardais dans la glace.

— L'enfant est mort.

— Ah ! fit-elle en baissant les yeux.

— À la naissance. L'accouchement a été difficile.

316

— Je le savais. Ce n'était encore qu'une enfant, ses hanches étaient si étroites.

Electra hocha la tête. Une mèche bouclée retomba sur son visage. À ce moment-là elle me parut si belle que je dus détourner les yeux.

— Où cela s'est-il passé ?

— Dans une petite ville. À une journée ou deux de Rome.

— La ville d'où venait Sextus Roscius, Ameria, c'est bien cela ?

— Oui, c'était à Ameria.

— Elle rêvait d'y aller. Ah ! Comme cela a dû lui plaire ! L'air pur, les animaux, les arbres...

Je me rappelai l'histoire que m'avaient racontée Félix et Chrestus et fus sur le point de défaillir.

— Oui, c'est une jolie petite ville.

— Et où est Elena à présent ?

— Elle est morte. Peu de temps après la naissance. Des suites de l'accouchement.

— Quel malheur ! Elle désirait tant avoir un enfant de lui.

Elle me tourna le dos, en s'assurant que je ne pouvais pas la voir dans la glace. Depuis combien de temps Electra n'avait-elle pas pleuré devant un homme ? Au bout d'un moment elle reprit sa position et posa la tête sur ses oreillers. Ses yeux étaient encore embués de larmes. Sa voix était dure.

— M'as-tu dit la vérité ?

— Oui.

— Tu m'as déjà menti. Tu m'as menti en me disant que le jeune esclave t'appartenait. Pourquoi pas cette fois-ci ?

— Parce que tu mérites de savoir la vérité.

— Ah oui ? Tu me crois vraiment insensible ? Pourquoi n'as-tu pas pitié de moi ? Tu aurais pu me dire qu'Elena était vivante et heureuse, qu'elle allaitait un bébé en bonne santé. Comment aurais-je su que c'était un mensonge ? Tu as préféré me dire la vérité. À quoi me sert la vérité ? C'est un véritable châtiment. Est-ce que je mérite que tu me traites ainsi ?

Des larmes jaillirent de ses yeux.

— Pardonne-moi, murmurai-je.

Elle se détourna de moi et ne répondit rien.

Je quittai la Maison aux Cygnes, en passant devant les prostituées qui arboraient de grands sourires et les clients aux lèvres serrées et aux regards concupiscents. Le tenancier se retourna pour me saluer. On aurait dit un masque grotesque de comédie. Dans la rue, je m'arrêtai pour reprendre mon souffle. Quelques instants plus tard, il me rattrapa en courant, il criait et serrait les poings.

— Qu'est-ce que tu lui as fait ? Pourquoi pleure-t-elle comme ça ? Elle a beau être belle, elle est trop vieille pour pleurer sans gâcher sa beauté. Elle va avoir les yeux gonflés et ne pourra plus travailler de la journée. Quel genre d'homme es-tu donc ? Un salaud, un pervers. Ne reviens surtout pas chez moi. Va ailleurs. Va jouer tes petits jeux autre part.

Là-dessus il rentra en trombe dans la maison.

Un peu plus loin dans la rue, mais assez près pour avoir tout entendu, je rencontrai le noble flegmatique qui m'avait précédé. Il était accompagné de deux gardes du corps et d'une petite suite. Il avait au moins le rang de magistrat. À mon passage, ils se mirent tous à rire bruyamment. Leur maître me gratifia d'un sourire condescendant. Il me regarda comme un homme puissant regarde un inférieur : malgré l'abîme qui les sépare, les dieux leur ont donné les mêmes appétits !

Je m'arrêtai et le dévisageai assez longtemps pour qu'il cesse de sourire. Je l'imaginai avec une mâchoire brisée, plié en deux sous l'effet de la douleur, ruisselant de sang. Un des gardes grogna contre moi comme un chien qui flaire des menaces invisibles. Je serrai les poings sous ma tunique, me mordis la langue si fort qu'elle se mit à saigner, regardai droit devant moi et m'éloignai.

Je marchai jusqu'à ce que je n'en puisse plus, traversai des places grouillantes de monde où j'avais l'impression d'être complètement étranger, passai devant des tavernes où je n'avais aucune envie d'entrer. De nouveau j'eus l'illusion d'être invisible, mais cette fois sans me sentir fort ou libéré, j'étais comme vidé de toute substance. Rome était une ville sordide : les bébés hurlaient, les oignons crus et la viande pourrie empuantissaient l'atmosphère, les pavés étaient sales. Un cul-de-jatte traversait la rue en se traînant par terre, une bande d'enfants le poursuivait en le bombardant de cailloux et en le couvrant d'insultes.

Le jour baissait. J'avais un creux dans l'estomac, mais je ne voulais pas aller manger. L'air était léger et frais à l'approche du crépuscule. Je me trouvai devant l'entrée des bains de Pallacine, qu'avait fréquentés le défunt Sextus Roscius.

— On a bien travaillé aujourd'hui, remarqua le jeune homme qui me débarrassa de mes vêtements. Il n'y a presque pas eu de clients ces derniers jours, il faisait trop chaud. Prends ton temps. On va rester ouvert tard ce soir.

Il revint avec une serviette. Je la pris et lui dis quelques mots pour détourner son attention tandis que je l'enroulai autour de mon bras gauche, en m'assurant qu'elle cachait mon couteau. Je n'avais aucune intention de me trouver sans arme quand je serais nu. J'entrai dans l'étuve, il claqua la porte derrière moi.

Le soleil allait disparaître à l'horizon, une étrange lumière orange filtrait par l'étroite fenêtre. Un employé vint avec une bougie et alluma une lampe placée dans un renfoncement du mur. Il n'eut pas le temps d'allumer les autres, car on l'avait appelé. Il faisait sombre dans la salle et une vapeur dense montait de l'eau si bien qu'on distinguait à peine la vingtaine d'hommes qui se prélassaient autour du bassin. Ils étaient tous pareils à des ombres. Je m'enfonçai dans l'eau, petit à petit, car elle était très chaude, jusqu'à ce que les vagues viennent effleurer ma gorge. Autour de moi les hommes gémissaient comme s'ils souffraient ou étaient en transe. J'en fis autant, et me fondis dans la brume. Imperceptiblement la lueur qui venait de la fenêtre faiblit.

La lampe crépita. Une flammèche jaillit puis s'éteignit presque, et la salle devint encore plus sombre. L'eau clapotait doucement contre les parois, les hommes soupiraient ou gémissaient en respirant. Je regardai autour de moi, j'étais entouré de vapeur. Rien ne se détachait sauf la minuscule lumière, pareille à la lueur d'un phare sur une colline dans le lointain.

Je m'enfonçai plus profondément encore, jusqu'à ce que le souffle sortant de mes narines fasse frissonner l'eau. Je plissai les yeux et, par-delà l'océan de brume, contemplai la flamme qui vacillait. Pendant un certain temps, j'eus presque l'impression de rêver les yeux ouverts. Je ne pensai à rien ni à personne. J'étais une île flottante, couverte de mousse dans une mer de brume, j'étais un enfant qui se laissait aller au fil de son imagination, un bébé dans le ventre de sa mère.

Soudain dans la brume, une forme se dessina, une tête flottait à la surface du bassin. Elle s'approcha, puis s'immobilisa ; s'approcha et s'immobilisa à nouveau. Chaque fois, j'entendais le bruit presque imperceptible d'un corps qui fendait l'eau et des petites vagues me caressaient les joues.

Le baigneur s'approcha, j'entrevis un visage, encadré par de longs cheveux noirs. Puis le corps émergea, juste assez pour que j'aperçoive de larges épaules et un cou massif. L'homme semblait sourire, mais dans cette lumière tout était possible.

Puis le baigneur plongea lentement dans un clapotis de petites bulles et un tourbillon de vapeur. La surface de l'eau se referma et ne fit plus qu'un avec la brume. Pas le moindre remous. Absolument rien.

Quelque chose m'effleura le mollet. Mon cœur cogna

dans ma poitrine. J'avais erré si longtemps dans la ville, sans prêter attention à rien, que l'assassin le plus maladroit aurait pu me suivre à mon insu. Je me retournai et tendis le bras pour prendre la serviette sur le bord du bassin, et le couteau caché dessous. Juste au moment où ma main se refermait sur le manche, l'eau bouillonna derrière moi. L'homme me toucha l'épaule.

Brusquement je fis volte-face dans un grand éclaboussement. Je tendis le bras comme un aveugle et saisis l'inconnu par les cheveux, puis lui appuyai la pointe de mon couteau contre la gorge.

Il poussa un juron.

— Haut les mains ! criai-je. Sors de l'eau.

Les murmures que j'avais entendus devinrent un brouhaha. De chaque côté de moi, deux mains jaillirent, comme des poissons qui sautent. Elles étaient vides et innocentes. J'avais dû blesser l'inconnu, un trait sombre et mince apparut là où la lame l'avait touché, et en dessous un filet de sang. J'étais assez près pour voir le visage. Ce n'était pas du tout Magnus, simplement un adolescent inoffensif qui avait l'air ahuri et serrait les dents.

Avant que l'employé vienne allumer les lampes, et m'expose ainsi à la vue de tous, je lâchai l'homme et sortis de l'eau. Je me séchai tout en me précipitant vers la porte et en prenant soin de dissimuler le couteau avant d'arriver dans la zone éclairée et de demander mes vêtements. Cicéron avait raison. On ne pouvait me faire confiance et j'étais dangereux. Je n'étais pas en état de me promener dans les rues.

## 3

Tiron ouvrit la porte. Il avait l'air épuisé mais son visage rayonnait de bonheur, il était content de lui et vraiment si heureux de vivre qu'il avait de la peine à me montrer sa réprobation.

— Cicéron est furieux contre toi. Qu'as-tu donc fait toute la journée ? murmura-t-il.

— J'ai cherché des cadavres dans des décombres calcinés, j'ai bavardé avec les amis des grands de ce monde, j'ai rendu visite à des fantômes et à de vieilles connaissances, j'ai été voir des filles de joie, en tout bien tout honneur, cela va sans dire. J'ai menacé de mon couteau des inconnus qui me faisaient des avances...

Tiron fit la grimace.

— Tout ce que tu racontes n'a ni queue ni tête.

— Vraiment ? répliquai-je, je croyais que Cicéron t'avait appris le sens des mots. Et, malgré cela, tu ne me comprends pas.

— Tu es ivre ?

— Non, c'est toi qui l'es. Oui, regarde-toi, tu as le vertige comme un petit garçon qui vient de boire sa première coupe de vin. La rhétorique de ton maître t'a soûlé, c'est évident. Cela fait huit heures qu'il t'en abreuve et tu es probablement à jeun. C'est un miracle que tu aies pu trouver le chemin pour m'ouvrir la porte.

– Tu ne dis que des bêtises.

– Au contraire, je suis parfaitement clair. Mais tu es si grisé par le charabia de ton maître qu'une pensée plus terre à terre doit te paraître aussi insipide que l'eau de source à un ivrogne invétéré.

J'avais enfin atteint mon objectif : la gaieté qui illuminait le visage de Tiron avait fait place à la consternation. À ce moment-là Rufus apparut dans le couloir : il était tout rouge, il battait des paupières et avait l'air fatigué, ce qui le rendait encore plus séduisant, d'autant plus qu'il ne cessait de sourire.

– Nous avons terminé la seconde ébauche de la plaidoirie. Cicéron te fera verser des larmes quand tu l'entendras au procès, je te le jure. Des citoyens se lèveront en serrant les poings pour exiger que Sextus Roscius soit déclaré non coupable. Cicéron n'a pas écrit de version définitive, bien sûr. Mais il a fait de son mieux pour prévoir toutes les éventualités et, dans ses grandes lignes, son argumentation est parfaitement étayée et mise au point. C'est génial. Il n'y a pas d'autre terme pour la qualifier.

– Tu ne crois pas que c'est trop dangereux, murmura Tiron.

– Dans un État injuste, tout acte honnête est par nature dangereux, rétorqua Rufus. Et également courageux. Un homme qui défend une cause juste prend forcément des risques.

– Pourtant, n'as-tu pas peur de ce qui pourrait se passer après le procès ? Cicéron ne ménage pas Chrysogonus et Sylla lui-même n'est pas épargné.

– Oui ou non, est-il possible de dire la vérité dans un tribunal romain ? C'est toute la question. Sommes-nous arrivés au point où la vérité est un crime ? Cicéron fait un pari sur l'avenir. Il mise sur la probité et l'honnêteté foncières des braves citoyens romains. Qu'est-ce qu'un homme intègre comme lui peut faire d'autre ?

– Bien sûr, répliqua Tiron d'une voix posée en opinant

du bonnet. C'est dans sa nature de s'attaquer à l'hypocrisie et à l'injustice, d'agir selon ses principes. Étant donné son caractère, il n'a pas d'autre choix.

J'étais resté à l'écart, oublié, tout seul. Alors qu'ils continuaient de bavarder et de discuter, je m'éclipsai sans bruit et retrouvai Bethesda dans mon lit douillet. Elle ronronnait comme une chatte à moitié endormie, mais elle fronça le nez et grommela quand elle sentit le parfum d'Electra sur ma peau. J'étais trop las pour lui donner des explications ou même pour la taquiner. Je lui tournai le dos et sombrai dans un sommeil agité.

Le lendemain matin, un silence de mort régnait dans la maison de Cicéron. On aurait pu croire que tous les habitants étaient partis ou que quelqu'un était gravement malade. Les esclaves ne couraient pas dans tous les sens, mais prenaient leur temps et parlaient sans cesse à voix basse. Même le bourdonnement constant de la voix de Cicéron avait cessé ; pas un bruit ne provenait de son bureau. Je mangeai les olives et le pain que m'avait apportés Bethesda et je passai la matinée à me reposer et à lire au fond de l'atrium.

Cicéron ne m'adressa pas les reproches auxquels je m'attendais. Il se contenta de faire comme si je n'existais pas. Il semblait m'avoir oublié. Cependant le garde auquel j'avais faussé compagnie la veille avait modifié sa ronde, et faisait de temps à autre le tour de l'atrium. En voyant son air renfrogné, je compris qu'il s'était attiré les foudres de Cicéron.

À un moment donné Tiron se montra et me demanda si je n'avais besoin de rien. Je lui précisai que j'avais passé la matinée à lire Caton et, qu'à part cela, je n'avais pas de doléances particulières.

— Et ton maître ? lui demandai-je. Je n'ai pas entendu sa voix aujourd'hui. Il n'est pas malade, j'espère ?

Tiron s'inclina légèrement et répondit en chuchotant

comme on le fait quand on a l'honneur d'être dans le secret des préparatifs d'un grand projet. On lui avait pardonné (ou du moins on avait temporairement oublié) ses frasques avec Roscia, il était plus que jamais subjugué par son maître. Maintenant que le moment crucial approchait, sa confiance en Cicéron ne connaissait plus de limites.

— Cicéron jeûne et se repose la voix aujourd'hui, expliqua-t-il avec le sérieux du devin qui voit des présages dans la façon dont volent les oies. À force de répéter sa plaidoirie ces jours derniers, il s'est enroué. Aussi s'abstient-il aujourd'hui de nourriture solide, il ne prend que du liquide pour s'adoucir la gorge et s'humecter la langue. Il doit passer la journée dans le plus grand calme et se détendre avant le procès. Je te dis tout cela pour que tu comprennes pourquoi je te demande de faire le moins de bruit possible et de ne créer aucune perturbation.

— Comme je l'ai fait hier en me sauvant par le toit ?

— Exactement.

Tiron se redressa un instant avec fierté, puis laissa retomber ses épaules.

— Oh ! Gordien, pourquoi ne peux-tu pas faire ce qu'il te demande. Je ne comprends pas pourquoi tu es devenu si... si peu raisonnable. Si tu savais ! Cicéron comprend des choses que nous devinons à peine. Tu saisiras ce que je veux dire demain au procès. Si seulement tu avais une confiance absolue en lui !

— Je ne te comprends pas non plus, ajouta Bethesda d'une voix douce, en levant les yeux de son ouvrage. Pourquoi harcèles-tu le pauvre garçon ? Il t'admire, c'est évident. Pourquoi l'obliger à choisir entre son maître et toi ? Ce n'est pas juste.

Il était rare que Bethesda me réprimande avec autant de franchise. Ma conduite était-elle choquante au point que même mon esclave pouvait se permettre de me la reprocher ? Je n'avais aucun argument pour me défendre. Bethesda vit qu'elle m'avait piqué au vif et poursuivit.

– Si tu as un différend avec Cicéron, au lieu de punir son esclave, pourquoi ne vas-tu pas trouver Cicéron en personne ? Cependant, moi non plus je ne comprends pas ton attitude à son égard. Cicéron t'a logé chez lui pour que tu sois en sûreté, ainsi que ton esclave. Il t'a nourri, il a mis sa bibliothèque à ta disposition, il a même posté un garde sur le toit pour assurer ta protection. Ton bon client Hortensius ferait-il cela ?

Je ne me souciai pas de la tancer pour ses remarques déplacées. Après tout qu'importait l'opinion d'une esclave ? Mais, comme toujours, elle avait exprimé à haute et intelligible voix les doutes et les questions qui me tourmentaient en secret.

## 4

Une lumière bleu pâle annonça l'aube des ides de mai. Je m'éveillai lentement, bouleversé par mes rêves et désorienté parce que je me trouvais dans une maison que je ne connaissais pas – ce n'était ni ma maison du mont Esquilin ni aucune de celles où j'avais habité au cours d'une vie d'errance.

Bethesda me tenait étroitement enlacé. Un de ses bras passé sous le mien me serrait la poitrine. Je sentais la douceur de ses seins contre mon dos, à chacune de ses respirations. Son haleine douce et chaude me caressait la nuque. Je commençai à ouvrir l'œil, mais à regret. Je me réfugiai dans mes rêves agités, indifférent à ce qui pouvait se tramer dans cette maison inconnue, et plongeai dans les ténèbres les plus profondes.

J'ouvris à nouveau les paupières. Bethesda, tout habillée, penchée sur moi, me secouait par les épaules. La pièce était illuminée par le soleil.

— Qu'est-ce que tu as ? me demanda-t-elle.

Je me mis tout de suite sur mon séant et secouai la tête.

— Es-tu malade ? Non ? Alors tu ferais mieux de te dépêcher. Tous les autres sont déjà partis.

Elle remplit une coupe d'eau fraîche et me la tendit.

— Je croyais qu'ils t'avaient oublié jusqu'au moment où Tiron est revenu en courant et m'a demandé où tu étais. Je lui ai expliqué que j'avais déjà essayé de te réveiller et que tu étais toujours au lit. Alors il s'est contenté de lever les bras au ciel et est reparti rejoindre son maître au pas de course.

— Quand cela s'est-il passé ?

— Il y a seulement quelques minutes. Tu ne dois pas te tracasser. Tiron retiendra une place pour toi à côté de lui à la tribune. J'ai bien regardé la femme, ajouta-t-elle en souriant tandis qu'elle me débarrassait de la coupe vide.

— Quelle femme ?

L'image d'Electra surgit devant moi. J'avais dû rêver d'elle, mais je ne m'en souvenais plus très bien.

— Celle qu'on appelle Cæcilia, précisa Bethesda.

— Cæcilia Metella était ici ? Ce matin ?

— Elle est arrivée juste après l'aube dans une litière somptueuse. Les esclaves ont fait un tel vacarme que cela m'a réveillée et je me suis levée. Elle t'a reçu deux fois chez elle, je crois ? Ce doit être magnifique.

— C'est vrai. Mais est-elle venue seule ? Je veux dire avec seulement son escorte ?

— Non, il y avait un homme. Sextus Roscius. Accompagné par six gardes qui avaient dégainé leur glaive. L'un des gardes était très beau.

— Je suppose que tu n'as pas regardé Roscius ?

— Si.

— Comment était-il ?

— Très pâle. Mais il faisait encore sombre.

Au Forum, on se serait presque cru un jour férié. Comme c'étaient les ides, le Comitium et la Curie du Sénat étaient fermés. Mais de nombreux prêteurs et banquiers avaient ouvert boutique. Alors que les ruelles à la périphérie étaient désertes, il y avait une multitude de gens dans les rues qui menaient au centre du Forum. Des hommes de toutes les classes de la société, seuls ou en groupe, se dirigeaient vers la tribune, tout excités par la tragédie. La foule qui se pressait sur la place était si dense qu'il me fallut jouer des coudes pour avancer. Aucun événement ne passionne davantage les Romains qu'un procès, en particulier quand la vie d'un individu est en jeu.

Au milieu de la cohue j'aperçus une magnifique litière dont les rideaux étaient tirés. Quand je me trouvai à côté, une main jaillit entre les tentures et me saisit le poignet. Je baissai les yeux, stupéfait qu'un bras aussi décharné puisse avoir tant de force. La main desserra son étreinte et disparut, laissant sur ma peau la marque clairement dessinée de cinq ongles acérés. Les rideaux s'ouvrirent et la même main me fit signe de passer la tête à l'intérieur.

Cæcilia Metella était allongée sur des coussins en peluche, elle portait une robe ample, de couleur violette, et un collier de perles. Ses cheveux roulés en chignon étaient maintenus en place par une épingle d'argent ornée de lapis-lazuli. L'eunuque Ahausarus était assis en tailleur à sa droite.

— À ton avis, jeune homme, comment cela va-t-il se passer ? murmura Cæcilia d'une voix rauque.

— Pour qui ? Pour Cicéron ? Pour Sylla ? Pour les assassins ?

Son front se plissa et elle fronça les sourcils.

— Ne fais pas semblant de ne pas comprendre. Pour le jeune Sextus Roscius naturellement.

— C'est difficile à dire. Seuls les augures et les oracles peuvent déchiffrer l'avenir.

— Mais après tout ce qu'a fait Cicéron, secondé par Rufus, les juges rendront sûrement le verdict que mérite Roscius.

— Comment puis-je répondre quand j'ignore ce que doit être le verdict ? Comme tout bon citoyen, j'ai confiance en la justice romaine.

Je retirai ma tête et laissai retomber le rideau.

Au milieu de la foule, j'entendis quelqu'un m'appeler

par mon nom. Une main se posa sur mon épaule. Je respirai profondément et me retournai.

Tout d'abord je ne le reconnus pas, je ne l'avais vu qu'une fois dans sa ferme, fatigué après sa journée de travail et vêtu d'une tunique sale. Titus Megarus d'Ameria, avec une belle toge et ses cheveux huilés et soigneusement peignés, était si différent. Son fils Lucius, qui n'était pas encore en âge de porter une toge, avait une simple tunique à manches longues. De toute évidence il était ravi d'être là.

— Gordien, quelle chance de te trouver dans cette foule ! Tu n'imagines pas quel plaisir c'est, pour un fermier qui vient de la campagne, de voir un visage connu dans cette ville...

— C'est merveilleux ! interrompit Lucius. Quelle ville ! Je ne l'aurais jamais imaginée comme cela. Si grande, si belle ! Et tous ces gens ! Dans quel quartier habites-tu ?

— Tu lui pardonneras ses manières, je l'espère, s'écria Titus, en écartant d'un geste tendre une boucle rebelle sur le front de son fils. À son âge, je n'étais jamais venu à Rome, moi non plus.

« Regarde là-bas, Lucius, cette tribune énorme avec pour ornements les proues des navires carthaginois capturés au cours des batailles, ce sont les Rostres, comme je te l'ai dit. L'orateur y monte par un escalier qui se trouve derrière, puis harangue l'auditoire de là-haut. »

Je le dévisageai d'un air ébahi. Dans sa ferme à Ameria j'avais été frappé par sa bienveillance, son charme, sa distinction qui n'avait rien d'artificiel. Ici au Forum, il n'était pas dans son élément, il montrait les choses du doigt et criaillait comme un rustre.

— Quand es-tu arrivé ? lui demandai-je au bout d'un moment.

— Hier soir. Nous avons mis deux jours pour venir d'Ameria.

— Ça a été long et pénible, s'esclaffa Lucius.

— Alors tu n'as pas encore vu Cicéron ?

Titus baissa les yeux.

— Non, malheureusement. Mais j'ai réussi à trouver l'écurie dans le quartier de Subure et j'ai rendu Vespa à son propriétaire.

— Mais tu devais arriver hier matin. Tu devais venir chez Cicéron pour qu'il t'interroge et voie si tu pouvais lui être utile comme témoin.

— Oui, eh bien...

— C'est trop tard, maintenant.

— Je le crains.

Titus haussa les épaules et détourna les yeux. Je fis un pas en arrière.

— Je comprends. Mais tu as tout de même voulu assister au procès.

Il pinça les lèvres.

— Sextus Roscius est — ou plutôt était — mon voisin. J'ai plus de raisons de me trouver ici que la plupart de ces gens-là.

— Et plus de raisons de l'aider.

Titus baissa la voix.

— Je l'ai déjà aidé : j'ai adressé une pétition à Sylla, je te l'ai dit. Mais parler en public, ici, à Rome — je suis père de famille. Tu saisis ?

— Et si on le déclare coupable et si on l'exécute, tu resteras aussi ?

— Je n'ai jamais vu de singe, dit Lucius gaiement. Tu crois qu'on enferme vraiment le condamné dans un sac ?

— Oui, dis-je à Titus. Ne manque pas d'emmener le garçon voir ce spectacle. Il ne l'oubliera jamais !

Je m'éclipsai dans la foule. Un dignitaire arriva, précédé d'une escorte de gladiateurs qui se frayèrent un chemin jusqu'aux rangs des juges. Je me trouvai pris dans une marée humaine qui me repoussa jusqu'à ce que mes épaules viennent heurter quelque chose de solide et de dur comme un mur, le piédestal d'une statue.

Je regardai par-dessus mon épaule. Derrière moi le dictateur sur un cheval recouvert d'or était en tenue de général, mais tête nue pour qu'on aperçoive son visage rayonnant de bonheur. L'homme que j'avais vu chez Chrysogonus paraissait beaucoup moins jeune que ce guerrier, mais le sculpteur avait parfaitement réussi à reproduire ses mâchoires puissantes ainsi que l'imperturbable assurance qu'exprimait son regard. Ce regard ne balayait pas la foule, ni les gradins où siégeaient les juges, mais fixait la petite estrade de l'orateur en haut de la tribune aux harangues. Celui qui osait y monter se trouvait donc face à face avec le protecteur suprême de l'État. Je reculai pour lire l'inscription sur le piédestal : L. CORNELIUS SYLLA, DICTATEUR, FAVORI DES DIEUX.

Une main me happa par le bras. Je me retournai et vis Tiron appuyé sur sa béquille.

– C'est parfait, dit-il. Tu es tout de même venu. Je craignais... mais peu importe. Je t'ai aperçu depuis l'autre côté de la rue. Suis-moi, s'il te plaît.

Il traversa la foule en clopinant et me fraya un passage. Un garde armé fit un petit signe de tête à Tiron et nous laissa franchir un barrage.

Devant la tribune s'étendait une petite place. D'un côté la foule des spectateurs, debout, de l'autre des rangées de bancs pour les amis des plaideurs et pour les personnalités. À l'angle de la place, entre les spectateurs et la tribune, se trouvaient des bancs pour les avocats de l'accusation et de la défense. Juste en face de la tribune, des chaises disposées sur des gradins étaient occupées par les soixante-quinze juges choisis parmi les sénateurs.

Certains somnolaient, d'autres lisaient ou mangeaient. D'autres discutaient entre eux. Plusieurs s'agitaient nerveusement sur leur siège, visiblement mécontents d'avoir à assumer cette tâche. Certains réglaient les affaires courantes, donnaient des consignes à des esclaves ou à des employés. Tous portaient la toge sénatoriale qui les distinguait de la populace parquée plus loin.

Je jetai un coup d'œil au banc de l'accusation. Magnus

était assis, les bras croisés. Il avait l'air courroucé et me jetait des regards furieux. À côté de lui, l'accusateur public, Gaïus Erucius, et ses assistants feuilletaient des documents. Erucius avait la réputation d'échafauder des accusations perfides, parfois par amour du lucre, parfois par pure cruauté. Il était célèbre parce qu'il gagnait souvent. On lui avait sans doute promis une somme fort coquette s'il obtenait la condamnation à mort de Sextus Roscius.

Erucius leva les yeux quand je passai devant lui et ne put retenir une moue de dédain en me reconnaissant puis, se retournant, fit un signe de la main à un messager qui attendait ses ordres. Erucius avait considérablement vieilli depuis la dernière fois que je l'avais vu. Son cou s'était empâté et ses sourcils embroussaillés. Il avait une bouche lippue qui semblait toujours bouder et son regard était sournois, calculateur. Il était le type même de l'avocat véreux. Au tribunal on le méprisait. La populace l'adorait. Elle était fascinée par sa malhonnêteté ainsi que par sa voix mielleuse et ses manières onctueuses. Face à cet homme, des vertus simples et honnêtes, toutes romaines, comptaient pour peu de chose.

Hortensius aurait fait le poids. Mais Cicéron ? Erucius n'était pas le moins du monde impressionné. Il hurla pour appeler un de ses esclaves ; il se retourna pour échanger une plaisanterie avec Magnus ; il s'étira et se promena de long en large, les mains sur les hanches, sans même jeter un coup d'œil au banc des accusés. Sextus y était assis, prostré. Derrière lui, deux hommes montaient la garde, ceux-là mêmes qui avaient été postés devant la porte de Cæcilia. Il avait déjà l'air d'un condamné, pâle, silencieux, comme pétrifié. En comparaison, Cicéron avait la carrure d'un athlète quand il se leva et me prit le bras pour m'accueillir.

— Parfait ! Tiron m'a dit qu'il t'avait repéré dans la foule. Je craignais que tu ne sois en retard ou que tu ne viennes pas.

Il se pencha vers moi, un sourire aux lèvres. Il me tenait toujours par le bras et me parlait sur un ton confidentiel, comme si j'étais son meilleur ami. Cette familiarité, qui succédait à sa froideur des jours précédents, me désarma.

— Gordien, regarde les juges, là sur les gradins, continua-t-il. La moitié d'entre eux s'ennuient à mourir, les autres sont déjà morts de peur. Auxquels dois-je m'adresser ?

Il éclata de rire, non pas d'un rire forcé, mais d'un rire simple, spontané. Le Cicéron grincheux qui se faisait du souci et ronchonnait depuis mon retour d'Ameria semblait avoir disparu avec les ides de mai.

Tiron était assis à la droite de Cicéron, à côté de Sextus Roscius ; il avait soigneusement dissimulé sa béquille. Rufus était assis à la gauche de Cicéron avec les nobles qui lui avaient apporté leur concours au Forum. Je reconnus Marcus Metellus, de la famille de Cæcilia, et l'ancien magistrat, Publius Scipion, une personne insignifiante.

— Naturellement tu ne peux pas t'asseoir sur le même banc que nous, remarqua Cicéron, mais je souhaite que tu ne t'éloignes pas. Qui sait ? Un nom ou une date peut m'échapper au dernier moment. Tiron a chargé un esclave de te réserver une place.

De la main il montra la galerie où je reconnus de nombreux sénateurs et magistrats, parmi lesquels l'orateur Hortensius et des membres de la famille Messallus et Metellus. Je reconnus aussi le vieux Capito ; il avait l'air petit et ratatiné à côté du géant Mallius Glaucia, qui avait la tête bandée. On ne voyait Chrysogonus nulle part. Sylla était représenté par sa statue équestre dorée.

Sur un geste de Cicéron, un esclave quitta l'un des bancs. Comme j'allais occuper sa place, Mallius Glaucia donna un coup de coude à Capito et lui chuchota quelque chose à l'oreille. Tous deux se tournèrent vers moi et me dévisagèrent quand je m'assis deux rangs derrière eux. Glaucia se rembrunit et retroussa sa lèvre supérieure en découvrant les dents. On aurait dit une bête sauvage égarée parmi tous ces Romains si calmes et dont la tenue était irréprochable.

Au moment précis où le soleil apparut au-dessus de la basilique Fulvienne, le prêteur, Marcus Fannius, président du tribunal, monta à la tribune aux harangues et s'éclaircit la voix. Avec la solennité de circonstance, il s'adressa aux juges, invoqua les dieux et lut l'acte d'accusation.

Tandis que Fannius débitait son discours d'une voix monotone, j'étudiais les visages : Magnus était dévoré par un feu intérieur ; Erucius, qui paraissait imbu de lui-même, s'ennuyait ; Tiron s'efforçait tant bien que mal de maîtriser son impatience ; Rufus avait l'air d'un enfant à côté de cet aréopage de juristes grisonnants ; Cicéron affichait une sérénité et un calme imperturbables, tandis que Sextus Roscius observait la foule, tel un animal traqué et blessé, trop affaibli pour se défendre.

Son discours enfin terminé, Fannius prit place parmi les juges. Gaïus Erucius se leva du banc de l'accusation et gravit à grand peine l'escalier qui menait à la tribune. Il était à bout de souffle quand il arriva en haut et respira profondément. Les juges interrompirent leur lecture et leurs conversations. Le silence se fit dans la foule.

— Juges estimés, vous qui avez été choisis parmi les sénateurs, je suis venu ici en ce jour assumer une tâche fort pénible. Il n'est jamais agréable d'accuser un homme de meurtre. C'est pourtant une des obligations qui incombent de temps à autre à ceux qui ont pour devoir de faire respecter la loi.

Erucius baissa les yeux et son visage prit une expression d'infinie tristesse.

— Cependant, juges estimés, continua-t-il, ma tâche ne consiste pas seulement à traduire en justice un assassin, mais à faire en sorte qu'un principe, plus fondamental que les lois des simples mortels, soit respecté aujourd'hui dans ce tribunal. Car le crime dont est coupable Sextus Roscius n'est pas seulement un assassinat – ce qui est déjà abominable – mais un parricide.

La grande tristesse qu'on voyait sur son visage fut remplacée par l'horreur. Sur ses grosses joues les rides devinrent plus profondes encore et Erucius tapa du pied.

– Un *parricide*, cria-t-il d'une voix si aiguë que même ceux qui se trouvaient les plus éloignés de la tribune sursautèrent. Imaginez ce crime, je vous en prie. Ne reculez pas devant cette horreur, fixez votre regard sur cette bête immonde. Nous sommes des hommes, qui plus est des Romains, nous devons dominer notre répulsion et veiller à ce que justice soit faite.

« Vous voyez *cet individu* assis au banc des accusés, entouré de gardes armés. *Cet individu* est un assassin. *Cet individu* est un parricide ! Je dis *cet individu* parce que je répugne à prononcer son nom : Sextus Roscius. N'était-ce pas ce même nom que son père a porté avant lui, le père auquel *cet individu* a ôté la vie, un nom jadis honorable qui est maintenant souillé de sang, comme la tunique ensanglantée qu'on a trouvée sur le corps du vieil homme, lacérée par le glaive de son assassin.

« Que puis-je vous dire sur... Sextus Roscius ? (La voix et le visage d'Erucius exprimèrent le profond dégoût que ce nom lui inspirait.) Faites comme moi. Allez à Ameria. Demandez aux fermiers quand ils ont vu pour la dernière fois Sextus Roscius à une fête religieuse. Ils ne sauront même pas de qui vous parlez. Rappelez-leur que Sextus Roscius est l'homme accusé d'avoir tué son père, ils auront alors un air entendu, pousseront un soupir et détourneront les yeux pour ne pas s'attirer la foudre des dieux.

« Si vous insistez, voici ce qu'ils vous diront : "Sextus Roscius est un homme mystérieux, solitaire, peu sociable, impie, grossier et brutal dans ses relations avec autrui." Il n'y a qu'une seule chose que tout le monde sait à Ameria : toute sa vie il a été en conflit avec son père.

« Un homme vertueux ne se dispute pas avec son père.

338

Un homme vertueux honore son père et lui obéit, non seulement parce que c'est la loi, mais parce que c'est la volonté des dieux.

« Mais quelle est l'origine de ce conflit entre père et fils ? Nul ne le sait. Pourtant celui qui est assis à côté de moi sur le banc de l'accusation, Titus Roscius Magnus, peut affirmer sous serment avoir été témoin de heurts violents entre les deux hommes. Un autre témoin, le vénérable Capito, que je ferai comparaître quand la défense aura parlé, pourra en dire autant. Magnus et Capito sont tous deux cousins de la victime et de *cet individu*. Ce sont des citoyens respectés à Ameria. Pendant des années ils ont été choqués de voir Sextus Roscius désobéir à son père et le maudire par-derrière. Ils ont vu ce spectacle désolant : un vieillard qui, pour sauvegarder sa dignité, tournait le dos au monstre qu'il avait engendré.

« Je dis bien tournait le dos. Sextus Roscius père tournait le dos à Sextus Roscius fils, ce qu'il a sans doute regretté jusqu'à sa mort, car un homme avisé ne tourne pas le dos à un serpent, ni à un homme qui a l'âme d'un assassin, fût-ce son propre fils, à moins qu'il ne souhaite se faire poignarder par-derrière. »

Erucius donna un grand coup de poing sur le balcon de la tribune et jeta un regard circulaire. En bon acteur il resta immobile un instant, puis s'éloigna pour reprendre son souffle. Quand sa voix tonitruante ne se fit plus entendre, il y eut un étrange silence. Erucius était en sueur tant il s'était donné de mal. Avec l'ourlet de sa toge il essuya son front ruisselant. Il leva les yeux vers le ciel, comme s'il l'implorait de lui épargner la rude épreuve que lui imposait la recherche de la justice. D'une voix éplorée, mais assez forte pour que tout le monde l'entende, il marmonna cette supplique : « Oh ! Jupiter, donne-moi la force de poursuivre ! » Cicéron croisa les bras et écarquilla les yeux. Pendant ce temps Erucius se ressaisit, s'avança à nouveau en baissant la tête et reprit le fil de son discours.

– *Cet individu* – à quoi bon prononcer son nom maudit quand il a assez d'audace pour se montrer en public ? –, *cet individu* n'était pas l'unique rejeton de son père. Il y avait un second fils nommé Gaïus. Comme son père l'aimait ! Au dire de tous, il avait les qualités que doit posséder tout jeune Romain : il était pieux, respectait son père, chérissait toutes les vertus. En un mot c'était un jeune homme sympathique, charmant, distingué. Comme c'est étrange qu'un homme puisse avoir deux fils si différents l'un de l'autre ! Ils n'étaient pas de la même mère. Peut être n'était-ce pas la graine qui était mauvaise, mais le terrain dans lequel elle avait été semée.

« Sextus Roscius père aimait un fils et pas l'autre. Il était fier de se montrer avec Gaïus en société. Par ailleurs il laissait toujours le jeune Sextus à l'écart, le reléguant dans les fermes à Ameria, le cachant comme s'il en avait honte.

« Ce n'est pas juste, direz-vous. Il est préférable qu'un homme traite ses fils avec un égal respect. S'il a des préférences marquées, il doit s'attendre tôt ou tard à des ennuis. C'est exact, mais dans le cas présent il faut nous fier au jugement de Sextus Roscius père. Pourquoi méprisait-il l'aîné à ce point ? Sans doute, mieux que quiconque, voyait-il la méchanceté qui se dissimulait dans le cœur du jeune Sextus Roscius et cela l'éloignait de lui. Peut-être pressentait-il la violence dont il serait un jour la victime, aussi l'écartait-il. Hélas ! Cette précaution fut insuffisante.

« L'histoire des Roscius se termine tragiquement. D'abord ce fut la mort prématurée de Gaïus Roscius. Les espoirs du père furent anéantis. Réfléchissez : n'est-ce pas la plus grande joie de votre existence que de donner la vie à un fils et de voir en lui votre propre image ? De lui laisser non seulement vos biens mais toute la sagesse que vous avez accumulée, de lui remettre le flambeau de la vie que le père passe à l'enfant qui, à son tour, le passe à ses fils, si bien que lorsque votre être de chair aura disparu, vous continuerez de vivre dans votre descendance ?

« À la mort de Gaïus, Sextus Roscius perdit cet espoir d'immortalité. Il avait un autre fils vivant, direz-vous. Certes. Mais ce fils ne lui renvoyait pas sa propre image, fidèle et harmonieuse comme on peut l'apercevoir dans une vasque d'eau limpide. L'image qu'il voyait était comme l'image déformée, tordue, méconnaissable renvoyée par un miroir en argent qu'on aurait piétiné. Même après la mort de Gaïus, Roscius père envisageait encore de déshériter le seul fils qui lui restait. Il y avait certainement dans la famille d'autres membres plus dignes que son fils d'être son héritier, en particulier son cousin Magnus, ce même Magnus, assis à côté de moi sur le banc de l'accusation, qui aimait son parent au point de tout faire pour que l'assassin soit châtié.

« Le jeune Sextus Roscius prémédita diaboliquement la mort de son père. Nous ignorons les détails exacts. Seul *cet individu* pourrait nous les fournir, s'il ose avouer son crime. Nous ne connaissons que les faits. Un soir de septembre, après avoir quitté la maison de la très honorable Cæcilia Metella, Sextus Roscius père fut accosté à proximité des bains de Pallacine et poignardé. Par Sextus Roscius fils ? Certainement pas ! Rappelez-vous les troubles de l'an passé, juges éminents. Comme cela dut être facile pour un comploteur tel que le jeune Sextus Roscius de trouver des assassins pour faire sa sale besogne !

« Rendons grâces aux dieux qu'un homme comme Magnus, qui sait observer et écouter, ait eu le courage d'accuser le coupable ! Cette nuit-là, Mallius Glaucia, l'affranchi en qui il a toute confiance, vint lui annoncer, ici à Rome, le meurtre de son cher cousin. Magnus envoya immédiatement Glaucia prévenir son autre cousin Capito chez lui, à Ameria.

« Par un revirement singulier du sort, *cet individu* ne devait pas hériter de la fortune qu'il avait voulu acquérir en commettant un crime. Il n'est pas question ici de faire de la politique. Je n'essaierai donc pas d'expliquer par quel

341

étrange processus Roscius père, qui apparemment était un homme respectable, se trouva néanmoins figurer sur la liste des proscrits quand certains officiers scrupuleux enquêtèrent sur les circonstances de sa mort.

« Eh oui, quelle ironie ! Le fils tue le père pour obtenir l'héritage et découvre alors que l'État l'a déjà revendiqué ! Imaginez sa déception, son dépit, son désespoir ! Les dieux se sont cruellement moqués de *cet individu,* mais qui peut nier leur infinie sagesse ou leur sens de l'humour ?

« En temps voulu, les biens de feu Sextus Roscius furent vendus aux enchères. Les bons cousins Magnus et Capito furent parmi les premiers à faire une offre, puisqu'ils connaissaient parfaitement les domaines et leur valeur, et ils devinrent, ce qu'ils auraient toujours dû être, les héritiers de feu Sextus Roscius. Ainsi parfois le destin récompense les justes et punit les méchants.

« Qu'advint-il alors de *cet individu* ? Magnus et Capito le soupçonnaient d'être coupable, en fait ils en étaient presque certains. Mais, par pitié pour sa famille, ils l'hébergèrent dans les domaines qu'ils venaient d'acquérir. Pendant un certain temps une paix relative régna entre les cousins, jusqu'à ce que Sextus Roscius se trahisse. D'abord on s'aperçut qu'il avait gardé certains biens, qui faisaient partie de la proscription. En d'autres termes, l'homme n'était qu'un vulgaire voleur, qui avait spolié le peuple romain de ce qui lui appartenait légalement. Quand Magnus et Capito exigèrent qu'il rende ces biens, il les menaça de mort. S'il n'avait pas été ivre, il aurait sans doute tenu sa langue. Mais depuis la mort de son père, il buvait, ce qui est souvent le cas des gens coupables. En menaçant de tuer ses cousins, il avoua à son insu l'assassinat de son père.

« Craignant pour sa vie et aussi parce que c'était son devoir, Magnus décida de déposer une plainte contre *cet individu.* Entre-temps Roscius s'était échappé et était retourné à Rome sur le lieu de son crime. Mais nul ne peut échapper au regard de la loi, même au cœur de Rome, et c'est en vain que Sextus Roscius essaya de se cacher dans cette ville d'un million d'habitants.

« On le retrouva. En règle générale, même quand il est accusé du crime le plus abominable, un citoyen romain a la possibilité de renoncer à sa citoyenneté et de s'exiler plutôt que d'être jugé, si tel est son désir. Mais le crime commis par *cet individu* était tellement atroce qu'on le plaça sous bonne garde en attendant qu'il fût jugé et châtié. Pourquoi ? Parce que le crime qu'il a perpétré est une atteinte aux fondements mêmes de notre République et aux principes qui en ont fait la grandeur. C'est une insulte aux dieux, en particulier à Jupiter, père de tous les dieux.

« Non, l'État ne peut prendre le risque de voir s'échapper un criminel de cette envergure et vous, juges estimés, vous ne pouvez prendre le risque de ne pas le condamner. Si vous manquez à votre devoir, songez aux châtiments divins qui vont sûrement s'abattre sur la ville pour la punir de ne pas avoir effacé cet acte abominable. Songez à ces villes dont les rues se sont transformées en torrents de sang ou dont les habitants ont cruellement souffert de la faim et de la soif quand elles ont sottement donné asile à un homme impie. Vous ne pouvez permettre que cela se produise à Rome ! »

Une fois encore Erucius s'interrompit pour s'éponger le front. Tous les regards étaient fixés sur lui, la foule était comme hypnotisée. Cicéron et ses collègues avaient l'air consternés. Sextus Roscius était terrifié.

– J'ai évoqué l'insulte à l'égard du divin Jupiter dont s'est rendu coupable *cet individu* par son crime épouvantable, continua Erucius. Si vous me permettez d'élargir mon propos, j'ajouterai que c'est également une insulte au père de notre République ! (À ces mots, Erucius tendit les bras en un geste théâtral de supplication adressé à la statue équestre de Sylla.) Point n'est besoin de prononcer son nom, car son œil nous regarde en cet instant même. Oui, son œil vigilant observe tout ce que nous faisons ici, quand

343

nous jouons notre rôle de citoyen, de juge, d'avocat ou d'accusateur. Lucius Cornelius Sylla, le Favori des Dieux, a ranimé la flamme de la justice à Rome. Elle brille après tant d'années de ténèbres. À nous de faire en sorte que des scélérats comme *cet individu* soient réduits en cendres par cette flamme. Sinon, je vous le certifie, juges estimés, le châtiment s'abattra sur nos têtes comme la foudre quand gronde l'orage.

Pendant un long moment Erucius s'immobilisa en une attitude menaçante, l'index pointé vers le ciel. Il fronçait les sourcils et baissait la tête comme un taureau prêt à foncer sur les juges. Il avait parlé de la colère de Jupiter, mais nous avions tous compris que Sylla serait courroucé si le verdict était « non coupable ». La menace n'aurait pas pu être plus claire.

Erucius se drapa dans sa toge, redressa la tête, pivota sur les talons et descendit de la tribune. Il n'y eut aucun applaudissement, aucune acclamation, seulement un silence glacial.

Erucius n'avait apporté aucune preuve. Il s'était contenté d'insinuations. Sa plaidoirie était un tissu de mensonges et d'intimidations. Et pourtant ce matin-là, après l'avoir entendu, pouvait-on croire qu'il n'avait pas gagné son procès ?

## 5

Cicéron se leva et se dirigea d'un pas résolu vers la tribune. Tiron se rongeait les ongles et Rufus, qui était assis, les mains croisées sur les genoux, souriait d'un air admiratif.

Cicéron monta sur l'estrade, s'éclaircit la voix et toussa. La foule frémit, le courant ne passait pas. Personne n'avait entendu Cicéron faire un discours auparavant ; ce début manqué était de mauvais augure. Sur le banc de l'accusation, Gaïus Erucius se passait la langue sur les lèvres avec satisfaction et levait les yeux au ciel.

Cicéron s'éclaircit à nouveau la voix et recommença. Il était légèrement enroué et manquait d'assurance.

— Juges, vous devez vous demander pourquoi c'est moi qui m'adresse à vous, alors que tant de citoyens distingués et d'orateurs éminents vous entourent.

— Il dit vrai, marmonna Erucius.

Quelques rires fusèrent dans la foule.

— Certes, on ne peut pas me comparer à eux, pour ce qui est de l'âge, du talent et de l'autorité, poursuivit Cicéron. Pourtant ils sont persuadés comme moi qu'un innocent a été accusé à tort, par suite d'une machination infâme, et qu'on doit rejeter l'accusation. Ils sont donc venus ici pour manifester leur attachement à la vérité, mais ils gardent le silence, car le temps n'est pas au beau fixe.

345

À ces mots, il leva la main comme pour recueillir une goutte de pluie tombée du ciel parfaitement bleu et esquissa un geste en direction de la statue équestre de Sylla. Mal à l'aise, les juges s'agitèrent sur leur chaise. Erucius, qui examinait ses ongles, ne remarqua rien.

Cicéron s'éclaircit encore une fois la voix. Il parlait maintenant plus fort et avec plus d'assurance.

— Suis-je plus hardi que ces hommes qui se taisent ? Plus épris de justice ? Je ne le crois pas. Ai-je tellement envie d'entendre ma voix résonner dans le Forum et de m'attirer des louanges pour m'être exprimé sans détours ? Non, si un orateur plus talentueux que moi mérite ces éloges. Pourquoi est-ce moi, plutôt qu'un homme de grande réputation, qui ai accepté d'assumer la défense de Sextus Roscius d'Ameria ?

« En voici la raison : si l'un de ces prestigieux orateurs s'était levé pour parler dans ce tribunal et avait fait des allusions de nature politique – ce qui est inévitable dans un procès comme celui-ci –, on aurait déformé sa pensée. Des rumeurs auraient circulé. Ces hommes ont une telle stature dans le monde politique qu'aucune de leurs paroles ne passe inaperçue, aucune allusion dans leurs discours ne reste ignorée. Moi, en revanche, si je peux dire tout ce qu'exige cette affaire sans craindre des réactions hostiles ou des controverses fâcheuses, c'est parce que je ne me suis pas encore engagé dans la carrière politique. Personne ne me connaît. Si, par hasard, je commets une indiscrétion, si je révèle un secret embarrassant, personne ne le remarquera. Si on s'en aperçoit, on me pardonnera cette faiblesse en la mettant au compte de ma jeunesse et de mon manque d'expérience. »

Il y eut encore des bruits de chaises. Erucius cessa d'examiner ses ongles, fronça le nez et regarda au loin, comme s'il venait d'apercevoir une nuée menaçante.

— Ainsi je n'ai pas été choisi parce que j'étais l'orateur le plus doué, avoua en souriant Cicéron pour s'attirer l'indulgence de la foule. Non, j'étais simplement la seule personne qui restait quand tous les autres avaient refusé. J'étais le seul qui pouvait plaider sans danger. On ne m'a pas pris pour que Sextus Roscius ait la meilleure défense possible, mais simplement afin qu'il ait quelqu'un pour le défendre.

« Vous allez demander : quelle est donc cette appréhension, cette peur qui écarte les meilleurs avocats et ne laisse à Sextus Roscius qu'un simple débutant pour lui sauver la vie ? En entendant parler Erucius, vous ne devineriez jamais qu'un véritable danger existe, puisqu'il a volontairement évité de nommer celui qui l'emploie et les motifs pervers qui ont poussé ce dernier à traduire mon client en justice !

« Qui est donc cette personne ? Quels sont ses motifs ?

« Les biens de feu Sextus Roscius, qui devraient tout naturellement appartenir à présent à celui qui est son fils et son héritier, comprennent des fermes et des propriétés dont la valeur dépasse six millions de sesterces. Six millions de sesterces, c'est une fortune considérable, fruit d'une longue vie laborieuse. Pourtant tous ces biens ont été achetés par un certain jeune homme, sans doute à une vente aux enchères publiques, pour la somme stupéfiante de *deux mille* sesterces. Une véritable affaire ! Ce jeune acheteur avaricieux était Lucius Cornelius Chrysogonus. Ce nom fait sensation, semble-t-il. Pourquoi en serait-il autrement ? L'homme est exceptionnellement puissant. Le prétendu vendeur de ces biens, qui représentait les intérêts de l'État, était le vaillant, l'illustre Sylla, dont je mentionne le nom avec tout le respect qui lui est dû. »

À ce moment-là, un chuintement prolongé se fit entendre, car chacun se tournait vers son voisin et chuchotait, la main devant la bouche.

— Pour être franc, c'est Chrysogonus qui a machiné ces accusations contre mon client, poursuivit Cicéron. Sans la moindre justification légale. Chrysogonus s'est emparé des propriétés d'un innocent. Ne pouvant jouir pleinement des

347

biens qu'il a volés tant que leur propriétaire légitime est encore vivant, il vous demande, juges de ce tribunal, d'apaiser son angoisse en supprimant mon client. Alors il pourra dilapider la fortune de feu Sextus Roscius comme il l'entend.

« Juges, cela vous paraît-il convenable ? Est-ce honnête ? Est-ce équitable ? Laissez-moi maintenant vous présenter ma requête. Elle vous paraîtra plus modeste et plus raisonnable.

« Premièrement : que ce scélérat, Chrysogonus, se contente de nos richesses et de nos biens. Qu'il s'abstienne d'exiger en plus notre sang. »

Cicéron s'était mis à arpenter l'estrade, comme il arpentait toujours son bureau. Il parlait maintenant d'une voix ferme, plus vibrante et plus émouvante que jamais.

— Deuxièmement, juges, je vous en supplie, ne jouez pas le jeu de ces hommes iniques. Ouvrez vos yeux, ouvrez votre cœur aux arguments que présente pour sa défense une victime innocente. Sauvez-nous tous d'un terrible danger, parce que le péril qui menace Sextus Roscius dans ce procès menace tout citoyen libre de Rome. Si, à l'issue de cette instruction, vous êtes convaincus que Sextus Roscius est coupable ; même pas convaincus, si vous avez le moindre soupçon ; si une preuve, aussi minime soit-elle, laisse entendre que les accusations épouvantables portées contre lui pourraient être fondées ; si vous pouvez sincèrement croire que ses persécuteurs l'ont traîné en justice pour tout autre motif que leur cupidité insatiable, alors déclarez-le coupable et je ne protesterai pas. Mais s'il s'agit seulement de satisfaire l'avarice sordide de ses accusateurs et leur désir de voir leur victime éliminée en pervertissant la justice, alors je vous demande à tous de demeurer intègres en tant que sénateurs et en tant que juges, et de refuser de devenir de simples instruments entre les mains de criminels.

« Marcus Fannius, toi qui présides ce tribunal, je t'invite à regarder la multitude venue assister à ce procès. Pourquoi tous ces gens sont-ils réunis ici ? Certes, l'accusation est exceptionnelle. Il y a longtemps qu'on n'a pas jugé une affaire de meurtre dans un tribunal romain, même si, dans l'intervalle, des crimes abominables ont certainement été commis ! Ceux qui se sont rassemblés ici sont écœurés par les meurtres. Ils aspirent à la justice. Ils veulent voir les criminels impitoyablement châtiés. Ils veulent qu'on réprime le crime avec une sévérité exemplaire.

« Voilà ce que nous demandons : des châtiments impitoyables et l'application de la loi dans toute sa sévérité. En général ce sont les accusateurs qui formulent ces exigences, mais aujourd'hui ce n'est pas le cas. Aujourd'hui, ce sont les accusés qui vous prient instamment, toi Fannius et vous les juges, de punir le crime avec toute la rigueur souhaitable. Si vous ne le faites pas, si vous ne saisissez pas cette occasion de montrer quel parti prennent les juges et les tribunaux de Rome, alors nous aurons atteint le point où la cupidité et les atrocités commises par les hommes ne connaîtront plus de limites. Ce sera le règne de l'anarchie la plus complète. Capitulez devant les accusateurs, abstenez-vous de faire votre devoir et, désormais, le massacre des innocents ne sera plus perpétré dans l'ombre en utilisant les subterfuges qu'offre la loi. Non, Fannius, de tels meurtres seront commis ici, au Forum, devant l'estrade où vous siégez. Car quel est le but de ce procès sinon de démontrer qu'on peut commettre impunément des vols et des meurtres ?

« Je vois deux camps devant la tribune. D'un côté, les accusateurs, ceux qui ont revendiqué les biens de mon client, à qui le meurtre du père de mon client a profité directement, et qui cherchent maintenant à inciter l'État à mettre à mort un innocent. De l'autre, l'accusé, Sextus Roscius. Ses accusateurs lui ont tout pris, il est non seulement affligé par la disparition de son père mais réduit à la misère, et il se présente maintenant devant ce tribunal sous la protection de gardes armés. Non pas pour protéger le tribunal, comme le laisse entendre en ricanant Erucius, mais pour assurer sa protection, pour qu'il ne soit pas assassiné ici même sous vos yeux ! Laquelle des deux parties juge-t-on aujourd'hui ? Laquelle a suscité la colère de la loi ?

« Une simple description de ces meurtriers ne suffirait pas à vous faire connaître la noirceur de leur âme. L'énumération de leurs crimes ne permettrait pas de mesurer l'arrogance dont ils font preuve quand ils osent accuser Sextus Roscius de parricide. Je dois vous exposer comment, dès le commencement, se sont déroulés les événements qui ont abouti à la situation présente. Alors vous vous rendrez compte de l'humiliation qui a été infligée à un innocent. Alors vous comprendrez l'audace de ses accusateurs et l'horreur insoutenable de leurs crimes. Vous verrez avec une clarté effrayante dans quel état déplorable est tombée notre République. »

Cicéron était métamorphosé. Ses gestes étaient amples, sans équivoque. Sa voix était claire et son ton véhément.

Erucius avait diverti la foule par son attitude théâtrale et sa grandiloquence. La populace avait été contente. Il avait menacé directement les juges qui avaient enduré ses insultes sans mot dire. Cicéron voulait éveiller les passions dans son auditoire et sa soif de justice était contagieuse. Sa décision d'accuser d'emblée Chrysogonus était un pari risqué. En entendant Cicéron mentionner son nom, Erucius et Magnus furent visiblement stupéfaits. Ils ne s'étaient pas attendus à ce que la défense fît preuve de tant de pugnacité. Cicéron entra tout de suite dans le vif du sujet et n'omit aucun détail.

Il décrivit la situation financière de Sextus Roscius père, les relations qu'il avait à Rome, et les dissensions qui l'avaient opposé à ses cousins, Magnus et Capito. Il parla de la réputation qu'avaient ces derniers. Il compara Capito à un gladiateur vieilli dans le métier, couvert de balafres, et Magnus au protégé d'un rétiaire, qui a surpassé son maître en scélératesse. Il précisa l'heure et le lieu de l'assassinat de Sextus Roscius, et souligna un fait étrange : Mallius Glaucia avait fait le trajet à cheval durant la nuit pour aller à Ameria porter le coutelas ensanglanté à Capito et l'informer de la mort de son cousin. Il mentionna le lien qui existait entre les cousins et Chrysogonus ; la proscription illégale de Sextus Roscius après sa mort, alors que la loi avait mis fin à toutes les proscriptions ; les vaines protestations du municipe d'Ameria ; l'acquisition des propriétés de Sextus Roscius par Chrysogonus, Magnus et Capito ; leurs tentatives pour supprimer Sextus Roscius fils et la fuite de ce dernier à Rome pour se réfugier chez Cæcilia Metella. Il rappela aux juges la question que le grand Lucius Cassius Longinus Ravilla posait toujours à propos d'un crime : « À qui profite le crime ? »

Quand il parla du dictateur, il ne se déroba pas, il arbora presque un sourire satisfait.

— Je demeure convaincu, juges estimés, que tout ceci a eu lieu à l'insu du vénérable Lucius Sylla. Son champ d'action est vaste ; des affaires de la plus haute importance concernant la nation retiennent toute son attention, car il doit à la fois panser les plaies du passé et prévoir les menaces qui planent sur l'avenir. Tous les regards sont fixés sur lui ; tous les pouvoirs sont entre ses mains. Sylla est sans aucun doute le Favori des Dieux, mais cela n'empêche pas un esclave malhonnête ou un affranchi rusé et dénué de scrupules de rôder dans sa vaste demeure.

Cicéron consulta ses notes et réfuta point par point le discours d'Erucius, en raillant sa stupidité. Erucius avait vu dans l'obligation faite à Sextus Roscius de rester à la campagne un signe évident de la discorde entre père et fils. Cicéron prit le contrepied de cet argument et insista sur la valeur et l'honorabilité de la vie rurale. Il déplora que les esclaves, témoins de l'assassinat, ne fussent pas à même de comparaître à la barre : leur nouveau maître, Magnus, qui les avait cachés dans la maison de Chrysogonus, s'y opposait.

Il médita sur l'horreur du parricide, crime si grave qu'on ne peut condamner le suspect sans preuves indéniables.

Il décrivit à la foule à la fois fascinée et horrifiée l'ancien châtiment infligé aux parricides.

Sa plaidoirie traînait en longueur, les juges commençaient à s'agiter, non pas parce qu'ils craignaient de voir Sylla mis en cause, mais parce qu'ils s'impatientaient. Sa voix commençait à être enrouée, bien que de temps à autre il bût un peu d'eau. Sans doute essayait-il de gagner du temps, mais pourquoi ?

Tiron s'était absenté un moment. Quand il revint, Cicéron le regarda et leva un sourcil. Il comprit le message que lui transmettait Tiron et tous deux sourirent.

Cicéron s'éclaircit la voix, but une grande gorgée d'eau, respira profondément, ferma les yeux un instant et reprit :

— Maintenant, juges, nous allons parler d'un certain scélérat, un ancien esclave, égyptien de naissance, cupide par tempérament. Mais tenez, le voici accompagné d'une suite imposante. Il arrive de sa magnifique demeure sur le Palatin où il réside dans l'opulence parmi les sénateurs et les magistrats issus des plus vieilles familles de la République.

Alerté par Erucius, Chrysogonus était enfin arrivé. Ses gardes du corps eurent tôt fait de dégager le dernier rang de la galerie, où quelques personnes parmi la foule avaient eu la chance de s'emparer des seules places laissées par la petite noblesse. Les regards se tournèrent vers lui et un murmure se fit entendre quand Chrysogonus se dirigea vers le milieu du banc et s'assit.

— J'ai fait une enquête sur cet ancien esclave, déclara Cicéron. Il est très riche et n'a pas honte d'étaler sa fortune. En plus de sa résidence sur le Palatin, il possède une belle maison de campagne, sans parler de nombreuses fermes, toutes sur des terres fertiles à proximité de la ville. Sa maison regorge de vases d'or, d'argent et de bronze de Délos et de Corinthe. Son argenterie ciselée, ses couvertures brodées, ses peintures et ses statues de marbre sont d'une valeur inestimable.

« Mais ce sont là ses biens matériels. Il y en a d'autres qui sont doués d'une âme. Je veux dire sa multitude d'esclaves, qui ont tous des dons remarquables et des compétences diverses. Je ne m'attarderai pas sur les métiers ordinaires – cuisiniers, boulangers, couturiers, porteurs de litière, menuisiers, tapissiers, peintres, couvreurs, femmes de ménage, hommes à tout faire, polisseurs de dalles, laveurs de vaisselle, garçons d'écurie, couvreurs et praticiens habiles en l'art de guérir. Pour charmer ses oreilles et ravir son esprit, ses musiciens sont si nombreux que, dans le quartier, on entend à toute heure des chants et le son d'instruments à cordes, de violons, de tambours et de flûtes. Le soir la débauche bat son plein : des acrobates font leurs pirouettes et des poètes déclament des vers obscènes pour son plaisir. Quand un homme mène une telle vie, juges, pouvez-vous imaginer ses dépenses quotidiennes ? Le coût de sa garde-robe ? Son budget pour les réceptions somptueuses et les festins luxueux ? Sa demeure ne mérite guère le nom de résidence, c'est plutôt l'officine de la luxure et du vice, et le havre de toutes sortes de criminels. Il dépenserait la fortune tout entière d'un Sextus Roscius en moins d'un mois !

« Regardez, juges. Tournez les yeux vers cet homme aux cheveux soigneusement bouclés et parfumés : il se pavane dans le Forum avec son cortège de citoyens nés à Rome, qui déshonorent leur toge en apparaissant dans la suite d'un ancien esclave ! Voyez quel mépris il témoigne à ceux qui l'entourent. À ses yeux, personne d'autre que lui n'est un être humain. Il est gonflé de suffisance, il croit être le seul à posséder pouvoir et richesse. »

Quiconque aurait vu Chrysogonus pour la première fois à ce moment-là ne l'aurait pas trouvé beau. Sa figure était si bouffie et si écarlate qu'il semblait sur le point d'avoir

353

une attaque d'apoplexie. Ses yeux étaient exorbités. Jamais tant de rage n'avait été refoulée dans un corps aussi raide. S'il avait explosé, je n'en aurais guère été étonné.

De la tribune, Cicéron voyait fort bien l'effet que produisaient ses paroles, il continua néanmoins sans s'interrompre. Lui aussi était surexcité et avait le visage tout rouge. Il parlait de plus en plus vite, mais sans jamais perdre le fil de sa pensée, sans hésiter sur une syllabe ou chercher un mot.

– Après m'avoir entendu attaquer ce personnage, je crains que certains ne se méprennent sur ma pensée et croient que je veux m'en prendre à la cause des aristocrates qui a triomphé dans nos guerres civiles, et à leur champion, Sylla. Il n'en est rien. Ceux qui me connaissent savent que, durant ces guerres, j'ai souhaité ardemment la paix et la réconciliation. La réconciliation s'étant avérée impossible, le parti le plus vertueux a remporté la victoire. Cela, grâce à la volonté des dieux, au zèle du peuple romain et, bien sûr, à la sagesse, la puissance et la bonne fortune de Lucius Sylla. Que les vainqueurs aient été récompensés et les vaincus punis, c'est chose normale. Mais je ne parviens pas à croire que l'aristocratie a pris les armes pour que ses esclaves et ses affranchis aient toute liberté de se repaître de nos biens et de nos propriétés.

Je ne pus attendre la fin du discours. Ma vessie était prête à éclater, comme les joues de Chrysogonus. Je me levai et passai devant des nobles qui me jetèrent un regard noir, parce que je les dérangeais, et relevèrent délicatement le bas de leur toge, de peur que mon pied ne la touche et ne la salisse. Tandis que je m'échappais en longeant le passage bondé de monde entre les juges et la galerie, je me retournai pour jeter un coup d'œil sur la place. Cicéron, emporté par la passion, faisait force gestes, la foule en extase le regardait, Erucius et Magnus serraient les dents. Tiron m'aperçut par hasard. Il me sourit puis parut soudain effrayé. Il me fit signe de revenir. Je lui répondis en agitant la main en guise d'adieu. Son appel devint plus pressant et il quitta sa place. Je lui tournai le dos et m'éloignai rapidement. Il essayait de m'avertir du danger qui me menaçait, je le compris plus tard.

Au bout de la galerie, je passai devant Chrysogonus et sa suite. À ce moment-là, je crus sentir la chaleur qui émanait de son visage congestionné.

Je me faufilai à travers la foule de serviteurs et d'esclaves entassés derrière la galerie. Au-delà la rue était vide. Certains spectateurs dénués de sens civique avaient uriné dans le caniveau le plus proche. Ma vessie pouvait attendre que j'arrive aux latrines publiques. Il y en avait derrière le sanctuaire de Vénus, dans un petit renfoncement situé juste au-dessus du Grand Égout. Le sol était carrelé et un écoulement était prévu de chaque côté.

Je me mis face au mur et regardai la pierre qui se désagrégeait, retenant mon souffle tant l'odeur était nauséabonde. Le discours de Cicéron me parvenait depuis la tribune.

Cicéron était arrivé à ses derniers arguments. Je décidai d'uriner. Je fermai les yeux. Les vannes s'ouvrirent. Je commençai à me soulager.

À ce moment précis, j'entendis un sifflement derrière moi et m'arrêtai net. Je me retournai : Mallius Glaucia était à dix pas de moi. Sa main descendit le long de sa tunique et se referma sur un poignard caché sous les plis. Il joua avec le manche en arborant un sourire obscène, comme s'il caressait son sexe.

« Soyez vigilants, juges, sinon aujourd'hui et ici même, vous pouvez être à l'origine d'une deuxième vague de proscriptions, bien plus cruelle, plus impitoyable que la première. Celle-ci concernait des hommes qui étaient en mesure de se défendre. La tragédie que je prévois touchera les enfants des proscrits, des bébés au berceau ! Que les dieux immortels nous préservent ! Qui sait où de telles atrocités pourraient mener notre République ? »

355

— Continue, dit Glaucia. Ne t'arrête pas.

Je laissai retomber ma tunique et me retournai pour lui faire face. Glaucia souriait. Lentement il sortit son poignard, joua avec, passa la lame sur le mur en la faisant grincer.

— Je ne plaisante pas, dit-il. Tu crois que je poignarderai dans le dos un homme qui est en train de pisser ?

— C'est tout à ton honneur, rétorquai-je en essayant de contrôler ma voix. Que veux-tu ?

— Te tuer.

J'inspirai un peu d'air, qui sentait la vieille urine.

— Tu veux me tuer maintenant ?

— Exact.

Il cessa de gratter le mur et effleura le bout de son pouce avec la pointe de la lame. Une goutte de sang jaillit. Glaucia le suça.

« Juges, il appartient à des hommes avisés, possédant toute l'autorité que vous avez, d'appliquer les remèdes les plus efficaces aux maux dont continue à souffrir notre République. »

— Mais pourquoi ? Le procès est presque terminé.

Au lieu de répondre il continua de sucer son pouce et recommença à faire grincer la lame contre le mur. Il me dévisageait comme un enfant devenu fou. Le couteau que j'avais sous ma tunique valait bien le sien, mais son bras était plus long que le mien et la partie était perdue d'avance.

— Pourquoi me tuer ? Quoi qu'il arrive maintenant, ce que tu peux me faire n'y changera rien. Mon rôle dans cette affaire est terminé depuis longtemps. C'est l'esclave qui t'a assommé l'autre jour, si c'est cela qui t'a mis en colère. Tu n'as aucune raison de m'en vouloir, Mallius Glaucia, aucune raison de me tuer, absolument aucune.

Il cessa de faire grincer la lame et de sucer son pouce.

— Je te l'ai déjà dit. Je *veux* te tuer. Tu vas finir de pisser, oui ou non ?

« Il n'est pas un homme parmi vous qui ne connaisse la

réputation qu'ont les conquérants romains d'être cléments et indulgents avec leurs ennemis. Pourtant aujourd'hui les Romains continuent de s'entre-déchirer avec une cruauté inouïe. »

Glaucia s'avança vers moi. Je reculai jusqu'au mur et me trouvai juste au-dessus de l'écoulement. Une horrible odeur d'excréments et d'urine montait jusqu'à mes narines.

– Eh bien ? Tu ne veux pas qu'on te trouve avec de la pisse sur ta toge en plus du sang ?

Une silhouette apparut derrière Glaucia – un autre spectateur venu se soulager. Glaucia allait-il se retourner assez longtemps pour que je fonce sur lui, et lui donne un coup de pied dans le bas-ventre ? Mais Glaucia se contenta de me sourire et tint son poignard en l'air pour que le nouveau venu puisse le voir. L'inconnu disparut sans crier gare.

– Je ne peux plus te laisser le choix, s'exclama Glaucia. J'ai hâte d'en finir.

Il était grand et fort, mais il était aussi maladroit. Il plongea en avant, mais je pus l'esquiver avec une facilité surprenante. Je sortis mon couteau, en pensant que peut-être je n'aurai pas à m'en servir, si je pouvais simplement me faufiler. Je me ruai vers l'extérieur, glissai sur le sol couvert de pisse et m'étalai face contre terre.

Le couteau s'était échappé de ma main et avait glissé au loin. Je rampai désespérément pour aller le chercher, quand une masse énorme s'abattit sur mes épaules et me plaqua au sol.

Glaucia me donna plusieurs coups de pied dans les côtes, puis me retourna. Son visage grimaçant me parut gigantesque quand il s'approcha de moi. Je n'avais jamais rien vu d'aussi laid. Le sort en est jeté, pensai-je. Je vais mourir étouffé dans des latrines qui empestent, avec un assassin répugnant qui me bave sur le visage et l'écho de la voix de Cicéron qui me résonne aux oreilles.

Quelque chose ricocha, comme un couteau qui rebondit sur des pierres, et un objet pointu me frôla les côtes. Je crus sincèrement, avec la naïveté des simples d'esprit, que mon couteau était revenu tout seul vers moi, parce que je voulais qu'il revienne. J'aurais pu le saisir, si je n'avais pas été occupé à repousser Glaucia. En vain. Je le fixai droit dans les yeux. La haine à l'état pur que j'y voyais me fascinait. Il leva la tête. L'instant d'après, une pierre de la taille d'un pain, était plaquée sur son front. Elle semblait avoir surgi de son cerveau, comme Minerve de la cervelle de Jupiter. Elle resta là, elle semblait collée par le sang qui jaillit soudain. En fait elle était maintenue par les deux mains qui s'en étaient servies pour fracasser le crâne de Glaucia. Je levai les yeux et vis Tiron à l'envers qui se détachait sur le ciel tout bleu.

Il me souffla quelques mots que je ne compris pas. Mais ma main s'empara du couteau d'Eco que Tiron avait poussé du pied. Je le brandis droit devant moi, Tiron reprit la grosse pierre et à nouveau l'abattit sur le crâne de Glaucia. Cette fois le géant s'affala sur moi et s'empala le cœur sur la lame dressée. La latrine était devenue une arène et Glaucia gisait sur le sol, tel un gladiateur.

## 6

Cicéron gagna son procès. À une majorité écrasante, les soixante-quinze juges, y compris le prêteur Marcus Fannius, votèrent l'acquittement de Sextus Roscius. Seuls les partisans inconditionnels de Sylla, parmi lesquels une poignée de nouveaux sénateurs nommés directement par le dictateur, le déclarèrent coupable.

La foule fut impressionnée. Le nom de Cicéron ainsi que des bribes de sa plaidoirie circulèrent de bouche à oreille dans tout Rome. On avait particulièrement apprécié ses remarques sur la vie à la ferme et en famille, sur le devoir filial et le respect qu'on doit aux dieux. Du jour au lendemain il s'était fait la réputation d'un homme courageux et pieux, d'un défenseur de la justice et de la vérité.

Ce soir-là Cæcilia Metella donna une réception. Rufus était présent, il rayonnait de bonheur et faisait de joyeuses libations. Ceux qui avaient pris place avec Cicéron sur le banc des accusés, Marcus Metellus, Publius Scipion et quelques autres, étaient présents également. Sextus Roscius eut droit à un lit, à la droite de son hôtesse. Sa femme et sa fille aînée étaient assises modestement sur des chaises derrière lui. J'avais été invité et on m'avait donné un esclave pour me servir.

Roscius était l'hôte d'honneur, mais en réalité on ne parlait que de Cicéron. Ses collègues mentionnaient les meilleurs passages de son discours et leurs éloges étaient dithyrambiques. Ils faisaient des gorges chaudes de la plaidoirie d'Erucius et riaient aux éclats en se souvenant de la tête qu'il avait faite quand Cicéron, pour la première fois, avait osé prononcer le nom de Chrysogonus. Cicéron accepta les louanges avec une modestie qui n'était pas contrefaite. Il but un doigt de vin, juste assez pour que ses joues s'empourprent. Renonçant à sa modération habituelle, et sans doute affamé par le jeûne et les efforts qu'il avait faits, il mangea comme quatre. Cæcilia le félicita de son appétit et se réjouit que cette petite fête pour célébrer sa victoire ait pu avoir lieu. Autrement elle aurait dû donner aux pauvres tous les mets délicats qu'elle avait fait préparer à l'avance par ses cuisiniers : des orties de mer et des coquilles Saint-Jacques, des grives sur canapé d'asperges, des poissons de roche à la pourpre de murex, des cuisses de grenouille dans de la compote de fruits, des mamelles de truie cuites à l'étuvée, des vols-au-vent à la volaille, du canard, du sanglier et des huîtres à satiété.

Après avoir prié mon esclave de me servir pour la troisième fois des girolles de Bithynie, je me demandai si la fête n'était pas un peu prématurée. Sextus Roscius avait sauvé sa tête, c'est vrai, mais tout n'était pas réglé, ses biens restaient aux mains de ses ennemis, la proscription l'avait privé de ses droits civils et l'assassinat de son père n'était pas vengé. Quelles chances avait-il de vivre à nouveau convenablement ?

Tiron avait l'air satisfait, il riait à chaque plaisanterie et osait même en faire quelques-unes de son cru. De temps à autre, il regardait tristement Roscia. Celle-ci refusait de tourner ses regards vers lui. Assise toute droite sur sa chaise, elle paraissait malheureuse et ne mangeait rien. Elle finit par prier son père et son hôtesse de l'excuser. En quittant précipitamment la salle, elle se mit à pleurer. Sa mère se leva et courut pour la rattraper.

Après le départ de Roscia les larmes devinrent contagieuses. L'épidémie frappa d'abord Cæcilia, qui buvait plus que tous les autres. Toute la nuit elle avait été pleine d'entrain et avait ri de bon cœur. En voyant sortir Roscia, elle eut un coup de cafard.

– Je sais pourquoi cette fille pleure. Oui, je connais la raison, gémit-elle en l'entendant sangloter dans le couloir. Son grand-père lui manque, ce cher vieux grand-père. Oh mon Dieu ! Quel homme charmant c'était ! Qui sait ? Si je n'avais pas été stérile...

Elle remit négligemment de l'ordre dans sa coiffure et se piqua le doigt avec son épingle en argent. Une goutte de sang perla au bout de son index. Elle frémit en voyant la blessure et se mit à pleurer. Rufus accourut auprès d'elle pour la consoler et l'empêcher de dire quelque chose qui pourrait la gêner plus tard.

Puis ce fut le tour de Sextus Roscius. Il se mordait les doigts, grimaçait mais, malgré tous ses efforts, il ne pouvait maîtriser ses larmes. Il jeta à terre son assiette. Un esclave la ramassa. Ses sanglots l'étouffaient et étaient si bruyants qu'on aurait cru entendre un âne braire. Il me fallut un moment pour comprendre le mot qu'il répétait sans cesse : « Père, père, père... » Après avoir vécu si longtemps dans la terreur, il n'avait manifesté son soulagement qu'au moment où il n'avait plus été capable de se maîtriser. Voilà pourquoi il pleurait. Du moins, c'est ce que je crus.

Cela semblait le moment opportun pour partir. Publius Scipion, Marcus Metellus et leurs amis respectables nous dirent bonsoir et s'en allèrent, chacun de leur côté. Rufus resta avec Cæcilia. J'aurais bien aimé dormir chez moi, mais Bethesda était toujours chez Cicéron et il fallait du temps pour regagner le quartier de Subure. Dans un accès de bonté dû à son succès, Cicéron insista pour que je passe une dernière nuit sous son toit.

Si je ne l'avais pas accompagné, cette soirée aurait marqué la fin de cette histoire où se mêlent demi-vérités et conjectures. Je marchai donc à côté de Cicéron, accompagné par ses porteurs de torches et ses gardes du corps, traversai le Forum au clair de lune et gravis la colline du Capitole.

Nous bavardions aimablement de tout et de rien quand nous arrivâmes dans la rue où il habitait. Tiron remarqua, le premier, la petite troupe qui campait aux abords de la maison de Cicéron. Il tira sur la toge de son maître et la lui montra du doigt. Parmi les gens assemblés là, il y avait un bon nombre de gardes armés. L'un d'entre eux, planté comme un piquet au bout de la rue, nous repéra et donna un coup de coude à un esclave somptueusement habillé, qui se dirigea vers nous, l'air hautain.

— C'est toi, Cicéron, l'orateur qui habite ici ?

— Oui.

— Enfin te voilà ! Tu voudras bien excuser mon maître de te rendre visite à une heure si tardive. Cela fait un bon moment que nous sommes ici. Depuis le coucher du soleil, nous t'attendons.

— Je comprends, dit Cicéron, d'un air las. Et où est ton maître ?

— Il est à l'intérieur. J'ai convaincu ton portier de ne pas laisser Sylla à la porte, même si son hôte n'était pas chez lui pour le recevoir. Viens, s'il te plaît.

L'esclave recula d'un pas et nous fit signe de le suivre.

— Mon maître est un homme très occupé... Tu peux laisser dehors tes porteurs de torches et tes gardes du corps, ajouta-t-il d'un ton péremptoire.

Cicéron fit quelques profondes inspirations, comme s'il s'apprêtait à plonger dans de l'eau glacée. Je croyais entendre son cœur battre dans le silence de la nuit, mais en fait, c'était le mien. Tiron s'agrippait toujours à la toge de son maître. Il se mordit la lèvre.

— Ne crois-tu pas, maître... ? Il n'oserait pas, pas chez toi.

Cicéron lui imposa le silence en mettant son index sur

362

ses lèvres. Il s'avança et fit signe à ses gardes de ne pas le suivre.

Tiron alla ouvrir la porte. Il jeta un coup d'œil à l'intérieur, comme s'il s'attendait à voir une rangée de glaives pointés vers lui. Dans le vestibule, il n'y avait personne d'autre que le vieux Tiron qui s'avança vers Cicéron d'un pas traînant, complètement affolé.

Je m'attendais à voir d'autres membres de la suite de Sylla, mais il n'y avait que le personnel habituel de Cicéron, tous longeaient les murs, essayant de passer inaperçus.

Sylla était assis, seul, dans le bureau, un parchemin sur les genoux, une lampe l'éclairait. Un bol de gruau de froment à demi vide était posé sur la table près de lui. À notre arrivée, il leva les yeux. Il n'avait l'air ni impatient, ni surpris, il paraissait plutôt s'ennuyer.

— Tu es un homme d'une grande érudition et tu as du goût, Marcus Tullius Cicéron. Même s'il y a beaucoup trop de traités de grammaire et de rhétorique arides et ennuyeux, cela me réconforte de voir ta magnifique collection de pièces de théâtre, d'auteurs grecs en particulier. Quand j'étais jeune, j'ai souvent rêvé d'être acteur. Tu connais bien *Les Bacchantes* ?

Cicéron avait la gorge serrée.

— Lucius Cornelius Sylla, je suis honoré de ta visite.

— Arrête de dire des bêtises, répartit Sylla d'un ton sec. Nous sommes seuls ici. Ne perds pas ton temps et le mien à me débiter des formules de politesse dénuées de sens. En réalité cela t'agace de me voir ici et tu souhaites que je file au plus vite.

Cicéron ouvrit la bouche et inclina légèrement la tête, ne sachant pas s'il devait répondre.

Sylla avait toujours le même air, à la fois amusé et irrité.

— Il y a assez de chaises pour vous tous. Asseyez-vous.

Tiron alla chercher une chaise pour Cicéron et une autre pour moi, puis resta debout à la droite de son maître, surveillant du regard Sylla comme si c'était un serpent venimeux.

Je n'avais jamais vu Sylla de si près. La lampe placée au-dessus de lui projetait des ombres sur son visage et faisait apparaître des rides autour de sa bouche, ses yeux étincelaient. Sa grande crinière de lion avait perdu son éclat. Sa peau blanchâtre était couverte de taches et marbrée de minuscules veinules. Ses lèvres étaient parcheminées et crevassées.

C'était simplement un vieux général, un débauché sur le retour, un homme politique épuisé. Rien ne pouvait l'étonner ni l'épouvanter. Il avait vu ce qu'il y a de plus beau et ce qu'il y a de plus horrible au monde, et tout le laissait maintenant indifférent. Pourtant dans son regard perçait un secret désir, jaillissait une force qui sembla me frapper de plein fouet quand il me dévisagea.

— Tu dois être Gordien. Je suis ravi que tu sois là. J'avais envie de voir à quoi tu ressembles.

Sans hâte il examina Cicéron d'un air moqueur, puis ce fut mon tour, et à nouveau celui de Cicéron. Il mettait notre patience à rude épreuve.

— Tu te doutes de la raison de ma visite, dit-il enfin. Un accusé a comparu aux Rostres, ce matin, pour une affaire banale. J'étais à peine au courant puis on a attiré mon attention de façon assez grossière pendant que je déjeunais. Un esclave de mon cher affranchi, Chrysogonus, est arrivé en courant. Il était bouleversé et la peur semblait lui avoir fait perdre la raison, car il parlait d'une catastrophe qui s'était produite au Forum. Je dégustais à ce moment-là du blanc de faisan accompagné d'une sauce bien relevée ; la nouvelle me donna une indigestion. Ce gruau de froment que m'a apporté ta cuisinière n'est pas mauvais. Naturellement on aurait pu y mettre du poison, mais tu ne t'attendais pas du tout à ce que je vienne. En tout cas j'ai toujours préféré affronter le danger tête baissée, sans y penser. Je ne me suis jamais appelé Sylla le Sage, mais Sylla le Favori des dieux, ce qui, à mon sens, me convient mieux.

Il trempa un instant son index dans le gruau puis, soudain, balaya la table du revers de la main et envoya par terre le bol et le gruau. Après s'être sucé le doigt, il continua d'une voix calme et mélodieuse :

– Quel mal vous semblez vous être donné tous les deux, pour fouiller, fouiner, fureter à la recherche de la vérité sur ces misérables Roscius et leurs crimes minables ! On m'a dit que tu avais passé des heures, jour après jour, Gordien, à essayer d'exhumer des faits, que tu avais fait tout le trajet jusqu'à Ameria, ce trou perdu, que tu avais risqué ta vie bien des fois, tout cela pour arracher des lambeaux de vérité. Et malgré tout, tu n'es pas parvenu à savoir toute l'histoire. Moi, je n'avais jamais entendu le nom de Roscius avant aujourd'hui, et il ne m'a fallu que quelques heures, ou plutôt quelques minutes pour découvrir l'essentiel. Je me suis contenté de convoquer certaines personnes et j'ai exigé qu'elles me racontent tout ce qu'elles savaient.

« Dis-moi, Marcus Tullius Cicéron, quelle était ton intention quand tu t'es chargé de plaider la cause de ce misérable aujourd'hui ? Servais-tu mes ennemis de ton plein gré, ou étais-tu leur dupe ? Es-tu un homme avisé ou un fieffé imbécile ?

– On m'a demandé de défendre l'innocente victime d'une accusation odieuse. La loi n'est-elle pas l'ultime recours des innocents ? rétorqua Cicéron d'une voix sèche comme un parchemin.

– Un innocent ? C'est cela qu'ils t'ont dit, mes chers vieux amis, les Metellus ? Ils appartiennent à une très ancienne et très célèbre famille. Je m'attends à ce qu'ils me poignardent dans le dos depuis que j'ai divorcé de la fille de Delmaticus. Que pouvais-je faire d'autre ? Les augures et les pontifes ont insisté. Elle était mourante, je ne pouvais la laisser polluer ma maison avec sa maladie. Et voilà comment mon ex-belle famille prend sa revanche. Ils se servent d'un avocat qui n'a pas de parents et dont le nom est ridicule pour me causer des désagréments au tribunal. Que t'ont-ils proposé, Cicéron ? De l'argent ? La promesse de leur protection ? Leur appui politique ?

Cicéron avait le visage fermé puis, à ma grande surprise, un sourire se dessina sur ses lèvres.

— Lequel est entré en contact avec toi, Cicéron ? Marcus Metellus, cet imbécile qui a osé se montrer en s'asseyant sur ton banc aujourd'hui ? Ou sa cousine Cæcilia Metella, cette vieille folle insomniaque ? Ou un de leurs agents ?

Cicéron ne répondait toujours pas. Tiron fronçait les sourcils et s'impatientait.

— Peu importe, poursuivit Sylla. Les Metellus t'ont pris à leur service pour me combattre. Alors ils t'ont affirmé que Sextus Roscius était innocent ? Et tu les as crus ?

Tiron ne pouvait plus tenir.

— Bien sûr ! laissa-t-il échapper. Parce qu'il est innocent. C'est pourquoi mon maître l'a défendu et non pas pour faire les quatre volontés des nobles.

Cicéron le fit taire en lui touchant doucement le poignet. Sylla regarda Tiron et le toisa comme s'il le remarquait pour la première fois.

— Ton esclave, Cicéron, n'est pas assez bel homme pour pouvoir s'en tirer comme ça, après une telle insolence. Si tu étais un vrai Romain, tu le ferais fouetter jusqu'au sang, ici même.

Cicéron cessa de sourire.

— Je t'en prie, Lucius Sylla, pardonne-lui son impertinence.

— Alors, réponds-moi, au lieu de laisser ton esclave répondre à ta place. Quand ils t'ont déclaré que Sextus Roscius était innocent, les as-tu crus ?

— Oui... Oui, du moins au début, soupira Cicéron en examinant ses doigts.

— Ah ! s'exclama Sylla, qui arborait maintenant un sourire énigmatique. Tu me paraissais trop intelligent pour te laisser longtemps duper. Quand as-tu découvert la vérité ?

— Je m'en suis douté presque tout de suite, mais cela n'a rien changé. On n'a toujours pas la preuve que Sextus Roscius a conspiré avec ses cousins pour faire assassiner le vieil homme.

— Pas la preuve, s'esclaffa Sylla. Les avocats sont bizarres. D'un côté ils mettent les preuves et de l'autre la vérité. Et Capito et Magnus, ces imbéciles cupides, qui croyaient pouvoir faire condamner leur cousin sans avouer qu'ils avaient participé au crime. Comment Chrysogonus a-t-il pu s'associer à cette racaille ?

— Je ne comprends pas, murmura Tiron.

J'étais désolé pour lui. J'étais navré pour moi. Jusqu'alors j'avais fait tout ce que je pouvais pour garder l'illusion que notre défense de Sextus Roscius avait un but plus noble que la politique ou l'ambition, qu'elle servait la justice. Nous pensions que Sextus Roscius était innocent après tout.

Sylla leva un sourcil et se racla la gorge.

— Ton esclave insolent ne comprend pas, Cicéron. N'es-tu pas un Romain évolué ? Ne veilles-tu pas à l'éducation du jeune homme ? Explique-lui.

Cicéron, les yeux baissés, regardait toujours ses mains.

— Je croyais que tu connaissais la vérité à présent, Tiron. Je pensais que tu l'aurais découverte tout seul. Gordien la connaît, n'est-ce pas Gordien ? C'est à toi de lui expliquer. Après tout, tu es payé pour ça.

Tiron me jeta un regard si implorant que je me mis à parler contre mon gré.

— Tout ça, c'est à cause de la prostituée. Tu te souviens, Tiron, d'Elena, la jeune femme qui travaillait à la Maison aux Cygnes ?

Sylla approuva d'un air solennel, puis leva le doigt pour m'interrompre.

— Tu vas trop vite. Le cadet...

367

– Gaïus Roscius, oui. Assassiné par son frère, chez eux à Ameria. Peut-être les gens du coin n'y ont-ils vu que du feu, mais une marinade de champignons ne saurait être à l'origine des malaises qu'il a ressentis avant sa mort.

– De la coloquinte ? suggéra Cicéron.

– C'est possible, dis-je, à condition qu'on l'ait mélangée à un poison moins amer. Peut-être Sextus était-il déjà de mèche avec son cousin Magnus. Un homme qui a des relations comme Magnus peut se procurer n'importe quel poison à Rome en y mettant le prix. Quant au motif, il est fort probable que Sextus père ait eu l'intention de déshériter son fils aîné en faveur de Gaïus, du moins c'est ce dont Sextus fils était persuadé. Un crime banal pour un motif banal. Mais ce n'est pas tout.

« Peut-être le vieil homme soupçonnait-il Sextus d'avoir tué Gaïus. Peut-être tout simplement le détestait-il tellement qu'il cherchait n'importe quel prétexte pour le déshériter. Il s'était épris alors de la jeune prostituée, Elena. Quand elle fut enceinte de lui ou de quelqu'un d'autre, le vieil homme conçut un plan : il allait l'acheter, l'affranchir et adopter l'enfant. De toute évidence il ne put l'acheter immédiatement. Il s'y est sans doute mal pris et le tenancier a demandé un prix exorbitant, pensant qu'il pouvait exploiter un vieillard amoureux qui n'avait plus toute sa tête. C'est une simple hypothèse...

– Pas du tout, interrompit Sylla. Il y a, ou plutôt il y a eu une preuve concrète : une lettre que Roscius père avait adressée à son fils. Il l'avait dictée à son esclave, Félix, qui en connaissait ainsi la teneur. Ce document a été détruit par la suite, mais l'esclave s'en souvient.

– Sextus Roscius décida donc de tuer son père, continuai-je. Naturellement il ne pouvait le faire lui-même et un autre empoisonnement aurait paru louche ; de plus, par suite de leur brouille, le fils pouvait difficilement approcher son père. Aussi fit-il appel à ses cousins, Magnus et Capito. Tous trois tramèrent un complot. Sextus Roscius hériterait des biens de son père et paierait ses cousins par la suite. Il dut y avoir des garanties mutuelles.

— En effet, dit Sylla. Ils ont établi une sorte de contrat écrit, une déclaration d'intention, si tu veux, par lequel ils s'engageaient à liquider le vieux Roscius. Tous trois l'ont signé en trois exemplaires. Chacun d'eux en avait un, si bien que le chantage était quasiment impossible en cas de conflit entre les parties.

— Mais le conflit a éclaté, dis-je.

— Oui, acquiesça Sylla, en retroussant ses lèvres, comme s'il flairait la machination. Après l'assassinat, Sextus Roscius essaya de doubler ses cousins. Il était devenu le seul propriétaire des biens dont il avait hérité ; comment pourraient-ils s'emparer de ce qui lui appartenait, alors que le document qu'ils avaient signé les compromettait tous ?

« Capito, semble-t-il, eut l'idée de la fausse proscription. Magnus avait fait la connaissance de Chrysogonus à propos d'une transaction louche et lui parla du projet. À la suite de la proscription, les biens furent saisis par l'État. Chrysogonus les acheta et ensuite, comme convenu, les partagea avec Capito et Magnus. Sextus Roscius resta en plan. Ce que j'ai pu être bête ! a-t-il dû penser. Mais que pouvait-il faire ? Se rendre auprès des autorités avec son parchemin qui l'impliquait autant que ses complices dans l'assassinat de son père ?

« C'est ce qu'il aurait pu faire dans un accès de folie ou de remords. Aussi Capito laissa-t-il Sextus habiter la vieille propriété familiale, où il pouvait le surveiller.

— Mais, qu'advint-il d'Elena ? me demanda Tiron qui n'osait pas s'adresser directement à Sylla.

J'ouvris la bouche pour lui répondre, mais Sylla était trop pris par son histoire pour céder la parole à quelqu'un d'autre.

— Pendant ce temps Sextus Roscius essayait de trouver le moyen de récupérer ses biens. Or, l'enfant de la prostituée pourrait être un jour, sinon son rival, du moins son ennemi.

C'était à cause de lui qu'il s'était laissé entraîner dans le complot pour tuer son père. À la naissance du bébé, Roscius le tua de ses propres mains.

— Il aurait pu aussi bien tuer Elena, dis-je.

— Que lui importait d'avoir un peu plus de sang sur les mains après tous les crimes qu'il avait commis ? demanda Sylla. Peu de temps après, les cousins réussirent à s'emparer de l'exemplaire du contrat compromettant que possédait Sextus. Il était maintenant sans défense et n'avait plus aucun pouvoir sur eux. Sans doute ceux-ci réfléchissaient-ils à la meilleure façon de le tuer, lui et sa famille, quand il s'enfuit d'abord chez un ami à Ameria, un certain Titus Megarus, et puis chez Cæcilia Metella à Rome. Comme il s'était sorti de leurs griffes, les cousins n'avaient plus qu'une solution : s'en débarrasser en faisant appel à la loi. Puisqu'il était coupable de l'assassinat de son père, ils s'imaginaient naïvement pouvoir refaire un récit des événements dans lequel ils ne figureraient pas. Naturellement ils comptaient sur l'effet dissuasif qu'aurait le nom de Chrysogonus pour empêcher tout avocat compétent de prendre la défense de Sextus Roscius, s'il y avait procès. Ils espéraient aussi que celui-ci, qui était alors dans un désarroi complet, pourrait se suicider, ou peut-être avouer son crime et renoncer à toute forme de défense.

— Ils étaient bien trop sûrs d'eux, dit Cicéron d'une voix douce.

— Vraiment ? répliqua Sylla. Pas tant que cela. Ils étaient simplement en retard de six mois. Il y a six mois en effet, les Metellus n'auraient pas levé le petit doigt pour sauver Sextus Roscius. Mais maintenant ils s'aperçoivent que je n'ai plus autant de pouvoir, alors ils décident de mettre mon prestige à l'épreuve et de m'infliger une défaite cuisante devant un tribunal. Ces vieilles familles puissantes rongent leur frein sous la main ferme d'un dictateur, même si j'ai toujours utilisé mon pouvoir pour remplir leurs coffres. Comme Magnus et Capito, ils veulent que tout soit pour eux. Cicéron, es-tu vraiment fier d'être leur champion, d'avoir sauvé la vie d'un parricide aux mains couvertes de sang, pour le plaisir de me flanquer un coup de pied au cul, tout cela au nom des anciennes vertus romaines ?

Cicéron et Sylla restèrent longtemps à se regarder fixement. Sylla me parut soudain très vieux et fatigué, Cicéron très jeune. Cicéron fut le premier à baisser les yeux.

— Que va-t-il advenir de Sextus Roscius maintenant ? demandai-je.

Sylla se cala dans son fauteuil.

— Ce parricide, cet homme doublement fratricide mérite-t-il de vivre ? Grâce à Cicéron, cette canaille a été promue au rang de héros martyr, vulgaire petit Prométhée enchaîné à son rocher.

« Les biens de son père ne lui seront pas restitués. Mes ennemis les plus acharnés voudraient que j'annule une proscription dûment enregistrée, que l'État admette avoir commis une erreur. Mais ça, jamais, tant que je vivrai ! Chrysogonus remettra de son plein gré à Sextus Roscius d'autres biens égaux en valeur à ceux dont il a été spolié, situés aussi loin que possible d'Ameria. Que Sextus Roscius, le parricide, reprenne sa vie d'antan, du mieux qu'il le peut et loin de ceux qui le connaissent, lui et son passé ! Mais la proscription est maintenue et il est dépouillé des biens de ses ancêtres et de ses droits civiques. Étant donné ce que tu sais de cet homme, trouves-tu cela vraiment injuste, Cicéron ? »

Cicéron se caressa la lèvre supérieure.

— Et qu'en est-il de ma sécurité et de la sécurité de ceux qui m'ont aidé ? Certains hommes n'hésitent pas à assassiner.

— Il y a eu assez de sang versé. Magnus et Capito renoncent aux représailles. Quant à la mort mystérieuse d'un certain Mallius Glaucia, dont on a découvert le corps, cet après-midi, dans des latrines publiques, n'en parlons plus, l'individu n'en vaut pas la peine.

371

Cicéron plissa les yeux.

— Quand on conclut un marché, il y a deux parties, Lucius Sylla.

— Oui, c'est exact, Cicéron. J'attends de ta part que tu fasses preuve de mesure. Je me suis efforcé de rétablir l'ordre et le calme. De ton côté tu n'intenteras pas d'action contre Capito et Magnus pour assassinat ; tu ne déposeras pas de plainte officielle au sujet de la proscription de Sextus Roscius père ; tu ne traduiras pas en justice Gaïus Erucius pour avoir entrepris des poursuites avec intention de nuire. Ni toi ni aucun des Metellus ne fera de procès à Chrysogonus. Je te le dis clairement, Cicéron, afin que tu en informes tes amis, les Metellus. Tu me comprends bien ?

Cicéron acquiesça. Sylla se leva. Il avait le visage ravagé par les ans, mais il se tenait très droit. À lui seul, il semblait remplir toute la pièce. En comparaison, Cicéron et Tiron avaient l'air de gringalets.

— Tu es un jeune homme intelligent, Marcus Tullius Cicéron, et, au dire de tous, un brillant orateur. Ton audace est ridicule ou ton ambition démesurée, ou peut-être les deux à la fois. J'aimerais te tendre la main pour que tu rallies mon camp, mais tu la refuserais, pas vrai ? Tu as encore la tête trop farcie d'un idéalisme fumeux : la défense courageuse de la vertu républicaine contre la tyrannie exécrable et ce genre de stupidité. Tu te fais des illusions sur la piété, sur ta propre nature. Certains de mes sens faiblissent, mais je suis un vieux renard, j'ai encore du flair, et dans cette pièce je sens la présence d'un autre renard. Permets-moi de te dire ceci, Cicéron, le chemin que tu as choisi ne te mène qu'à un seul endroit, celui où je me trouve. Regarde-moi, ton miroir est devant tes yeux, Cicéron.

« Quant à toi, Gordien, dit-il en me fixant d'un regard perçant, tu n'es pas un renard mais un chien, tu déterres les os que les autres chiens ont enfouis. N'en as-tu pas parfois assez de te fourrer le museau dans la boue ? Je pourrais envisager de louer tes services, mais bientôt je n'aurai plus jamais besoin d'agents secrets, de juges corrompus ni d'avocats véreux.

« Oui, citoyens, voici une bien triste nouvelle : très prochainement je vais annoncer que je me retire de la vie publique. Ma santé décline, je perds ma patience. J'ai fait de mon mieux pour défendre la vieille aristocratie et pour remettre à sa place la populace. Qu'un autre prenne le relais pour sauver la République ! J'ai hâte de commencer une vie nouvelle à la campagne – de me promener, de jardiner, de jouer avec mes petits-enfants. Et, j'allais oublier, de finir mes *Mémoires*. Je ne manquerai pas de t'en envoyer un exemplaire, Cicéron. »

Un sourire amer éclaira ses lèvres, puis Sylla s'apprêta à partir. Soudain son sourire se fit enjôleur. Rufus était debout, dans l'entrée, échevelé et hors d'haleine.

— Lucius Sylla, murmura-t-il en inclinant la tête et en détournant les yeux.

Après cette salutation officielle, il se tourna vers Cicéron.

— Je suis désolé de mon intrusion. J'ai vu son escorte dehors. Naturellement j'ai su qui était chez toi. J'aurais attendu si la nouvelle... J'ai couru tout le long du chemin pour te l'apprendre, Cicéron.

— Continue, Rufus. Parle donc.

— Sextus Roscius... soupira Rufus

— Eh bien ?

— Sextus Roscius est mort.

## 7

Tous les regards convergèrent vers Sylla, qui parut aussi étonné que nous tous.

— Comment ?

— Il est tombé, s'exclama Rufus l'air consterné. Du balcon à l'arrière de la maison de Cæcilia. Juste en dessous, il y a un à-pic. Un escalier de pierre étroit serpente dans la colline. Apparemment il a heurté les marches et déboulé sur une bonne distance. Son corps s'est complètement disloqué.

La voix de Sylla résonna comme un coup de tonnerre.

— L'imbécile ! L'idiot ! S'il voulait absolument mettre fin à ses jours...

— Il se serait suicidé ? interrompit calmement Cicéron. Mais nous n'en avons aucune preuve.

Dans son regard je vis que nous avions les mêmes doutes. En l'absence de garde sur le toit, quelqu'un aurait pu s'introduire chez Cæcilia, un assassin envoyé par les Roscius, ou par Chrysogonus, ou par Sylla lui-même. Le dictateur avait proposé une trêve, mais dans quelle mesure pouvait-on avoir confiance en lui ou en ses amis ?

Toutefois l'indignation de Sylla semblait prouver son innocence.

— Bien sûr que c'est un suicide, lança-t-il d'un ton brusque. Un parricide qui peu à peu a perdu la raison ! Ainsi la justice prévaut après tout. Mais, s'il était décidé à se punir lui-même, pourquoi a-t-il attendu que le procès soit terminé ? Pourquoi ne s'est-il pas tué hier, ou avant-hier ou le mois dernier ? Il nous aurait épargné bien des ennuis. Il est acquitté et il se tue. C'est absurde, c'est ridicule.

Sylla se drapa dans sa toge et se dirigea vers la porte d'entrée, la tête baissée comme la proue d'un navire prêt à éperonner. Cicéron et Rufus s'écartèrent, je fis un pas en avant pour lui barrer le passage, inclinant la tête avec respect.

— Lucius Sylla, noble Sylla, je suppose que cet événement ne change pas les termes de l'accord que nous avons conclu ici, ce soir ?

J'étais assez près de lui pour l'entendre retenir brusquement sa respiration et ensuite sentir la chaleur de son souffle sur mon front. Le temps qui s'écoula avant qu'il me réponde me parut une éternité.

— Rien n'est changé, dit-il d'un ton glacial, mais résolu.

— Alors Cicéron et ses alliés n'ont pas à craindre la vengeance des Roscius...

— Cela va sans dire.

— ... et, bien qu'il soit mort, la famille de Sextus Roscius sera dédommagée par Chrysogonus ?

Je détournai les yeux. Sylla fit attendre sa réponse.

— Bien sûr. Sa femme et ses filles ne manqueront de rien, malgré son suicide.

— Tu es un homme juste et clément, Lucius Sylla.

Je le laissai passer. Il partit sans jeter un regard en arrière, sans même attendre qu'un esclave lui montre le chemin. Quelques instants plus tard, la porte s'ouvrit et se referma bruyamment, et soudain on entendit dans la rue le brouhaha de son escorte qui s'éloignait. Puis le silence retomba.

— Quelle ironie du sort ! s'exclama enfin Cicéron. Tant d'efforts de part et d'autre et, en fin de compte, même Sylla est déçu. « À qui le crime profite-t-il ? »

— À toi, entre autres, Cicéron, répondis-je.

Il me jeta un coup d'œil malicieux, sans pouvoir dissimuler le sourire qui se dessinait sur ses lèvres. Rufus secoua la tête.

— Sextus Roscius se serait suicidé. Que voulait dire exactement Sylla quand il a déclaré que justice avait été faite, que Roscius s'était donné la mort ?

— Je ne vois aucune raison de croire que Roscius s'est suicidé tant que je n'en verrai pas la preuve de mes propres yeux, dis-je.

Rufus haussa les épaules.

— Mais quelle autre explication donner ? À moins que ce n'ait été un accident — le balcon est traître et Roscius avait bu toute la soirée ; peut-être a-t-il trébuché. Par ailleurs, qui dans la maison souhaitait sa mort ?

— Sans doute personne.

J'échangeai un bref clin d'œil avec Tiron. Ni l'un ni l'autre, nous ne pouvions oublier l'amertume et le désespoir de Roscia Majora. L'acquittement de son père avait anéanti tous ses espoirs de vengeance. Comment protégerait-elle maintenant sa sœur bien-aimée ? Je m'éclaircis la voix et me frottai les yeux.

— Rufus, s'il te plaît, reviens avec moi chez Cæcilia. Montre-moi comment et où Roscius est mort.

— Ce soir ?

Il était fatigué et avait l'esprit confus. Il avait trop bu.

— Demain ce sera peut-être trop tard. Les esclaves de Cæcilia auront sans doute détruit les preuves.

Rufus acquiesça d'un air las. Je vis le regard implorant de Tiron et demandai à Cicéron :

— Et Tiron peut-il venir avec nous ?

— Au beau milieu de la nuit ? Après tout, pourquoi pas ? répondit-il en pinçant les lèvres.

— Et toi aussi, bien sûr.

Cicéron fit non de la tête, il me regarda avec un certain mépris mêlé de pitié.

— La partie est jouée, Gordien. L'heure est venue pour

377

les hommes qui ont la conscience tranquille de prendre un repos bien mérité. Sextus Roscius a choisi de mourir. C'est ce qu'affirme Sylla pour qui il n'est point de secret. Laisse tomber, Gordien. Fais comme moi et va te coucher. Le procès est terminé, tout est fini, mon ami.

— Peut-être, ou peut-être pas, Cicéron.

Je me dirigeai vers le vestibule et fis signe à Rufus et à Tiron de me suivre.

— Ça doit être d'ici qu'il est tombé, chuchota Rufus, de cet endroit même.

La pleine lune éclairait les dalles du balcon et le muret de pierre qui l'entourait, lequel nous arrivait à la hauteur du genou. En me penchant, je vis l'escalier dont avait parlé Rufus, à une distance d'au moins dix pas en contrebas ; le bord des marches usé par les pieds luisait dans la nuit. L'escalier serpentait et se perdait dans les ténèbres. Des profondeurs de la maison montaient des lamentations. On avait placé le corps de Sextus Roscius dans le sanctuaire de la déesse que vénérait Cæcilia, et ses esclaves poussaient les gémissements et les cris rituels.

— Ce muret me paraît bien trop bas, dit Tiron.

— Oui, acquiesça Rufus, j'ai fait la même remarque à Cæcilia. Apparemment il y avait autrefois un deuxième garde-fou en bois par-dessus. On voit çà et là les supports en métal. On a dû enlever le bois qui était pourri et dangereux. Cæcilia avait l'intention de le remplacer mais ne l'a jamais fait, car l'aile arrière de la maison n'était plus utilisée depuis longtemps, jusqu'à ce que Sextus et sa famille viennent s'y installer. Cet escalier est plus raide qu'il n'en a l'air. Les marches sont glissantes et dangereuses quand on descend, à plus forte raison quand un homme tombe ou trébuche. Le corps de Sextus a déboulé une grande partie de la pente avant de s'immobiliser. Regardez à travers les branches du chêne et vous verrez l'endroit, là où l'escalier

378

fait un angle aigu. La lumière de la lune éclaire la flaque de sang, comme si de l'huile s'était répandue.

— Qui l'a découvert ?

— Moi.

— Toi ?

— Oui, parce que j'ai entendu crier.

— Qui criait ? Roscius au cours de sa chute ?

— Non, Roscia, sa fille. La chambre, qu'elle partage avec sa petite sœur, est tout près, la première porte au fond du couloir.

— Explique-toi, s'il te plaît.

— Je m'étais déjà rendu dans ma chambre quand j'ai entendu un cri poussé par une jeune fille et puis des sanglots. Je suis sorti en courant et j'ai trouvé Roscia Majora ici, sur le balcon, elle pleurait au clair de lune. Quand je lui ai demandé ce qu'elle avait, elle a été prise de tremblements si violents qu'elle a été incapable de parler. Elle m'a seulement indiqué l'endroit où se trouvait le corps de Sextus Roscius.

— Et comment se fait-il que Roscia se trouvait là, sur le balcon d'où son père était tombé ?

— Je le lui ai demandé, répondit Rufus, quand elle s'est calmée. Apparemment elle a eu un cauchemar et, quand elle s'est réveillée, elle a voulu aller sur le balcon pour respirer l'air frais. Elle est restée là, un moment, à contempler la pleine lune et puis, par hasard, elle a regardé en bas...

— Et par hasard elle a vu le corps de son père dans un amas de feuilles et de pierraille ?

— Cela n'a rien d'invraisemblable, remarqua Rufus sur la défensive. La lumière de la lune éclairait cet endroit, et le spectacle n'était pas beau à voir, le corps était disloqué de façon si étrange... Oh ! Gordien, tu ne penses tout de même pas que la jeune fille...

— C'est sûrement elle, déclara Tiron, à peine visible dans l'ombre derrière nous. Mais comment a-t-elle pu attirer

379

Sextus sur le balcon, bien que cela fût relativement facile pour elle ?

— Ce n'est pas la seule question, objectai-je. Par exemple, pourquoi a-t-elle crié après l'avoir poussé, s'il est vrai qu'elle l'a poussé, et s'il s'agit d'un crime prémédité ? Pourquoi est-elle restée sur le balcon jusqu'au moment où quelqu'un pourrait la trouver ?

Tiron s'était déjà fait une opinion.

— Elle était bouleversée par ce qu'elle avait fait. Elle est jeune, après tout, Gordien, ce n'est pas un assassin endurci. C'est pourquoi elle pleurait quand Rufus est arrivé.

Je m'agenouillai devant le muret et passai la main sur le rebord biseauté, parfaitement lisse, sauf là où je sentais des petits éclats de pierre. Soudain j'eus une idée.

— Tiron, apporte-moi une des lampes. Tiens-la juste au-dessus du muret pour que je puisse l'examiner de plus près.

— Ne t'érafle pas le nez, plaisanta Rufus, en voyant comme j'étais excité. Que cherches-tu donc ?

— Si Sextus Roscius avait bel et bien décidé de sauter, il va de soi qu'il serait d'abord monté sur le muret et aurait sauté de là. Je pensais trouver l'empreinte d'un pied dans la poussière. Mais je ne vois rien.

J'exposai mes mains à la lumière de la lampe et regardai la fine poussière sur mes paumes. Çà et là, de minuscules éclats de pierre collaient à ma peau. J'allais frapper dans mes mains pour m'en débarrasser quand je remarquai un fragment différent. Il était plus grand, plus brillant et avait des bords coupants. Au lieu d'être gris clair comme les autres, il paraissait d'un rouge un peu terne à la lumière. Je le retournai, à l'aide de mon index, et vis que ce n'était pas du tout un éclat de pierre.

— Qu'est-ce que c'est ? murmura Rufus qui, à côté de moi, louchait pour mieux voir. Y a-t-il du sang dessus ?

— Non, mais cela a la couleur du sang desséché.

— Mais il y a du sang ici, s'écria Tiron.

Pendant que Rufus et moi examinions le muret, Tiron,

avec sa propre lampe, avait inspecté les dalles du balcon à une certaine distance du rebord. À ses pieds, on apercevait quelques gouttes de couleur foncée, si minuscules que nous ne les avions pas remarquées. Je m'agenouillai et je les touchai du doigt. Elles étaient sèches à la périphérie, mais humides au centre.

Je reculai d'un pas et traçai en l'air une ligne droite.

– Là sur le sol du balcon il y a les gouttes de sang. Là, juste devant, sur le muret, j'ai découvert cela (je tenais soigneusement le fragment rouge entre le pouce et l'index), et dans la même direction, tout en bas, se trouve l'endroit où Sextus Roscius a heurté l'escalier.

– Qu'est-ce que cela signifie ? demanda Rufus.

– Dis-moi d'abord : qui a été sur ce balcon cette nuit ?

– Seulement Roscia et moi, à ma connaissance. Et naturellement Sextus Roscius.

– Aucun des esclaves ? Ou la femme de Roscius ?

– Je ne crois pas.

– Pas même Cæcilia ?

– J'en suis certain. Quand je lui ai fait part de la nouvelle, elle m'a dit qu'elle ne voulait pas aller dans cette aile de la maison. Elle a ordonné à ses esclaves de porter le corps de Sextus dans son sanctuaire pour la cérémonie de purification.

– Je vois. Emmène-moi voir le corps maintenant.

– Mais Gordien, qu'as-tu découvert ? demanda Tiron d'un ton suppliant.

– Que Roscia n'a pas assassiné son père.

Les portes du sanctuaire de la déesse de Cæcilia étaient hermétiquement closes. Pourtant l'odeur d'encens et les lamentations des esclaves parvenaient jusqu'au couloir. Ahausarus, l'eunuque, montait la garde. Il secoua la tête d'un air sombre quand nous essayâmes d'entrer. Rufus me prit le bras et me tira en arrière.

381

— Arrête, Gordien. Le sanctuaire est interdit aux hommes.

— Sauf quand ils sont morts, répliquai-je.

— La déesse a réclamé Sextus Roscius, déclara d'une voix mélodieuse Cæcilia qui avait surgi derrière nous.

Quelle métamorphose ! Cæcilia se tenait très droite, la tête fièrement rejetée en arrière. Elle portait une robe ample, d'un noir de jais. Comme c'était la nuit, son chignon était défait et ses cheveux retombaient sur ses épaules en longues boucles. Sur son visage on ne voyait plus aucune trace de fard. Bien qu'elle fût ridée et ébouriffée, une force et une détermination que je ne lui avais jamais vues jusqu'ici émanaient de toute sa personne. Cependant elle n'était ni mécontente, ni heureuse de nous voir, notre présence lui était indifférente.

— Il se peut que la déesse ait réclamé Sextus Roscius, dis-je, mais j'aimerais avoir la possibilité d'examiner la dépouille.

— Quel intérêt cela pourrait-il avoir pour toi ?

— Je recherche une marque sur son corps. Autant que je sache, c'est la déesse qui l'a imprimée quand elle l'a appelé auprès d'elle.

— Son corps est trop mutilé pour qu'on puisse y déceler une blessure en particulier.

— J'ai un regard perçant, dis-je en la fixant des yeux.

Cæcilia me donna enfin son assentiment d'un signe de tête.

— Ahausarus ! Dis aux filles d'apporter le corps de Sextus Roscius dans le couloir.

Quelques instants plus tard, les portes du sanctuaire s'ouvrirent. Six esclaves déposèrent une litière par terre dans le couloir.

Tiron fit entendre un sifflement et recula. Même Rufus, qui l'avait déjà vue, retint son souffle en apercevant la dépouille. On avait déshabillé Sextus en coupant ses vêtements, il était tout nu. Le drap sur lequel il reposait était trempé de sang. Partout sur son corps on voyait des contusions et des ecchymoses. De nombreux os avaient été brisés ; par endroits, ils avaient transpercé la chair. On avait essayé de redresser les membres, mais on n'avait rien pu faire pour dissimuler l'état affreux du crâne. Sextus Roscius était apparemment tombé la tête la première. Il était défiguré, des fragments d'os maintenaient en place la cervelle ensanglantée. Tiron, incapable de regarder, détourna la tête et Rufus baissa les yeux.

Je m'agenouillai et passai la main sur la gorge ; au toucher je sentis des caillots de sang sur la chair tuméfiée. En tâtonnant je découvris ce que je cherchais.

— Rufus, regarde ici, et toi aussi, Tiron. Vous voyez, à l'endroit que je vous montre avec mon index, le trou juste au-dessous du larynx ?

— On dirait qu'on a percé la chair, hasarda Rufus.

— Oui, comme si on avait enfoncé un objet mince, très pointu. Et si nous retournons le corps – allez, Rufus, pousse avec moi –, je crois que nous allons trouver la réplique exacte de cette blessure dans la nuque. Tenez, la voilà, juste à côté de la colonne vertébrale.

Je me relevai et essuyai mes mains ensanglantées avec un torchon que me présentait une esclave. J'eus un haut-le-cœur et retins mon souffle.

— Une blessure bien étrange, ne trouves-tu pas, Cæcilia Metella ? Elle n'a rien à voir avec une chute la tête la première, suivie d'une culbute dans un escalier de pierre. Ce n'est pas non plus un coup de couteau. Le cou a été transpercé de part en part. C'est une blessure faite si habilement que seulement quelques gouttes de sang sont tombées sur le dallage du balcon. Dis-moi, Cæcilia, avais-tu déjà défait ton chignon quand tu as vu Sextus Roscius sur le balcon ? Ou bien était-il encore maintenu en place par une de tes longues épingles en argent ?

Rufus me prit le bras.

— Tais-toi, Gordien ! Je te l'ai déjà dit, Cæcilia n'a pas été sur le balcon, cette nuit.

— Mais si elle n'a jamais été sur le balcon, comment se fait-il que j'aie trouvé cette chose curieuse sur le muret ? Montre-moi ta main, Cæcilia.

Elle leva un sourcil, intriguée, et me tendit sa main droite, paume en dessous. Je la pris dans la mienne et écartai doucement les doigts. Je ne trouvai pas ce que je cherchais.

Si je m'étais trompé, j'étais allé trop loin pour me confondre en excuses. Faire un affront à une Metella, c'était le plus sûr moyen de courir à sa perte. J'avalais avec peine ma salive et regardai Cæcilia droit dans les yeux. Un sourire glacial apparut sur ses lèvres.

— Je crois que c'est cette main-ci que tu souhaites examiner, Gordien, dit-elle à voix basse, d'un ton grave.

Elle me donna sa main gauche. Je poussai un soupir de soulagement. À l'extrémité de ses doigts flétris, je vis cinq ongles peints en rouge, impeccables, à l'exception de celui de l'index qui était cassé d'un côté. Je pris le fragment d'ongle que j'avais trouvé sur le balcon et l'adaptai facilement à son ongle cassé.

— Tu es donc allée sur le balcon, cette nuit ! s'exclama Rufus.

— Je n'ai jamais dit le contraire.

— Alors, tu nous dois des explications, Cæcilia, j'insiste !

Cæcilia demeura silencieuse pendant un long moment

— Emmenez le corps, ordonna-t-elle d'un geste de la main. Et toi, Ahausarus, bats le rappel des jardiniers et fais-leur nettoyer l'escalier derrière la maison. Je veux qu'à l'aube il n'y ait plus la moindre trace de sang. Surveille le travail toi-même.

— Mais...

— File !

Cæcilia frappa dans ses mains et l'eunuque s'éloigna

l'air renfrogné. Elle jeta un regard dédaigneux à Tiron. Elle ne voulait pas de témoins superflus à l'heure des aveux.

– Ne le renvoie pas, s'il te plaît, lui demandai-je.

Elle fit la grimace, mais accepta.

– C'est la déesse qui m'a révélé la vérité. Non pas par des paroles ou en m'apparaissant. Elle m'a pris par la main, j'en suis sûre, et m'a fait sortir du sanctuaire où j'étais prostrée. Elle m'a guidée le long des couloirs jusqu'à l'aile de la maison où les Roscius sont logés.

Cæcilia plissa les yeux et joignit les mains. Elle parlait à voix basse, comme dans un rêve.

– J'ai rencontré Sextus dans un des couloirs, il était hébété et titubait, trop ivre pour me remarquer dans l'obscurité. Il se parlait en bredouillant, pleurait et riait tour à tour. Il riait parce qu'il avait été acquitté et était libre. Il pleurait parce qu'il avait commis un crime abominable et inutile. « J'ai tué le vieux, oui, je l'ai tué, c'est comme si je l'avais frappé moi-même, répétait-il. J'ai tout organisé et j'ai compté les heures avant qu'il ne meure. Je l'ai assassiné, j'ai assassiné mon propre père ! La justice s'était emparée de moi et je lui ai échappé ! »

« À ces mots, mon sang n'a fait qu'un tour. Imaginez ce que je ressentais, cachée dans ce couloir obscur, en entendant Sextus avouer son crime sans qu'il y ait d'autres témoins que moi et la déesse. Je sentais sa présence en moi. Je savais ce que je devais faire.

« Apparemment Sextus se rendait dans la chambre de ses filles. Pourquoi, je l'ignore ; il était tellement ivre qu'il avait dû se perdre. Je l'ai appelé en sifflant, il a sursauté. Je me suis approchée et il a eu un mouvement de recul. Je lui ai demandé d'aller sur le balcon.

« La lune étincelait, pareille à l'œil de Diane. La déesse était vraiment chasseresse, cette nuit-là, et Sextus était sa proie. La lumière de la lune l'avait pris dans ses rets.

« J'ai exigé qu'il me dise la vérité. J'ai vu qu'il supputait ses chances de me mentir, tout comme il l'avait fait aux autres. Mais la lumière de la lune était trop vive. Il s'est mis à rire, à sangloter et il m'a avoué : "Oui ! J'ai assassiné ton vieil amant ! Pardonne-moi !" Il m'a tourné le dos. Je savais que je ne pourrais jamais le pousser jusqu'au muret et le faire basculer, même s'il était ivre et si le clair de lune avait décuplé mes forces. »

— Alors tu as pris l'épingle qui tenait ton chignon.

— Oui, celle-là même, ornée de lapis-lazuli, que j'avais portée au procès.

— Et tu la lui as enfoncée dans le cou, et elle est ressortie par la gorge.

Les muscles de son visage se relâchèrent. Ses épaules s'arrondirent.

— Oui, je crois que c'est ça. Il n'a pas poussé un seul cri, il a simplement fait un bruit bizarre, une sorte de gargouillis, comme s'il étouffait. J'ai retiré l'épingle. Il a porté la main à sa gorge et avancé en chancelant. Il a heurté le muret mais n'est pas tombé, comme je l'espérais. Il s'est immobilisé. Alors je l'ai poussé, de toutes mes forces. Il n'a pas crié. Le seul bruit que j'ai entendu, c'est quand son corps a heurté l'escalier en contrebas.

— Alors tu t'es agenouillée.

— Oui, je m'en souviens.

— Tu as regardé par-dessus le muret et tu t'y es accrochée en serrant si fort que tu t'es cassé un ongle sur la pierre.

— Peut-être. J'ai oublié.

— Et qu'as-tu fait de l'épingle ?

Elle secoua la tête, ses idées se brouillaient.

— Je crois que je l'ai jetée dans le noir. Elle doit être dans les herbes.

Quand elle eut terminé son histoire, elle fut soudain vidée de toute son énergie. Elle s'affala comme une fleur fanée.

— Mon cher enfant, murmura-t-elle à Rufus, qui s'était précipité à ses côtés, conduis-moi à ma chambre.

Tiron et moi prîmes congé sans cérémonie.

— Quelle journée ! soupira Tiron quand nous rentrâmes chez son maître. Quelle nuit !

— Et si nous avons de la chance, nous pourrons peut-être dormir une heure avant le lever du soleil. Je vais partir avec Bethesda dans la matinée. Je te verrai peut-être à moins que Cicéron ne t'envoie faire une course. Je ne me souviens pas d'un procès où il y ait eu tant de coups de théâtre. Je ne sais si Cicéron fera de nouveau appel à moi. Rome n'est pas bien grande, mais je ne te reverrai peut-être plus jamais. Il faut que je t'avoue quelque chose, Tiron, maintenant que tout est calme et que nous sommes seuls, tu es un jeune homme merveilleux, je te le dis du fond du cœur...

Je me retournai et le vis allongé sur le côté parmi les rouleaux de parchemin éparpillés par terre, il ronflait doucement. Je souris et m'avançai sans bruit vers lui. Il avait vraiment l'air d'un enfant. Je m'agenouillai et caressai la peau lisse de son front et ses cheveux bouclés. Je pris le parchemin qu'il avait dans la main et que Sylla avait jeté par terre. Mes yeux tombèrent sur les derniers vers du chœur :

*Les dieux se manifestent sous des formes diverses.*
*Les dieux accomplissent des actes imprévus,*
*Ce qu'on attendait*
*Ne se réalise point.*
*Et pour l'inattendu*
*Les dieux trouvent un chemin.*

## 8

Je me levai au milieu de la matinée, bien que je me fusse couché tard. Bethesda était réveillée depuis longtemps et avait rassemblé toutes mes affaires. Elle m'aida à m'habiller sans perdre de temps et m'observa pendant que je grignotais un bout de pain et du fromage. Elle était prête à rentrer chez nous.

Pendant que Bethesda attendait au soleil dans le péristyle, Cicéron me fit venir dans son bureau. Tiron dormait encore dans sa chambre. Cicéron alla donc chercher un coffret rempli de pièces en argent et un sac plein de menue monnaie. Il compta mes honoraires, sans se tromper d'un sesterce.

— D'après Hortensius, c'est la coutume de déduire les repas et le logement, soupira-t-il, mais je ne veux pas en entendre parler. En revanche...

Il sourit et ajouta dix deniers sur la pile.

Ce n'est pas facile de poser des questions délicates à un homme qui vient de vous payer grassement. Je baissai les yeux en prenant les pièces et dis d'un ton aussi détaché que possible :

— Il y a encore quelques points qui me laissent perplexe, Cicéron, peut-être pourrais-tu m'éclairer.

— Lesquels ? demanda-t-il avec un sourire qui m'exaspéra.

— Est-ce que je me trompe en supposant que tu en savais

bien plus que tu ne me l'as dit quand tu m'as engagé ? Peut-être étais-tu au courant de la proscription de Sextus Roscius père ? Tu savais que Sylla était mêlé à tout cela et que l'homme qui mènerait son enquête dans cette sordide affaire courrait un danger sérieux ?

Il haussa les épaules.

— Oui. Non. Peut-être... En fait, Gordien, les seuls éléments sur lesquels je pouvais me fonder, c'étaient des bruits, des bribes de conversation. Personne ne voulait me dire toute la vérité. J'ai agi de même avec toi. Les Metellus croyaient pouvoir se servir de moi. Ils y sont parvenus dans une certaine mesure.

— Tu t'es aussi servi de moi... comme appât ? Pour voir si un chien errant qui irait mettre le nez dans l'affaire Roscius serait menacé, attaqué, tué ? Ce qui a failli m'arriver, plus d'une fois.

Les yeux de Cicéron lancèrent des éclairs, mais il continua de sourire, imperturbablement.

— Tu t'en es sorti indemne, Gordien !

— Grâce à mon intelligence.

— Grâce à *ma* protection.

— Est-ce que cela ne te contrarie pas, Cicéron, de savoir que l'homme que tu as si brillamment défendu était coupable ?

— Il n'y a pas de déshonneur à défendre un client coupable. Interroge n'importe quel avocat. Et c'est un honneur que de mettre un tyran dans l'embarras.

— Tu n'attaches aucune importance à un meurtre ?

— Le crime est chose banale. L'honneur est chose rare. Et maintenant, Gordien, je dois te dire adieu. Tu connais le chemin. Inutile que je te reconduise.

Cicéron tourna les talons et quitta la pièce.

Il faisait chaud, mais c'était une chaleur agréable. Quand nous fûmes de retour à la maison, sur l'Esquilin, Bethesda commença par flâner, mais bientôt elle alla de pièce en pièce remettre tout en ordre. L'après-midi, je l'accompagnai au marché. Il y avait beaucoup d'animation dans le quartier de Subure – les cris des vendeurs, l'odeur de la viande fraîche, la ruée des gens dont le visage m'était familier. J'étais heureux d'être revenu chez moi.

Plus tard, pendant que Bethesda préparait mon souper, j'allai faire un grand tour, sans but précis. La brise tiède me caressait le visage. Je levai les yeux vers les nuages qui avaient pris une teinte dorée.

La faim se fit sentir et je songeai à prendre le chemin du retour. Je regardai autour de moi, et pendant quelques instants, je fus incapable de dire où je me trouvais, puis je m'aperçus que j'étais arrivé à l'extrémité du Goulet. Je n'avais pas eu l'intention d'aller si loin, ni de m'approcher de ce coupe-gorge. Peut-être y a-t-il un dieu qui guide nos pas et dont la main est si légère que nous la sentons à peine.

Je fis demi-tour et ne croisai personne. Tout était paisible quand, tout à coup, j'entendis un bruit confus derrière moi. De nombreux pas martelaient les pavés, des cris aigus retentissaient dans tout le Goulet et des bâtons raclaient les murs inégaux qui renvoyaient l'écho, si bien que, pendant un moment, je fus incapable de dire si le bruit était devant ou derrière moi. Il semblait s'approcher, comme si une foule en délire me menaçait de deux côtés à la fois.

« Sylla a menti, pensai-je. Ma maison sur la colline est en flammes. Bethesda a été violée et tuée. Maintenant une populace à sa solde m'a coincé dans le Goulet. Ils vont me frapper. Ils vont m'étriper. »

C'était maintenant un brouhaha assourdissant. Les voix que j'entendais derrière moi n'étaient pas des voix d'hommes, mais de garçons. Et soudain, ils surgirent à un tournant de la venelle, ils souriaient, criaient, riaient, brandissaient des bâtons, butaient les uns dans les autres dans leur course folle. Ils pourchassaient un autre garçon plus petit que les autres. Celui-ci fonça droit vers moi et se cacha sous ma tunique, comme si j'étais un abri où il pouvait trouver refuge.

Ses poursuivants s'arrêtèrent en glissant sur les pavés, ils continuaient de crier, de rire et de taper sur les murs avec leurs bâtons.

— Il est à nous ! hurla l'un d'eux. On lui a coupé la langue. Ce n'est qu'un esclave.

— Il n'a plus de mère, cria un autre. Rends-le-nous ! On s'amuse bien avec lui.

— Il est drôle ! reprit le premier. Il fait des bruits bizarres. On le tape fort jusqu'à ce qu'il essaie de crier et il se met à croasser comme un corbeau !

J'examinai le marmot en guenilles qui s'était jeté dans mes bras. L'enfant me regarda d'un air craintif, hésitant, et soudain son visage s'illumina quand il me reconnut. C'était le petit muet, Eco, que la veuve Polia avait abandonné.

Puis face à la meute de garçons déchaînés, sans doute l'expression de mon visage devint-elle terrifiante, car les plus proches reculèrent et blêmirent tandis que j'écartais doucement Eco. Certains prirent peur. D'autres se renfrognèrent, prêts à se battre.

Je pris sous ma tunique son couteau que je n'avais jamais cessé de porter, jour après jour, depuis le moment où Eco me l'avait donné. Les garçons ouvrirent de grands yeux et se bousculèrent tant ils avaient hâte de s'enfuir. Je les entendis encore longtemps, rire, crier et racler les murs avec leurs bâtons tandis qu'ils battaient en retraite.

Eco tendit la main pour saisir le couteau. Je le lui laissai prendre. Il y avait encore quelques taches du sang de Mallius Glaucia sur la lame. Eco les vit et gloussa de plaisir.

Il me lança un regard interrogateur et grimaça en faisant mine de donner des coups de couteau en l'air. Je lui fis un signe de tête affirmatif et murmurai.

— Oui, tu as eu ta vengeance. Avec ton couteau, je t'ai vengé de ma propre main.

Il contempla la lame et resta bouche bée, comme en extase.

Mallius Glaucia avait été l'un des hommes qui avaient violé sa mère. Or le couteau du petit muet avait achevé Glaucia. Je ne l'aurais jamais tué, même pour l'amour du petit garçon, si j'avais pu faire autrement, mais peu importe. Peu importe que Glaucia, le géant, cette brute sanguinaire, fût un moins que rien comparé aux Roscius. Ou que les Roscius ne fussent que des enfants entre les mains d'un Chrysogonus. Ou que Chrysogonus ne fût qu'un jouet pour Sylla. Ou que Sylla ne fût qu'un fil qui s'était détaché de la trame or et rouge sang tissée depuis des siècles par des familles aussi illustres que celle des Metellus. À force de comploter, ils pouvaient à juste titre prétendre qu'ils avaient fait de Rome ce qu'elle était aujourd'hui. Dans leur République, même un mendiant sans voix pouvait avoir droit à la dignité qui est celle d'un Romain et se frotter les mains en voyant le sang d'un criminel de bas étage. Si je lui avais apporté la tête de Sylla sur un plateau, il n'aurait pas été plus heureux.

Je pris une pièce de monnaie dans ma bourse pour la lui donner, mais il n'y prêta pas attention, il serrait son couteau à deux mains et dansait en rond. Je remis la pièce dans ma bourse et m'éloignai.

Après avoir fait quelques pas, je m'arrêtai et me retournai. Le garçon était figé sur place. Il serrait le couteau et me regardait partir d'un air triste. Nous restâmes un long moment sans nous quitter des yeux. Enfin je fis un geste et il accourut.

Nous parcourûmes tout le Goulet, main dans la main, et nous gravîmes l'étroit sentier qui montait chez moi. Sur le seuil, je criai à Bethesda qu'il y aurait désormais une bouche de plus à nourrir.

## Postface

Le roman *Du sang sur Rome* concilie histoire et imagination. Parmi les sources de l'auteur, il convient de mentionner tout particulièrement le *Plaidoyer pour Sextus Roscius d'Ameria* (Cicéron, *Discours,* tome I, Paris, Les Belles Lettres, 1965), que l'illustre orateur prononça en 80 avant Jésus-Christ, à l'âge de vingt-six ans.

Steven Saylor a condensé et adapté le long document consacré à la défense de Sextus Roscius accusé de parricide. En revanche, le romancier a imaginé le réquisitoire de Gaïus Erucius, dont le texte latin ne nous est pas parvenu.

Le lecteur français qui souhaite approfondir sa connaissance de l'époque pourra utilement consulter les ouvrages suivants :

Bordet, Marcel, *Précis d'histoire romaine* (Paris, A. Colin, 1991) ; Carcopino, Jérôme, *Rome à l'apogée de l'Empire* (Paris, Hachette, 1994) ; McCullough, Colleen, *Le Favori des dieux* (Paris, L'Archipel, 1996) ; Grimal, Pierre, *Cicéron* (Paris, PUF, 1993) ; Hinard, François, *Sylla* (Paris, Fayard, 1985) ; Robert, Jean-Noël, *Éros romain* (Paris, Les Belles Lettres, 1997).

Afin de respecter la spécificité de l'atmosphère, nous avons conservé le tutoiement. Bien que la société latine fût hiérarchisée, il était de tradition de ne pas vouvoyer la personne à laquelle on s'adressait. Cette règle était valable même pour l'esclave qui tutoyait son maître.

# Table des matières

Première partie
*Enquête* .......................................................... 7

Deuxième partie
*Menaces* ...................................................... 159

Troisième partie
*Justice est faite* ......................................... 293

Postface ....................................................... 394

*Impression réalisée sur CAMERON par*
*BRODARD ET TAUPIN*
*La Flèche*

*pour le compte des Éditions Ramsay*
*en juin 1997*

*Imprimé en France*
Dépôt légal : juin 1997
N° d'impression : 1599S-5
ISBN : 2-84114-279-5
50-0925-3
RAR 817